KU-669-468

V JORNADAS DE TEATRO CLÁSICO ESPAÑOL

EL TRABAJO CON LOS CLÁSICOS EN EL TEATRO CONTEMPORÁNEO

ALMAGRO, 1982

Dirección y revisión de materiales:
Juan Antonio Hormigón

D.L.: M-26516-1983
I.S.B.N.: 84-7483-313-2
Obra completa: 84-7483-311-6
Impreso por: Técnicas Gráficas FORMA, S. A. - Rufino González, 14 - Madrid-17

INDICE

Págs.

III JORNADA

DRAMATURGIA Y REVITALIZACIÓN

JUAN ANTONIO HORMIGÓN.— *Vamos a empezar la tercera sesión. La de hoy está dedicada a la "dramaturgia y revitalización". Son cuatro los ponentes. Intentaremos que se aborden los problemas de dramaturgia desde diversos ángulos. Nos vamos a centrar sobre todo, pienso, fundamentalmente, en lo que puede ser el montaje de los clásicos, pues va a ser el tema de las adaptaciones lo que más nos va a preocupar. También habrá aportaciones de otra índole, es decir, trataremos diversos aspectos de lo que puede ser ese trabajo dramatúrgico, desde lo que es el estudio o proyección de un personaje, un mito, una tendencia a lo largo de la historia del teatro, hasta cuestiones concretas ligadas al tema de las adaptaciones. Y ya sin más, porque no quiero extenderme en lo innecesario, Dru Dougherty va a empezar con la primera ponencia.*

EL LEGADO VANGUARDISTA DE TIRSO DE MOLINA

DRU DOUGHERTY

DRU DOUGHERTY

Nació el 10 de abril de 1943, en Helena, Montana, USA. Casado, dos hijas. Doctorado en lenguas románicas, Universidad de Harvard, 1972. Estudios anteriores en la Universidad de Illinois y Hamilton College. Becario de (1) Comité Conjunto Hispano-Norteamericano para Asuntos Educativos y Culturales, 1982; (2) American Philosophial Society, 1981 y 1976; (3) National Endowment for the Humanities, 1980-1981 y 1974.

Desde 1974, profesor de la Universidad de California, Berkeley; a partir de 1980, profesor con permanencia. Cargo anterior, New College, Sarasota, La Florida, 1972-1974. Miembro de la Junta Editorial de los **Anales de la Literatura Española Contemporánea.**

Publicaciones:

Libros: **Un Valle-Inclán desconocido (Entrevistas y conferencias olvidadas de don Ramón,** Madrid, Editorial Orígenes, próximo a salir. **Valle-Inclán ante la Segunda República,** Madrid, Nuestra Cultura, saldrá a finales de 1983.

Artículos: "The Tragicomic Don Juan: Valle-Inclán's **Esperpento de las galas del difunto (The Dead Man's Duds)", Modern Drama,** 23 (1980), 44-57. "El segundo viaje a México de Valle-Inclán: Una embajada intelectual olvidada", **Cuadernos Americanos,** 38, ii (1979), 137-76. "Pascual en la cárcel: el encubierto relato de **La familia de Pascual Duarte", Ínsula,** 365 (1977), 5, 7. "Form and Structure in **La colmena:** From Alimentation o Community", **Anales de la Novela de Posguerra** (actualmente, **Anales de la Literatura Española Contemporánea**), 1 (1976), 7-23. "The Question of Revolution in **Tirano Banderas**", Bulletin of Hispanic Studies, 53 (1976), 207-13. **"Luces de bohemia** and Valle-Inclán's Search for Artistic Adequacy", **Journal of Spanish Studies: Twentieth Century,** 6 (1974), 61-75.

Antes de comenzar, de entrar en materia, quiero agradecer a los señores Ramón Cercós Bolaños y Juan Antonio Hormigón, la oportunidad de asistir y participar en estas jornadas y llevar a ellas el tipo de tema que voy a desarrollar hoy. Al mismo tiempo quiero expresar mi gratitud al Comité conjunto hispano-norteamericano para asuntos culturales, sin su generosidad esta investigación que yo os traigo, no se habría realizado ni estaría aquí con vosotros para participar en estas Jornadas. El título de mi ponencia es "El legado vanguardista de Tirso de Molina" y quizás debo hacer una advertencia previa aclarando que se trata de la vanguardia historiable, la vanguardia de los años veinte de este siglo, no la vanguardia propiamente dicha, la vanguardia actual.

* * *

La práctica de estudiar el teatro clásico español desgajado de un contexto teatral vivo, ha llevado a pasar relativamente por alto su valor dramatúrgico para épocas posteriores. En esta exposición me propongo preguntar si la dramaturgia clásica tenía alguna pertinencia para el teatro vanguardista español de este siglo. Vais a ver que sí, la tenía, pero no en el sitio más indicado, no en los escenarios de los años veinte. El legado vanguardista de la comedia, y de Tirso de Molina en particular, se encontraba, antes bien, en dos puntos contrarios al texto habitual de la época: en las polémicas en torno a la decadencia teatral, y en el teatro impreso cuya novedad le distanciaba de la escena comercial del día.

Nuestro punto de partida son dos testimonios que dan enlace, entre sí, a los dos tiempos mencionados. El primero es de Francisco Marroquín, del año 1928: "Teatro contemporáneo (llámese vanguardia, superrealismo, teatro de arte, etc.), es por definición, combativo, la antítesis del viejo teatro... que nosotros consideramos caduco, insubstancial, ultraexplotado, momificado" (*ABC*, 17-V-28, p. 10). El otro es de Enrique Díez-Canedo, poeta y crítico teatral de *El Sol*: "Nuestro verdadero teatro de vanguardia es el de Lope y Calderón" (9-X-28, p. 8).

Teatro combativo; teatro clásico español: he aquí el enlace polémico que se daba en la mente de muchos intelectuales, conscientes de la decadencia que sufría la escena española y deseosos de renovarla. Para aquellos que impulsaban una modernización escénica, la dramaturgia clásica representaba un arma de combate, arma con que atacar el teatro "caduco" del día —la dramática de Benavente, Muñoz Seca, los hermanos Alvarez Quintero, etc.— y crear otro a tono con el espíritu vanguardista distintivo de la primera postguerra europea. De hecho, tenemos casi olvidada la conciencia de crisis teatral que motivaba este interés en la comedia clásica. Intelectuales como Ortega y Gasset, Ricardo Baeza y José Díaz Fernández medían la dramática de los autores nombrados contra las novedades aportadas por Pirandello, Lenormand, Cocteau, Shaw y Eugene O'Neill. El resultado fue un agudo sentimiento de insuficiencia teatral. Como notó Manuel Pedroso, en 1925: "Desde 1900 se han sucedido en Europa los ensayos más interesantes de renovación teatral, multiplicados después de la guerra, sin que se haya reflejado de ninguna manera en la escena española el más leve ritmo de inquietud" (*Heraldo de Madrid*, 8-VIII-25, p. 5).

Dentro de este clima de crisis, el teatro clásico español ofrecía una dramaturgia de ruptura, cuyos rasgos coincidían sorprendentemente con alguna de las innovaciones más audaces del día. La dramática de Calderón, Lope y Tirso proporcionaba un modelo de experimentos teatrales, y marcaba un camino propio, netamente español, hacia la modernidad escénica.

Ahora bien, antes de precisar aquella sorprendente "modernidad" de la comedia, conviene recordaros lo difícil que era, en los años veinte, conocer la dramaturgia clásica en su forma original. Tanto autores como críticos volvían a ella desde una circunstancia cultural específica, esto es, la de la representación viva. Cabía acercarse al teatro clásico, claro está, mediante lecturas de textos más o menos fidedignos. Pero su conocimiento vivo, en los escenarios de la corte, no podía menos de suministrar el modelo más influyente —por inmediato— de esa dramaturgia antigua, modelo que seguro, con más frecuencia, combatir.

Lo enojoso de reconocer este acceso circunstancial al teatro clásico, es que nos obliga a hacer unas preguntas básicas. De pronto hay que preguntar qué fue la experiencia de la comedia como teatro vivo en aquellos años. ¿Qué obras clásicas se ponían en Madrid entre 1920 y 1930? Y esas obras, ¿cómo se escenificaban? ¿Y Tirso? ¿Tenéis motivo para suponer —como seguramente suponéis— que sus comedias, y sobre todo *El burlador de Sevilla,* vivían en las tablas de los años veinte?

A fin de contestar estas preguntas, he pasado gran parte del verano examinando la prensa de la época en vuestra incomparable Hemeroteca Municipal. Los datos que he reunido permiten establecer el repertorio clásico de la llamada —y bien llamada— edad de plata, al tiempo que informan sobre la práctica habitual de escenificar dichas obras. Miremos ahora esos datos para que veamos, en lo posible, la vivencia histórica de la comedia en la década de los veinte.

Según declara Díez-Canedo, entre cien y ciento cincuenta obras se estrena por temporada en Madrid por esos años (1). Si tomamos la cifra de 125 como unidad media, cabe calcular que alrededor de 1400 obras nuevas se ponían en los teatros de la corte entre 1920 y 1930. De esta suma, he comprobado que unas 70 reposiciones eran de obras clásicas, es decir, un 5 %. Estas reposiciones incluían 23 obras distintas, de las que 18 no volvieron a ponerse más de dos veces (2). Así pues, el repertorio clásico efectivo consistía en cinco obras escenificadas con bastante regularidad. Estas obras eran, en orden de frecuencia: *El alcalde de Zalamea* y *La vida es sueño,* de Calderón, que juntas, sumaban más de un tercio de las reposiciones totales (27); *El vergonzoso en palacio,* de Tirso (9); *Reinar después de morir,* de Vélez de Guevara (6 reposiciones); y, atribuida a Lope, *La estrella de Sevilla* (5).

Junto con estos datos, conviene tener presente que casi la mitad de las representaciones de obras clásicas se debía al empeño del actor Ricardo Calvo. Calvo alternaba su cultivo de la comedia con el del drama romántico, representando con preferencia obras de Zorrilla y del duque de Rivas al lado de las de Calderón. Como repertorio vivo, pues, la comedia clásica venía a ser mayormente la creación escénica de un solo actor, en las figuras de Pedro Crespo y Segismundo, papeles que turnaban —a veces el mismo día— con los de don Alvaro o Don Juan Tenorio.

La vinculación que acabo de hacer entre héroes clásicos y héroes románticos nos aporta el primer indicio concreto de cómo se representaba el teatro clásico en los años veinte. Escuchad a Díez-Canedo, del año 1929: "Y se ha de advertir que entre el teatro de hoy y el de los clásicos se interpone el romanticismo, que nos pasa sus adaptaciones de aquellos, con que frecuentemente los desfigura; y que en la declamación... prevalece aún la manera romántica que no puede evitar... un dejo deranciedad" (*El Sol*, 17-V-29, p. 3). De hecho, Díez Canedo no se cansaba de señalar la "desfiguración que resultaba de declamar los versos barrocos a la manera romántica. Asimismo, su colega, Melchor Fernández Almagro, protestaba el uso de refundiciones románticas en la escenificación de los clásicos. Así, por ejemplo, comentó una reposición de *La estrella de Sevilla*, en 1929: "*La estrella de Sevilla* ha debido ponerse tal como es: no como la contrahizo Hartzenbusch. Es intolerable que persista en relación con los clásicos el absurdo y petulante criterio del siglo XVIII y de gran parte del XIX. Reducir a unidades de lugar y tiempo la espléndida libertad de Lope o Calderón; interpretar versos, quebrantar caracteres y amañar desenlaces es una tarea de dómines y eruditos que ya nadie acepta" (*La Voz*, 21-I-29, p. 2).

Las protestas de Fernández Almagro, Díez-Canedo y otros indican en qué medida la dramaturgia romántica (o neorromántica) seguía vigente en la edad de plata. Pero había otra práctica, aún más fuerte, interpuesta entre la dramaturgia clásica y la de vanguardia. Me refiero al realismo escénico que, con Tamayo y Baus, Galdós y Benavente, había desplazado a la manera romántica hacia finales del siglo XIX.

Recordemos brevemente los rasgos principales del realismo escénico, que dominaba, dramatúrgicamente, la escena española en la década de los veinte: la naturalidad en el diálogo, el mimetismo en la acción escénica, la propiedad del decorado, la disposición de la obra en actos estáticos sin mutaciones, un espacio escénico cerrado y una separación absoluta entre la ficción del escenario y la realidad de la sala. En conjunto estas convenciones constituían un modo de hacer teatro a ciento ochenta grados de la práctica barroca. El teatro clásico —y aquí comienzo a precisar su legado vanguardista— suponía un diálogo que lejos de aproximarse a la conversación cotidiana se presentaba como discurso poético (por algo se le llamaba "poesía dramática"); asimismo, representaba una acción emblemática —como mimética— cuya disposición en cuadros breves, de frecuentes mutaciones, creaba un ritmo dinámico. Por otra parte, la dramaturgia clásica no sólo permitía la comunicación entre las escenas y el público, la fomentaba, principalmente a través del "aparte"; además, antes que disfrazar la ficcionalidad de personajes y sucesos, la realzaba, sobre todo en los autos sacramentales. Y, finalmente, establecía un espacio escénico abierto donde se abrazaban el mito y la historia, la fantasía y el dato cotidiano. Como notó *Azorín* en 1925, el teatro clásico es "ligero, sutil, aéreo, rápido, vertiginoso. Parece un paso de baile cada escena" (*ABC*, 3-XII-25, p. 7). O escuchad la reacción de Gómez de Baquero ante una edición de *El esclavo del demonio,* en 1926: "Se observa en estos dramas la falta de transiciones psicológicas. Los cambios son bruscos, detonantes. No hay proceso. La naturalidad y la verosimilitud no preocupan al poeta" (*El Sol,* 31-X-26, p. 1). En cambio, sí le preocupaban al público burgués la naturalidad y la verosimilitud, las transmisiones psicológicas y el ritmo lento, convenciones de todas las de la dramaturgia realista.

Pues bien, a *Azorín* y a *Andrenio* les era obvio que la dramaturgia clásica estaba reñida con la contemporánea. Y precisamente por ello —aquí vuelvo a mi punto de partida— valoraban la comedia clásica como pauta hacia un teatro moderno para España. La dramaturgia clásica, al oponerse a la realista, abría camino hacia la deseada renovación teatral. Así lo entendía Valle-Inclán: "Es menester pensar seriamente en el renacimiento del teatro español, cultivando con amorosa devoción la tradicional estética española" (*El Imparcial*, 8-XII-29, p. 3). Y otro tanto opinaba Antonio Machado: "Tenemos nuestros clásicos: he aquí al camino a seguir; ellos nos ofrecen una cantera inagotable" (*La Noche*, 20-IV-28, p. 1).

Esta valoración de la comedia clásica como frente de novedad no era puramente hipotética. De hecho, pueden señalarse enlaces entre ella y la práctica vanguardista tanto fuera como dentro de España. En cuanto al entusiasmo europeo por el teatro clásico español, basta citar una vez más a Díez-Canedo, ya que proporciona el testimonio más completo sobre el tema:

> Además [el repertorio clásico] es actual. Un Lenormand, con su división en cuadros breves, torna en cierto modo a la fórmula hispánica (que fue también la isabelina inglesa), impuesta por la dinamicidad de la acción. Un Claudel se enamora del ambiente, de los asuntos, de los temas españoles, y escribe *Le soulier de satin*. Un Henri Gheon se vuelve a Tirso de Molina y le pide *El condenado por desconfiado* para los *Compagnons de Notre-Dame*, mientras que un Dullin alcanza con el Calderón de *La vida es sueño* unos de los éxitos más permanentes de su Atelier de Montmartre... Antes, un Hofmannsthal, un Reinhardt, proponen a la admiración de sus públicos piezas aquí olvidadas: *La dama duende*, *El gran teatro del mundo*. (*El Sol*, 3-V-28, p. 9).

Cabe advertir que a menudo la conciencia de la modernidad de la comedia clásica para dramaturgos y directores extranjeros contribuía al sentimiento de insuficiencia nacional ya mencionado. ¿Por qué tienen actualidad en París, Berlín y Moscú nuestros clásicos —se preguntaban algunos españoles— mientras se ignoran prácticamente en Madrid y Barcelona? "Aún ahora —escribió al respecto Ruiz Contreras en 1929—, mientras nuestros "modernísimos" buscan modelos en Rusia y más allá, los rusos, los franceses y todos acuden a las creaciones de nuestro teatro antiguo... Esa riqueza... la tenemos oculta en las cuevas de nuestro tesoro, no con la perdonable sordidez del avaro, sino con el abandono torpe del abúlico" (3).

Pero lo cierto es que también en España los "modernísimos" buscaban modelos en la dramaturgia clásica. Pese a lo que pensará Ruiz Contreras, ese "teatro artístico" no quedaba abandonado por aquellos que promovían una renovación escénica para España. Así, por ejemplo, se echa de ver de que Valle-Inclán tenía presente la estructura dinámica de la comedia —la suceción rápida de cuadros— al escribir su esperpento *Luces de bohemia,* cuya versión definitiva cuenta quince escenas seguidas, sin interrupción ni división en actos. Asimismo, la ficcionalidad desnuda propia de la comedia hace pensar en *El maleficio de la mariposa,* de García Lorca, o —en la línea del auto sacramental— *El hombre deshabitado,* de Rafael Alberti. En el discurso poético del teatro clásico, encontraron Manuel y Antonio Machado inspiración para sus comedias en verso (*Desdichas de la fortuna, o Julianillo Varcálcel, Juan de Mañara,* etc.), de las cuales notó Díez-Canedo: "Nunca en versos modernos fue menos visible la imitación, más evidente la alcurnia" (*El Sol,* 4-XI-26). Y el espacio escénico antiguo, que se ve invadido por la mitología y la fantasía y que cuenta con la presencia del espectador, es elemento principal de *El señor de Pigmalión,* de Jacinto Grau.

Se daban, en fin, verdaderos enlaces entre la dramaturgia clásica y la de vanguardia. Y de ahí que trabajar en pro de la una redundara en beneficio de la otra. El hecho histórico que conviene subrayar, pues, es el siguiente: que recobrar la dramaturgia clásica significativa, en la década de los veinte, potenciar la dramaturgia de vanguardia. Actualizar la comedia —como sabían

García Lorca y Eduardo Ugarte, directores de "La Barraca"— era posibilitar una modernización teatral en España.

Y dentro de este legado general de la comedia clásica, ¿tenía Tirso de Molina una significación particular? Si nos fijamos solamente en la presencia de Tirso en los carteles de la época, será preciso concluir que no. Es cierto que *El vergonzoso en palacio* figuraba en el repertorio clásico y que se reponía con relativa frecuencia. Pero no lo es menos que precisamente esa comedia se conformaba a la imagen de Tirso que le hacía aceptable al público burgués: basta recordar su fama de ser fino psicólogo (se decía que sus tramas salían del confesionario), observador agudo de las costumbres sociales de su día y experto en urdir enredos cómicos. Como opinó Luis Gabaldón en 1930: "Tirso brilla en las comedias de enredo y en las que reflejan las costumbres de su licencioso tiempo... Si Lope le aventaja en fecundidad, inventiva y lozanía, Calderón en lo profundo y reflexivo... Tirso los sobrepuja en travesura, humanidad y realismo" (*ABC,* 24-IX-30, p. 34). Comedia mayormente de palacio (y por ello de interiores lujosos, personajes refinados y trajes vistosos, todos del gusto del público), *El vergonozoso en palacio* ofrecía un tema comodamente sentimental, así como un héroe torpe cuya salvación corre a cargo de una mujer fuerte. Una comedia del todo inofensiva, en fin, que presentaba, además una virtud bien práctica: era fácil refundirla en los consabidos tres actos estáticos, precisándose, tras dicha transformación, tan sólo dos decorados (4).

Aparte de *El vergonzoso en palacio,* otras dos comedias de Tirso llegaron a los escenarios madrileños durante la edad de plata, *El condenado por desconfiado* (versión de los hermanos Machado), en 1924, y *La prudencia en la mujer,* en 1930. En el estreno de estas obras cabe reconocer un intento de romper con la línea frívola representada por *el vergonzoso en palacio*. Respecto de la primera de estas obras, su carácter teológico le alejó, evidentemente, del gusto del público, para quien resultó una "curiosidad literaria" según Díez-Canedo, o "una obra de museo", al decir de *Andrenio* (*El Sol,* 4-I-24, p. 2 y 11-I-24, p. 4). Pero si la temática produjo extrañeza en el público, la puesta en escena causó verdadero disgusto. Comentó en su crítica José Casado: "En realidad, el título de la obra de Tirso de Molina serviría para definir lo que ocurrió anoche en el Teatro Español. La desconfianza que la empresa tenía en la obra la ha condenado. Poco esmero, poco amor, poco cuidado en todo" (*Heraldo de Madrid,* 4-I-24, p. 2). El crítico teatral de *El Sol* era menos comedido en su juicio: "Digámoslo, sin rodeos: fue un verdadero desastre" (4-I-24, p. 2).

En cambio, *La prudencia en la mujer* gozó de una acertada dirección escénica, gracias al talento de Cipriano Rivas Cherif. Es más: las críticas periodísticas apuntan a un esfuerzo por romper con la dramaturgia habitualmente reservada para la escenificación del teatro clásico. Se puso en escena no una refundición sino el "texto íntegro"; la actuación de Margarita Xirgu se destacó por su estilo atenuado ("dicción apagada y monótona", según un crítico); y se dio al conjunto plástico la importancia que merecía. "Sin ser en absoluto novedad —escribió Díez-Canedo, pensando en las "novedades" extranjeras—, es entre nosotros casi una revolución" (*El Sol,* 24-IX-30, p. 5) (5).

Ahora bien, falta un título aquí, ¿verdad? En efecto, la ausencia de *El burlador de Sevilla* de los carteles llama la atención. Según mis pesquisas, y las de Michael McGaha en *The Teatre in Madrid During the Second Republic,* la obra más universal de Tirso no fue representada ni una sola vez en Madrid entre 1920 y 1936.

De hecho la única noticia que tengo de su reposición en toda la península es de 1934, cuando García Lorca la montó en Santander con "La Barraca" (6). Desde luego, la ausencia de *El burlador* da mucho que pensar. Por lo pronto me limito a observar que entonaba con el desvío general del público respecto de la tragedia en los años veinte. Al Don Juan heróico y desconcertante de Tirso, el público prefería el gallardo y sentimental de Zorrilla.

Así pues, si atendemos tan sólo al teatro comercial de la edad de plata, no advertimos el legado específico de Tirso. Este, hay que buscarlo en dos sitios alejados de los escenarios madrileños: en la reivindicación del Don Juan de Tirso —frente al Tenorio de Zorrilla— debida a ensayistas y eruditos de la época; y en obras impresas que, inspirándose en Tirso, no conseguían ser estrenadas ya que rebasaban, merced a esa inspiración, el convencionalismo teatral del día. Como ejemplos de la depuración de Don Juan, cabe citar las *Meditaciones* de Ortega y Gasset sobre la esencia trágica de la figura ("Maestro de afán y sed", llamaba a Don Juan en sus conferencias de 1921) (7), los ensayos de José Bergamín dedicados a resaltar su ambigüedad temporal (8), y los prólogos de Américo Castro, preparados para ediciones críticas de Tirso, de los que citaré más tarde. Tienen en común los ensayos aludidos el deseo de rescatar al héroe de Tirso de la desnaturalización que venía sufriendo a manos de quienes lo acomodaban al público teatral moderno, esto es, al gusto de la burguesía. 'Basta pensar, al respecto, en *Don Juan, buena persona,* de los hermanos Alvarez Quintero, *Don Juan de España,* de Martínez Sierra, y *Las canas de Don Juan,* de Juan Ignacio Luca de Tena). Como notó Ortega en *El Sol:* "La figura de Don Juan es uno de los máximos dones que ha hecho al mundo nuestra raza. No obstante, en los últimos tiempos los españoles la han desatendido y dejan que se anquilose en las guardarropías de los teatros populares" (11-VI-21, p. 3). La observación hecha a continuación bien podría servir de manifiesto para esta empresa de recuperación cultural: "Quisiera pues, buscar otro Don Juan que el de Zorrilla, porque éste, psicológicamente, me parece un mascarón de proa, un figurón de feria".

Respecto a dramaturgos cuya obra revela una conciencia de Tirso, conviene mencionar, en particular, a Jacinto Grau *El burlado que no se burla),* Valle-Inclán (*Esperpento de las galas del difunto),* Unamuno *(El hermano Juan)* y García Lorca (*Así que pasen cinco años).* Estos autores también resucitaron al Don Juan primitivo —Grau directamente, Valle y Unamuno de modo más bien indirecto, Lorca mediante la inversión (9)—, pero de hecho su afinidad con la dramática del fraile de la Merced era mucho más amplia. Porque aparte de la presencia explícita o implícita de Don Juan, dichas obras manifiestan los dos rasgos que singularizaban a Tirso para los autores nombrados: su invitación a que ocupemos un espacio escénico de dimensiones míticas, y su representación erótica de la esencia humana. El mito erótico; el erotismo mítico: he aquí la doble herencia que recogían los vanguardistas de Tirso.

Dadas las honduras del ser humano a que conducía esa herencia —con la promesa de iluminarlas, pero con el riesgo también de revelar así dilemas insolubles y destinos trágicos—, era de esperar que el teatro comercial de la época se mostrara indiferente ante las obras mencionadas, así como su punto de arranque, *El burlador de Sevilla.* Por una parte, el espacio mítico de Tirso no cabía en los lugares encerrados propios del realismo escénico: el salón burgués, el patio andaluz, la plazuela madrileña. Dentro de las convenciones al uso, no había manera (mejor dicho, voluntad) de escenificar los lugares simbólicos que tarde o temprano aparecen en las comedias de Tirso: montes y caminos, playas y prados, donde se dan cita sus figuras sobrehumanas, aquellos ángeles y demonios, santos y grandes pecadores. Más por lo mismo que el teatro comercial se mostraba diminuto ante esa dramaturgia colosal, ella presentaba una salida para aquellos que, encontrándose sofocados, buscaban un modo de "ensanchar y abrir" —como decía Fernández Almagro— el "horizonte teatral" de España *(La Voz,* 1-VII-27, p. 2). En el escenario mítico de Tirso, en fin, la vida recobraba su dramatismo trascendente, y el teatro su antigua función religiosa. Así se explican la actualidad "subterránea" de Tirso y su signo innovador para la vanguardia teatral (10).

Por otra parte, el ímpetu erótico que late en los personajes de Tirso, y que llega a su plenitud en la figura de Don Juan, resultaba subversivo para un teatro que servía, al decir de José Escofet, un público "de moral estrecha y escrúpulos monjiles (*La Voz,* 4-V-27, p. 1). En sus conferencias, Jacinto Benavente se complacía en escandalizar a ese público, recordándole que Tirso había presentado, en *La venganza de Tamar,* un caso de incesto. "En las comedias —comentó con cierta amargura—, yo no sé que hoy se pudiera atrever ningún autor a tanto como aquellos autores se atrevieron" (11). Es decir, si un autor deseaba estrenar, forzosamente tenía que respetar las restricciones morales de la burguesía. Pues bien, en realidad con ese clima represivo cabe situar la insistencia de Américo Castro en presentar al Don Juan de Tirso como "verdadero héroe de la transgresión moral" (12). Reflejando plenamente el valor que tenía Don Juan para los dramaturgos de avanzada, Castro destacó el "tremendo impulso vital" de la figura —que pasa por las tablas, dice, "a modo de vendaval erótico"—, al tiempo que insistió, como Ortega, en su destino trágico. El público que aplaudía *Canción de cuna* y premiaba al autor de *El rosal de las tres rosas,* ¿cómo iba a tolerar que un "vendaval erótico" se posesionara de su teatro?

"Ahí están —observó Pérez de Ayala en 1927—, con su mocedad incólume, más modernos ahora que nunca, nuestros grandes y venerables clásicos" (13). Este juicio se halla en un ensayo cuyo título reza, "La crisis teatral": nuevo —y último— ejemplo de cómo se respondía al agotamiento dramatúrgico de los años veinte afirmando la modernidad del teatro clásico español. Defender esa relación significaba, como hemos visto, respaldar los ensayos de renovación escénica. Y dentro de esta potenciación de lo nuevo por lo clásico, la dramática de Tirso de Molina impulsaba, tal vez como ningún otro autor clásico, los valores de la vanguardia: su apetencia de vitalismo, su voluntad de horizontes abiertos, su espíritu de transgresión.

NOTAS

* *El autor agradece al Comité Conjunto Hispano-Norteamericano para Asuntos Educativos y Culturales la beca que hizo posible esta investigación.*

(1) *La Nación* (Buenos Aires), 29-VII-28, Suplemento Literario, p, 14.

(2) Las 18 obras eran las siguientes: de Calderón, *La niña de Gómez Arias* (1922, 1930), *No hay burlas con el amor* (1922), *El astrólogo fingido* (1927) y *El gran teatro del mundo* (1930); de Lope, *El castigo sin venganza* (1920, 1930), *Gran maestro es amor o la boba discreta* (1921), *La niña de plata* (1926), *Peribánez y el comendador de Ocaña* (1926) y *La moza del cántaro* (1930); de Cervantes, *La guarda cuidadosa* (1921, 1926), *La ilustre fregona* (1923) y *Los dos habladores* (1930); de Tirso, *El condenado por desconfiado* (1924) y *La prudencia en la mujer* (1930); de Moreto, *El desdén con el desdén* (1920) y *El ricohombre de Alcalá* (1921); de Vélez de Guevara, *Luna de la sierra* (1921); y de Guillén de Castro, *Las mocedades del Cid* (1922, 1930).

(3) Luis Ruiz Contreras, *Medio siglo de teatro infructuoso,* 2.ª ed., Madrid, CIAP, 1931, pp. 25-26.

(4) Así en la refundición de Luis Súñer Casademunt, Madrid, Sociedad de Autores Españoles, 1913. Además de cambiar el lugar de la acción con frecuencia y cortar numerosísimos versos (por ejemplo, el episodio metateatral del segundo acto, en torno al retrato de doña Serafina), el refundidor cambia de sexo a doña Juana, convirtiéndola en Figueredo quien, a su vez, evoluciona de criado a ser primo de don Antonio. Es evidente que Súñer conocía la refundición de Calixto Boldún y Conde de la misma obra (Madrid, 1875), ya que sigue sus líneas generales. Tras el homenaje a Tirso en diciembre de 1929, que incluía una representación en el Teatro Español de *El vergonzoso en palacio,* Díez-Canedo alude al "arreglo del inevitable Carlos Moor *(El Sol,* 5-XII-29, p. 6). No figura dicho autor en ninguna de las bibliotecas principales de Madrid (ni en el archivo de la Sociedad General de Autores de España), haciéndome pensar que o dicha refundición nunca se publicó o se trataba de un *nom de plume.*

(5) La obra fue repuesta por Margarita Xirgu el 15 de abril de 1932 en el Teatro Español. Según las investigaciones de Michael D. McGaha, esta fue la única ocasión en que se escenificó una obra de Tirso entre 1931 y 1936 en Madrid. Ver *The Theatre in Madrid During the Second Republic,* Londres, Grant & Cutler Ltd., 1979. Según la información que trae McGaha, durante la República hubo 1.258 estrenos, de los cuales 50 eran de obras clásicas, es decir, un 4 %. Aunque Calderón se mantenía popular (18 reposiciones de 3 obras), Lope ya le aventajó, debido al centenario de 1935 (19 reposiciones de 12 obras distintas). Los otros autores representados eran Cervantes de Vélez de Guevara (4 reposiciones), Rojas Zorrilla (2) Quiñones de Benavente y Tirso (1).

(6) Luis Sáenz de la Calzada, *"La Barraca" Teatro Universitario,* Madrid, Revista de Occidente, 1976, p. 152.

(7) "Meditación de Don Juan", *El Sol,* 11, 19, 28-VI-21, p. 3. Las conferencias sobre el tema fueron pronunciadas en la Residencia de Estudiantes los días 10 y 24 del mes anterior.

(8) "Genio y figura de Don Juan", *ABC,* 21-XI-29, p. 10 y 28-XV-29, p. 11.

(9) Bien mirado, el Joven de *Así que pasen cinco años* corresponde al arquetipo contrario a Don Juan, esto es, a la figura del "vergonzoso". Resulta un vergonzoso que nunca llega a palacio.

(10) En su introducción a *El burlador que no se burla* (otro texto de depuración digno de mención), Jacinto Grau, tras de "volver a considerar al Don Juan de origen", se encara con el teatro de su tiempo como sigue: "En cuanto a la suerte en nuestros teatros de este *Burlador que no se burla,* no sé, a pesar de ser muy fácil, si lograré en mi país verlo alguna vez representado adecuadamente, ya que entre nosotros hace mucho tiempo que no hay teatro. Hay sólo una congestión de estupidez y un *clan* de autores militantes, cerrado a

todo temblor y curiosidad, que arrastra otro clan de actores y empresarios con una identificación aterradora, sin otro fin que el de un simple negocio rutinario y limitado" (Madrid, Editorial Mundo Latino, 1930, p. 20). Grau pretendía, evidentemente, introducir un poco de "temblor y curiosidad" en ese teatro, convocando al "Don Juan de origen".

(11) Jacinto Benavente, *Conferencias*, Madrid, Sucesores de Hernando, 1924, p. 290.

(12) Prólogo a Tirso de Molina, *El vergonzoso en palacio y El burlador de Sevilla*, I, Madrid, Espasa-Calpe, 1932, p. XXV.

(13) En *Obras Completas*, III, Madrid, Aguilar, 1963, p. 528.

JUAN ANTONIO HORMIGÓN.— *Gracias, gracias, gracias. Bien, vamos con la segunda intervención de Domingo Ynduráin sobre "Erudición y montaje de los clásicos". Con ella iniciamos ya el giro sobre el qué hacer hoy y cómo trabajar con los clásicos en el teatro contemporáneo, en lo que ya nos ha introducido nuestro amigo Dougherty. Le doy la palabra sin más a Domingo.*

ERUDICIÓN Y MONTAJE ACTUAL DE LOS CLÁSICOS

DOMINGO YNDURÁIN

DOMINGO YNDURÁIN

Nacido en Zaragoza, licenciado en Filología Románica por la Universidad Complutense de Madrid, doctor en 1969.

Lector de español en la Universidad de Zürich desde 1966 hasta 1972. Profesor extraordinario de la Universidad de Lovaina en los cursos 1971-2 y 1972-3. Profesor visitante en la Universidad de Lausanne en el curso 1971-2.

Profesor ayudante en la Universidad Autónoma de Madrid desde 1972 hasta 1975.

Profesor agregado de Literatura Española en la Universidad Complutense de Madrid desde 1975.

Catedrático de Literatura Española en la Universidad Autónoma de Madrid desde octubre de 1981.

El problema fundamental es que el tema ha sido discutido muchas veces aquí en Almagro y en otros sitios. Esto supone que hay una previa conciencia de que toda una serie de aspectos son conocidos por los congresistas. Tratar, por supuesto, de reunir en una misma persona o desde una sola perspectiva, en último término, las dos perspectivas de hombres de teatro y eruditos o como se les quiera llamar, naturalmente es algo francamente difícil.

* * *

Una vez más se plantea en estas jornadas el polémico tema que da título a esta ponencia. Me ha parecido conveniente anunciar desde el principio la controversia e, incluso, insistir (mediante el término *erudición)* en las connotaciones negativas que la alternativa filológica lleva consigo. Espero con ello eliminar las ambigüedades y, en cierto modo, las reticencias.

Como otros años, en Almagro y en otros lugares, el enfrentamiento y las discrepancias han ocupado demasiado tiempo y han sido suficientemente desarrolladas, creo que lo más útil es aventurar una especie de guión en el que se recuerden y, quizás, se fijen, los puntos en los que hay acuerdo básico (con todas las matizaciones necesarias), y se den las razones eruditas y no eruditas para aquellos otros en los que el desacuerdo subsiste. Está claro, entonces que me tomo la libertad de interpretar y exponer las opciones de los "hombres de teatro", sin ser uno de ellos; la consecuencia inmediata es que mi personal perspectiva puede alterar el sentido de los planteamientos ajenos; la deformación, es, en efecto, casi segura, pero no tiene mayor importancia porque ilustra, por un lado, las deficiencias de mi comprensión del teatro como espectáculo actual, y, por otro, da pie al coloquio donde se podrán corregir las desviaciones *concretas*, en lugar de divagar sobre supuestos, reales unas veces, ficticios otras.

1. Algunas personas parecen creer que los eruditos, filólogos o como quiera que se nos llame, tenemos tal temor reverencial ante los textos clásicos que cualquier alteración nos escandaliza. Así, pues, lo primero que debe quedar claro es que eso no es así; no hay, por lo general, fetichismo ni superstición frente a las obras y autores consagrados por la cultura. Esas actitudes corresponden más bien a quienes no están familiarizados con la materia y parecen temer que cualquier cambio en la letra o el espíritu de la obra que sea les eche abajo todo el tinglado; tinglado que —dicho sea de paso— identifican con unos valores ideales, inmutables y eternos que les resultaría muy difícil de concretar, si tuvieran que hacerlo.

Sin embargo, un planteamiento histórico de la literatura (o del espectáculo) teatral no tropieza con esos escrúpulos: los fenómenos tienen su lugar, mejor o peor conocido, en la historia, y lo que venga después es otra historia. O, dicho de manera clara, por lo que a mí respecta el montador actual de un clásico puede hacer con él lo que le pete, sin más; puede utilizarlo, manipularlo, dinamitarlo... da igual, el clásico sigue ahí exactamente igual que antes. Por ello, el tratamiento actualizador debe ser juzgado desde el resultado, no por el origen textual. La ironía, el contraste, la alternativa, etc., respecto al texto base puede dar lugar a valiosos hallazgos artísticos y añadir un eslabón a la historia.

En cualquier caso es un factor que debe ser tenido en cuenta.

2. Las condiciones materiales en que se desarrolla nuestra vida teatral disculpa a quien monta un clásico para obtener una subvención del ministerio correspondiente, aunque no le interesen lo más mínimo esas obras y, en consecuencia, las retuerza —como venganza y consolación sustitutoria— el pescuezo. Lo mismo se puede decir de todas las modificaciones que arrancan de la falta de escenarios, trajes, compañía, tiempo o cualquier otra miseria habitual. Pero esto no es algo que deba ser discutido como problema teórico, sino simplemente constatado y comprendido.

3. Los posibles escollos comienzan cuando, solventados utópicamente, los dos primeros puntos, se pregunta con la mayor ingenuidad: ¿para qué se monta actualmente un clásico? La respuesta inevitable, una vez soslayados —repito— los problemas del punto primero y segundo, es: porque esa obra ofrece contenidos valiosos para el espectador actual. La respuesta, como todas las respuestas perogrullescas sólo sirve para que las dificultades se presenten de manera más acuciante. Y, en efecto, a la hora de responder de verdad, es decir, cuando hay que concretar de qué contenidos se trata y por qué son valiosos, las posibilidades se hacen infinitas; ahora bien, cabe señalar dos direcciones fundamentales. Una de ellas se dirige a resaltar los elementos de las obras que coinciden o recuerdan con las preocupaciones y la sensibilidad contemporánea.

La otra señala, por contra, lo ajeno, lo que pertenece a otra cultura y a otro momento histórico y social, presentando como valor de la obra el que sirva como vía de acceso a un mundo diferente. Ya veremos esto más despacio; antes hay que atender a otros aspectos.

En cualquier caso (y prescindiendo ahora de los

posibles valores comunes a las dos direcciones señaladas, como pueden ser el estilo, plasticidad, etc.), lo cierto es que nos encontramos ante dos actitudes que, en principio, declaran interesarse y partir de un texto (clásico): ese texto no es ya, o no es ya sólo, un pretexto o un medio para llegar a otra cosa; el objetivo del montaje o del estudio erudito es el texto x; por unas u otras razones o motivos, el objeto es el mismo para el hombre de teatro y para el erudito. Si esto no se acepta, estamos en el caso del punto 1 o del punto 2. Pero si se acepta este punto de partida parece claro que lo primero es aceptar también el texto, es decir, admitir que el texto dice lo que dice, no lo que nos gustaría que dijera, o lo que hemos entendido. A partir de este momento, la reconstrucción histórica y arqueológica resulta, a mi entender, indispensable. Que el resultado del trabajo aleje el texto de la actualidad es un riesgo que hay que correr, y soportar; que en algunos casos nos permite acercarnos al contenido real de la obra, me parece indudable. De cualquier forma, esa comprensión (con todas las carencias y errores normales) será el verdadero punto de partida para montarla o no montarla, para matarla o no matarla, y para hacerlo de una u otra forma.

4. Incluso estoy por decir que esa lectura es el arquetipo del que depende cualquier montaje, tanto el respetuoso como el dinamitero en tanto en cuanto trata de dinamitar esa obra y no un fantasma (aunque también se puede, pero ya no sé si merece la pena, dinamitar fantasmas culturales). Además, las sucesivas interpretaciones de una obra a lo largo de la historia remiten a un mismo texto, como es obvio; son interpretaciones de un mismo hecho que es el común denominador de todas ellas.

En definitiva, con altibajos, con avances y retrocesos, el historiador pretende llegar a una comprensión científica, objetiva de los textos literarios, lo cual, aunque de un arte se trate, es perfectamente posible y a ello hay que aspirar. El director intenta comunicar ese texto a unos espectadores; por ello el montador actual que ignore lo que se sabe de la obra en cuestión (y de su mundo) está ignorando la realidad y trabajando en el aire y sin red. La arbitrariedad como sustitución ocultadora de la ignorancia sólo por casualidad puede dar resultados aceptables. Los ejemplos negativos son tan abundantes que no merece la pena citar ninguno.

5. La representación concreta de un texto, sin embargo, indica a los eruditos que las variables fuera de control son infinitas: la concreción que impone un actor en un gesto, en su tono de voz, son elementos imprescindibles y siempre diferentes; lo cual indica que (dentro de ciertos límites) no hay un arquetipo absolutamente definido, sino una serie de posibilidades e interpretaciones. Y no sólo se trata de aceptar este hecho, también hay que reconocer lo poquísimo que sabemos de esta cuestión unos y otros, al menos por lo que respecta a nuestros clásicos. Recordaré solamente que muchas obras, se escriben para Jusepa Vaca o Juan Rana, como después para Conchita Montes, lo que indica que los actores y las compañías eran un factor esencial en el resultado y significación de la obra, aunque hoy no sepamos nada de cómo operaban.

Lo mismo hay que decir del montaje como conjunto: descubre tonos, equilibrios, correspondencias, etc., que en la lectura pueden pasar despercibidos o ser mal interpretados. Un hecho significativo: la gracia y la frescura que se descubre en algunos clásicos cuando se montan con alegría, como un festejo, lejos del encogimiento y la rigidez que sobrecoje habitualmente a muchos directores. Es entonces cuando se descubre una faceta o aspecto del teatro normalmente oculto a los secos eruditos: la vivencia. Si se me permite un ejemplo personal, obtenido de carambola, recordaré lo que me ocurrió con *El gran teatro del mundo*: después de haberlo editado, vi aquí, en Almagro, un vídeo de la obra; como el vídeo era en blanco y (sobre todo) negro, y el director había echado mano de la danza de la muerte y otros elementos siniestros, el resultado era algo así como una película de F. Lang, uno estaba esperando que de un momento a otro apareciera el malo; pero el malo no aparecía. Fue entonces cuando me di cuenta que ni la Muerte ni el Demonio (apenas la Carne) eran personajes de *El gran teatro del mundo*. Sorprendentemente, Calderón había prescindido de ellos, con lo que si no eliminaba, al menos atenuaba los elementos más tristes y desagradables. Es, sin duda, porque un auto es una celebración festiva, cosa bien sabida por otra parte pero que hasta el momento en que vi el montaje yo no había percibido con esa claridad.

En definitiva, hay que defender la dependencia recíproca texto-montaje.

6. La dependencia recíproca no sólo estriba en lo apuntado en el párrafo anterior. El estudio teórico es el punto de partida pero se manifiesta de un modo mucho más evidente en la práctica; en primer lugar, recordando que, salvo excepciones, el teatro clásico es una práctica: está destinado a la representación antes que a la lectura. Desde ese momento la visualización se hace imprescindible, lo mismo que la sonorización, etc. Pero cuando el director actual comienza su tarea es el momento en que se presenta la necesidad de elegir o, si se prefiere, de eliminar. Y también la de transformar o traducir el lenguaje en signos no codificados.

7. En el punto 3 señalaba los dos caminos que me parecían fundamentales en el tratamiento de las obras clásicas; naturalmente que no son los únicos, y caben

combinaciones entre ambos, situaciones intermedias, etc.

En una situación ideal, el público conocería las convenciones de las obras clásicas, desde el lenguaje hasta el contexto histórico, pero como eso no es así, hay que "traducir" determinadas palabras, expresiones, colores, trajes, referencias culturales, etc., para que resulten inteligibles al público que acude, no a los corrales, sino a los teatros de hoy.

A mi entender, esas adaptaciones o supresiones son legítimas siempre que no se desvirtúe el sentido de las situaciones o el de la obra como unidad. El equilibrio y los límites son difíciles de precisar. Lo que, en cualquier caso, me parece inaceptable es que por mantener, por ejemplo, un conflicto de poder (posibilidad actual) se sustituya el enfrentamiento villano-noble por el de burguesía-proletariado, porque son cosas muy diferentes y lo más probable es que se rompa la red de convenciones que sostiene la construcción dramática, presente en todos sus aspectos e implicaciones. Es un ejemplo obvio y fácil por lo repetido; lo mismo ocurre con la transformación de una dama activa y voluntariosa en una sufragista.

Creo que el motivo de discusión en esos casos de adaptación manipulada no reside tanto en el "respeto" al texto como fetiche cultural como en un mínimo de coherencia exigible a quien presenta una obra: el escollo se salvaría cambiando simplemente el nombre del autor o añadiendo "versión libre de", "inspirado en" o cualquier otra fórmula semejante; no se debe ofrecer una cosa y dar luego otra diferente, salvo que se haga para obtener una subvención. Probablemente la cosa no tiene mayor importancia pero resultaría útil y cómoda (como convención metodológica) porque así se eliminarían de entrada toda una serie de reparos, críticas, denuncias, etc., y podríamos dedicarnos a discutir de cosas más interesantes.

No obstante, y para bien o para mal, según los casos, la presencia del texto-base y la idea que de él tiene el público seguirá estando presente como punto de referencia o contraste: el director debe tenerlo en cuenta.

8. En el origen de la tendencia a actualizar los clásicos creo ver una peculiar manera de entender las obras literarias; me refiero a la que centra el interés de los textos en la anécdota o argumento, de manera que la importancia y el valor residiría en la historia, en lo que se cuenta, todo lo demás no es, para este tipo de lectores, más que adornos o vestiduras con que se embellece o disimula el cuerpo del relato. De aquí arranca la posibilidad de transformar los adornos para hacer la obra más inmediata y próxima, o de eliminar las vestiduras para ofrecer la esencia intemporal del conflicto.

De esta manera es posible hacer tantas versiones de *Romeo y Julieta* como se quiera; para ello basta situar a los enamorados en dos comunidades enfrentadas. Como no faltan ni unos ni otras, la cosa no tiene mucho misterio; y suele dar buenos resultados cara al público.

Hasta cierto punto, ese tipo de actualización se ha visto favorecida y justificada por los estudios morfológicos de las fábulas y los cuentos, me refiero a los que reducen cualquier obra a una serie de factores inmutables e iguales; funtor, actante... La literatura es entonces una especie de *ars magna* combinatoria, y todo se reduce a una serie de silogismos escolásticos.

En el fondo de ese (pseudo) estructuralismo hay una concepción histórica de la realidad: bajo circunstanciales y accesorias diferencias de aspecto, la esencia de los problemas e intereses humanos es siempre la misma (lo cual, dicho sea entre paréntesis, implica que se trata de problemas irresolubles por definición, eternos). Así pues, basta mantener lo esencial e incluso devolverle su forma primigenia alterada por presiones exteriores —como puede ser la censura—, para que resplandezca la Idea original, germen de la obra concreta.

No es necesario glosar las implicaciones ideológicas de tal posición, que puede darse tanto en concepciones tanto en concepciones marxistas como psicoanalíticas o cualesquiera otras. Unicamente me interesa ahora recalcar el ahistoricismo.

9. Los que creemos que la cultura es un proceso histórico no podemos prescindir de la perspectiva historica. Por descontado, hay sensaciones básicas tales como el hambre, el miedo, sexo, poder, etc., pero lo que ofrecen las obras de arte no son esos impulsos elementales, en estado natural, sino la transformación cultural (decir ideológica sería simplificar demasiado) de esos impulsos. Esto supone que en la expresión literaria todos los elementos son solidarios, de manera que no se puede desgajar una veta para presentarla suelta (que en el análisis se haga así, es otra cosa); la forma no es algo adventicio añadido al fondo. En consecuencia, alterar las formas es privar al receptor de las claves estéticas y significativas mediante las cuales la obra adquiere sentido; es dar una obra diferente.

El mundo antiguo es, para nosostros, un mundo ajeno cuyo sistema hay que reconstruir y aprender; lo cual implica un esfuerzo que a mi manera de ver las cosas merece la pena. Las razones por las cuales merece la pena son muy variadas. En primer lugar, quizás, se debería colocar la fruición estética, la satisfacción intelectual que se obtiene. Pero si se prefieren motivos menos "desinteresados" (compatibles con los anteriores) cabe hablar de la perspectiva histórica que se le impone al espectador que va al teatro clásico, tanto si entiende y gusta de la obra como si no. El efecto revulsivo de enfrentar a determinados espectadores con esos clásicos tan respetados en teoría pero que tan ajenos y distantes les resultan cuando se acercan a ellos es un resultado que me parece importante.

En una palabra, es una lección de relativismo con la que se pone de manifiesto la provisionalidad de cualquier sistema, lo cambiante de los valores más arraigados en las sociedad y los individuos. Es un buen antídoto contra la tendencia a considerar inmutables nuestras creencias.

Lo difícil es hacer entrar al público en ese juego, porque el público se resiste con uñas y dientes a que se tambalee la supuesta seguridad de los cimientos sobre los que se asienta su vida social: la presencia de otras bases tan sólidamente aceptadas y defendidas como las suyas, introduce un elemento de distorsión y desasosiego. En último término no le quedará otro remedio que rechazar los valores de esas obras, con lo que el resultado habrá sido el mismo: resquebrajar las concepciones monolíticas, dogmáticamente establecidas. Por el contrario, actualizar los textos y problemas es reafirmar el sistema existente y repetir lo sabido y aceptado.

Lo expuesto es estos papeles peca de esquemático; a veces resulta demasiado simple, y otras falto de concreción, desprovisto de ejmplos ilustrativos. Se deberían haber matizado muchos aspectos, desarrollado otros, ponerlos en relación con la práctica... Todo esto es cierto pero confío en que de cualquier modo (y con suerte) sirvan de guión para entablar el coloquio.

JUAN ANTONIO HORMIGÓN.— *Domingo ha introducido, como es habitual en él, un nítido elemento de debate y de controversia. Debemos agradecérselo por lo que enriquece nuestra problemática y nuestra perspectiva. Vamos a esperar al coloquio porque, digamos, el tema de discusión se va ya perpetrando. Paco, cuando quieras.*

LA ADAPTACIÓN DE LOS CLÁSICOS, UN FALSO PROBLEMA

FRANCISCO NIEVA

FRANCISCO NIEVA

Nacido en Valdepeñas (Ciudad Real), muy joven aún se vincula al movimiento postista. En 1953 marcha a París con una beca y allí descubre a Brecht, Artaud, Beckett, Ionesco, Adamov, Genet y a Felsestein. En 1965 regresa a España y trabaja como escenógrafo, con un caudal de conocimientos asombroso. Estrena sus obras: **Es bueno no tener cabeza, La carroza de plomo candente, El combate de Opalos y Tasia, Sombra y quimera de Larra** y **Delirio del amor hostil".** En **Los baños de Argel** ha sido director, escenógrafo, adaptador y figurinista. Ha sido galardonado con el Premio Mayte y con el Premio Nacional de Teatro, entre otros.

Mi ponencia no es una ponencia de investigación y podría haberlo sido, porque pudiera haber recurrido a una serie de citas sobre la transformación de la sensibilidad del espectador de hoy a causa de los medios de comunicación: televisión, cine, periódicos, revistas ilustradas. Al cambio incluso del oído, del modo de percibir los sonidos. Justo a causa de un avance tecnológico y social inusitado en la historia del mundo moderno, se ha transformado al hombre en otra cosa de lo que era el espectador, no digo sólo del siglo XVII, sino del siglo XIX y principios del XX.

* * *

Los martes de moda en el Teatro de la Princesa, en vida de doña María Guerrero, ofrecían cantidad de comedias clásicas con un mínimo de adaptación —la supresión bastante furtiva de algunos versos inútiles—. Todavía, en Inglaterra, la adaptación de una obra de Shakespeare trae conflictos críticos a sus iniciadores. En uno y otro caso, todo ello es cuestión de veneración y de respeto; pero también de comprensión y de hábito.

Con esta simple reflexión vamos a adentrarnos, aunque brevemente, en el problema de las adaptaciones con un poco de método historicista, aunque huyendo cuanto nos sea posible de la pedantería y la profusión, asimismo convencidos de que todo es contestable y es un deber de los especialistas contestarlo todo en coloquios como los que estos días nos ocupan.

El público madrileño de doña María no era un dechado en cultura ni refinamiento, pero había heredado la inercia romántica de todos los sermones restauradores de nuestro teatro con el propio don Marcelino Menéndez y Pelayo de gran epígono.

Era un público fácil y llanamente ejercitado en degustar el verso y la declamación. Doña María y sus capacitados secuaces habían heredado asimismo una estética de la composición; es decir, tonos vocales, expresión física, recursos y tranquillos de seguro efecto. Era, pues, un código amplio y complejo del que podríamos dar las características en un posterior ensayo más profundo, aunque también pudiéramos insinuarlas al final de esta comunicación. Baste decir, por el momento, que el concepto de "época" en arte comprende el perfil muy delimitado de un código de expresión, en donde la idea estimulante o turbadora de "lo nuevo" en el sentido que a "lo nuevo" se le dio no hace todavía mucho tiempo, no tiene mucho que ver con lo deseado y lo placentero. Este concepto, enfatizado desmedidamente por las vanguardias, ha enrarecido considerablemente el papel del mensaje y del mensajero, los vehículos de transmisión y el estado receptivo del público.

El estudioso y el investigador no han de pretender, con la refinada insidia de los conservadores o los revolucionarios, detener el tiempo o volver atrás. Producidos los cambios no hay sino aceptarlos y, en todo caso, premonizar su desarrollo, prever su evolución o su extinción.

Con algo de atención no es difícil comprender tanto la resistencia del público actual a los clásicos como la facilidad de asimilación de los clásicos al estudio puro en la época antes citada, la de los martes de moda en el Teatro de la Princesa.

En este último caso cuenta el estado de "asentimiento previo" de un código expresivo, código de límites prefijados, en el que "la novedad" —cuando se produce— es insólita. Y, si tal "novedad" es estimada o incorporada, nos daremos cuenta de su extraordinaria sutileza, tocante con la pacatería. Son novedades, a distancia, poco detonantes y asentadas sobre alguna singularidad personal del actor protagonista y nunca sobre el concepto total ni del sentido de la obra. Es decir, que el placer estético global se decanta de una "repetición", de la observación policial de una proeza artística, como sucede con el belcantismo operístico. Y, si se quiere otro ejemplo más remoto y exótico, con el "no" japonés y otras formas de teatros orientales donde se observa rígidamente una ceremonia que, además, entraña una habilidad virtuosista. Perdidos este gusto y este conocimiento, el problema de las adaptaciones de los clásicos cambia de signo.

Por lo cual el problema, de muchos modos, deja de serlo, pues el problema surge —si me es permitido decirlo— de una perplejidad y de un compromiso entre dos formas antitéticas de ver y juzgar el teatro. Diríamos que de una forma epigonal y una forma original.

Juzgamos, pues, al antiguo público del Teatro de la Princesa como un público epigonal, dicho sea sin la menor intención peyorativa; antes bien, no hay época si no hay epigonismo. Y podemos decir que aquel tiempo marcó una situación envidiable para todos los públicos pasados y futuros.

Volvamos a las vanguardias para aclararnos en esta situación. Este de las vanguardias es un caso que pasará a ser típico de unos comienzos de siglo XX, en estrecha conexión con la evolución social, económica y política. Es verdaderamente raro y contradictorio que sesudos críticos que, por otra parte, comprenden muy bien el desarrollo de los socialismos desligados del concepto marxista, añoren estéticamente un estado de plenitud conservador. Esto lo hacen engañados por la política cultural soviética, víctima también de una perplejidad y de un compromiso; e, igualmente, de una necesidad de estañaminiento de la dinámica cultural en beneficio de una pretendida pureza ideológica. Pero si el socialismo marxista revulsiona la economía hasta hacer bien clara y visible la existencia de una "cultura de masas", es indudable la pérdida de vigencia y la dificultad de adaptación o iniciación de y hacia estadios epigonales, mantenidos por "una clase". El público de doña María Guerrero no es ya el público del siglo XVII, y sus también minoritarios elementos populares —como tal público— los recluta en lo que se dijo "la clase menestral".

Si recurrimos a autores costumbristas de la época, a los Quintero, por ejemplo, vemos, a veces, esos tipos de "empleadillos" y menestrales obsesionados por el Tenorio y por don Álvaro, que repiten con énfasis el "doña Inés del alma mía" o lo de "la mula torda" de doña Leonor, o el "overo" de Curra en *La fuerza del sino.* Esos menestrales y empleadillos saben todavía vagamente quien fue Hartzenbusch y otros, en su misión educacional. El cajista de imprenta de *La verbena de la Paloma* sabía de teatro clásico más que cualquier crítico actual. Y no lo digo a humo de pajas, porque lo que sabía el cajista de *La verbena* era algo que todavía no ha tenido un ensayo pertinente ni ha merecido la atención de estos buenos señores: el código tópico e inefable de actitudes, acentos, ritmo y movimiento decantados que ya caminaban del epigonismo a la extinción. Sus ojos vieron el parpadeo de las candilejas, el movimiento de sombras sobre el decorado pintado; escucharon el eco antiguo del teatro con unos tímpanos no deformados ni condicionados por los amplificadores radiofónicos. Hoy se escucha de otro modo y la incapacidad de emisión que se atribuye a los actuales actores viene también de una pérdida de acuidad en lo receptivo de los oídos modernos. Existía para el menestral "cultillo" de *La verbena* una forma especial de recepción en la que contaba por mucho el conocimiento y familiaridad que tenía del ritmo expresivo del verso típico español; digamos que poseía una clave de desciframiento simultáneo, sin contar con que, en la ceremonia teatral de la "repetición", existía un conocimiento previo de aquellos versos en la mayoría de los casos, esto que justifica el "teatro de repertorio", cuya existencia se basa en un concepto bastante opuesto al que hoy se tiene de los espectáculos teatrales, más basados en la sorpresa y la novedad. No tanto en los temas como en las formas.

Este público conocedor, epigonal y detenido, que forma una "clase" de espectadores que, a su vez, delimita una "clase social", que ha de ser transitiva por imperativos históricos irreversibles, es ese público fantasma y deseado por el crítico añorante de la pureza y de la muy tasada adaptación de los clásicos; que no deja de ser muy progresista en otros terrenos, pues acepta las conquistas del simbolismo, del expresionismo y de cuantos ismos posteriores ha ido proponiendo la cultura occidental. Con lo cual venimos a vislumbrar que este fenómeno de acumulación cultural es algo que no pertenece si no a especialistas o eruditos que no tienen ni quieren tener en cuenta lo irreversible de una evolución histórica en la que muchos valores naufragan en favor de otros.

Es, pues, evidente que la dinámica cultural del siglo XX, estimulada por enormes avances sociales, entierra una forma de "placer teatral" y una estimación de los clásicos que no volverá hasta que no se produzca otro epigonismo de la suerte. Querer iniciar a públicos modernos, arrastrados por millones de millones a la "cultura de masas", que trabaja con supuestos muy diferentes, es otra de las muchas insensateces didácticas que los intelectuales se proponen, sin mirar hacia adentro y a su propio conflicto de adaptación a la realidad. Esa iniciación llevaría a un "conocimiento", pero no a un placer espontáneo como puede darse en la "época" prefijada. Pues, como ya he insinuado, no todo este placer venía de la objetiva estimación de la obra en sí, sino también de su envoltura sensorial dada por el "ambiente". Si una mágica película del pasado pudiera desarrollarse ante nuestros ojos, veríamos con estupor la cantidad de matices y detalles que se nos han escapado de aquella realidad ambiental y cuántas cosas, hoy completamente desconocidas e inefables, contribuían a dar unidad a ese público en su forma de estimar a los clásicos. Nos chocaría la forma de recitar, tanto más cuanto después vino una tendencia "realista" y revolucionaria en favor de la "naturalidad o verosimilitud". Naturalidad y verosimilitud que luego se descubrieron convencionales al lado del expresionismo y la "distanciación", a su vez convenciones también.

Pero es de observar que las sucesivas "convenciones" propuestas por el dinamismo político y cultural del siglo XX, en una exacerbación quizás anormal e irritante, han dado al traste con las artes populares de signo muy pasivo (en favor de una cultura de masas que tiene otras características) al igual que con las artes epigonales y elitistas unas y otras mucho más asentadas en el placer de la repetición y la ceremonia.

Si un director de escena actual, suficientemente culto y algo "guasón", quisiera restaurar un espectáculo lo más próximo posible a los martes de moda del Teatro de la Princesa, con una sosias de doña María Guerrero que reprodujese su propia manera de recitar, tendría acaso un éxito anecdótico y pasajero que no restablecería para nada un "canon" a seguir, pues ello nos resultaría insoportable. Los "moderados" de nativitate —es decir, los más inadaptados en el fondo— recomendarían "términos medios" y "medias tintas" que indefectiblemente el público mayoritario rechazaría. El terreno de este nuevo público mayoritario parece situarse en un inclemente desierto para el crítico erudito y para el intelectual añorante. Pero su terreno y su situación son los "reales". Y en el marco de esta realidad es donde realmente se debe analizar el falso problema de las adaptaciones. Problema que viene automáticamente resuelto, no por otra cosa que por la fuerza de las circunstancias, que es la fuerza de la realidad.

La evolución económica y social, a cuya zaga fueron amparándose las sucesivas vanguardias, nos encaminaba a un mundo desconocido con nuevas emociones y terrores, nuevos problemas, nueva sensibilidad. La gran aventura de Occidente en el pasado y el presente siglo ha sido la de situarnos en un terreno desconocido que, para el moderno habitante de la tierra, ha significado algo unas veces devastador y otras estimulante. El impulso hacia lo desconocido lo mismo ha tomado pie en el cubismo pictórico que en los proyectos de viajes espaciales. La nueva conciencia del hombre se ha basado en el "suspense". Hay en nuestra cultura un algo de histérico y desaforado que, individualmente, no podemos fácilmente soportar. La actitud del intelectual humanista ha sido en esta aventura transigente y ambigua, nada heróica y genial. Por ello ha pasado a segundo plano. Y, por ello, es neurótica, es —en modernos términos psicoanalíticos— una actitud esquizofrénica y dividida. Pienso, como hombre que quiere ser "de su tiempo", que es una actitud cobarde y desdeñable porque no se enfrenta con la realidad, sea cual sea, terrorífica o prometedora. Ha sido la suya una actitud de comprensión irresponsable frente a la intimidación de la dinámica política; es decir, frente a lo que el marxismo les negaba definitivamente en el área de la conservación y transmisión de su propia cultura. El hecho de ajustar una cuenta nueva con la realidad es demasiado comprometido, y el humanismo ha dado, frente al embate de los nuevos tiempos, una imagen demasiado ambigua. No sabía muy bien qué conservar o qué descartar. La "cultura de masas" y la nueva mentalidad de la época les ha desbordado. No han creído que, en efecto, se producía un seísmo cultural irreversible. Ahora, su mensaje va dirigido —bien a su pesar— a una "clase" inoperante y mal definida, que se sitúa en el terreno de la crisis y la perplejidad.

Ahora, en estos coloquios especializados —que tan poco interesan a una mayoría— se pone sobre el tapete el falso problema de las adaptaciones de los clásicos y de su mayor o menor pertinencia y necesidad, cuando todo ha cambiado ya de significación. Pues una nueva época sólo se conforma con determinados vestigios del pasado, que utiliza adaptándolos en un especial movimiento de depredación, de aprovechamiento final. No salva el detalle, sino lo esencial, como los templos cristianos aprovechaban lo esencial y material de las piedras romanas y los trazados enclaves árabes. Los clásicos no son hoy "degustados" en su pureza —puesto que ello es materialmente imposible— sino reconvertidos en material al servicio de un orden nuevo y en un clima de urgencia, pues no es este un orden conservador que conoce sus límites, sino que se encuentra obligado a establecerlos.

Es increíble que el crítico teatral tenga ante sí el ejemplo de otras épocas que se hicieron sobre la depredación de las anteriores y no comprenda que, hoy por hoy, frente a los "media" de comunicación y la denominada "cultura de masas", sus distingos y sutilezas ante la conservación de los clásicos en su pureza es ya una cuestión bizantina.

Sin por eso querer llevar yo toda la razón, el artista y hombre de teatro sabe mejor lo que pasa con el público y cuál es la sima que hoy le separa de las épocas de plenitud epigonal. Sabe lo que ha muerto y lo que todavía colea y es aprovechable. No es un bárbaro destructor sino un juglar que adivina las necesidades, conoce las deficiencias y las carencias de su público, así como su virginidad y su fuerza creadora. Sólo las minorías pueden ser eclécticas. Cuando yo me siento buen degustador del teatro clásico puedo añorar su pureza y desearla vivamente. Pero estas son emociones o sentimientos de "postrimerías", tienen algo de delectable y, a la vez, de angustiado; pero sé positivamente que pocas de estas emociones y sentimientos son ya fácilmente transmisibles en un mundo dominado por otros métodos de comunicación y sugestión. Ante una "adaptación" de los clásicos me veo forzado casi a la irresponsabilidad que, al comienzo de otros épocas, impulsaba a la depredación de una cultura sumergida. Con todas las salvedades que se quiera, a lo que espontáneamente se inclinaban muchos de los clásicos venerados hoy.

Se ha dicho: ¿Por qué con esos materiales no se confiesa haber hecho una obra nueva? Y esto se dice sin tener en cuenta la puntillosa labor policial sobre la individualista propiedad intelectual que se ha venido ejerciendo desde hace ya mucho tiempo y también es un desdeñable vestigio del pasado. Aún se nos hace reos de esa dependencia con amenaza de plagio, y con lo cual estos mismos críticos vienen a ser enemigos de la tradición, de la tradición viva, por glosar el dicho de Eugenio d'Ors. Pues, en este caso, el único medio de prolongar la tradición es aprevecharla sin sujecciones ni tabúes. Se ha olvidado la actitud depredadora del artista en las épocas verdaderamente "nuevas" y cuya novedad se ha estimulado en otros terrenos. Esto viene a descubrir la desorientación del crítico actual que, en otro tiempo, intimidado o seducido por la política dejó pasar la adaptación de Shakespeare por Brecht —evidentemente muestra la libertad creadora y aprovechamiento de la "forma clásica" en favor de un nuevo contenido— y prodigó su comprensión y eclecticismo a la politización del teatro antes de pedir socorro contra la malversación de los clásicos según un bizantino concepto de pureza. Ante su "desencanto" de la política —que obturaba su apreciación formal— viene el reclamar purismos y conservaciones inviables, el repliegue hacia mundos tan privados como muertos y desguazados. Es la suya una situación y postura anacrónica que se complace un poco sádicamente en sumergirnos en un problema apenas existente. Pues es bien conocido, por cualquier aprendiz de sociólogo, que no hay reversibilidad frente al hecho de una humanidad embarcada en otros supuestos culturales que han desbaratado para siempre el viejo mundo y sus códigos y cánones de expresión. Ante la reberveración televisiva o los efectos de ordenadores luminosos en el teatro moderno se pierden las imágenes y los ecos del viejo teatro; ante la reclamación de novedad y de sorpresa se hunde para mucho tiempo el sentido ceremonial y repetitivo, la proeza virtuosista, el sentido amparador y tutelar de la tradición.

Falta al humanismo moderno una fuerza heroica de ataque, verdaderamente nueva y vigorosa, que rechaze a la propia "cultura de masas", que propugne otra conciencia que no sea simplemente una sumisión al pasado. Hasta que esto suceda, el artista, siempre tan sensible como ingenuo, buscará su libre conexión con los públicos, será su compañero en la azarosa y nueva travesía que la civilización les propone. No hay otro remedio de desdeñar toda insidiosa recomendación, porque quienes hemos de enfrentarnos con esos públicos "que nos han hecho", con esos públicos con los que "nos hemos encontrado", somos nosotros, quienes les hemos de divertir y emocionar a toda costa, quienes queremos hacerlo por una proclividad de nuestro espíritu y un deseo de comunicación que se hallará por encima o por debajo de la conservación académica, pero que nunca tendrá sus preocupaciones que, en el caso presente y en la época en que vivimos, nos tiene que servir de muy poco.

La sima entre la teoría y la práctica se hace cada vez más profunda y es un hecho que la dicha adaptación —que es puramente libresca y refugio contra la inclemencia de estos tiempos— con sus distingos y sutilezas demuestra una falta de sensibilidad histórica y una incursión destemplada e inoportuna ante el dilema mayor de una comunicación con las nuevas sociedades de espectadores divorciadas de su pasado. No es fácil encontrar nuevas fórmulas de evasión, nuevos cánones, nuevas reglas. Pero, finalmente desbaratados los anteriores, es necesario obrar valientemente en la inclemencia y la desprovisión. Es cierto que todo vuelve. Pero para el retorno son necesarios nuevos métodos de salvación, otras argucias y sistemas inéditos. Sólo somos lo que nos dejan ser y un poco lo que quisiéramos, y siempre nos hallamos en la necesidad de inventar nuestro tiempo, que, a la vez, es un tiempo que nos han dado ya inventado. Vaya por donde quiera la adaptación o la depredación de los clásicos. Vivan cuanto puedan vivir en los nuevos tiempos. Adáptense, si pueden, o piérdanse antes de resucitar. Pues, en todo caso, este mundo es nuestro y su compromiso lo establece con los vivos y no con los muertos. No soy yo, individualmente, el que ha cortado esas amarras de seguridad con el pasado. Soy yo quien, a fin de cuentas, ha quedado solo frente al público que me ha sido dado y, ante cualquier demasía que yo pueda cometer contra los clásicos venerados pido al crítico que tenga la gentileza de ponerse en mi lugar.

JUAN ANTONIO HORMIGÓN.— *Gracias, Paco. Bueno, realmente la polémica está planteada y caliente. Sigamos adelante. Guillermo, cuando quieres.*

ANALOGÍA Y SINTONÍA: CONSIDERACIONES DRAMATÚRGICAS DEL TRABAJO CON LOS CLÁSICOS

GUILLERMO HERAS

GUILLERMO HERAS

Nació en Madrid en 1952. Termina los estudios de interpretación en la Real Escuela Superior de Arte Dramático de Madrid en 1974. Estudios de periodismo e imagen en la Facultad de Ciencias de la Información.

Desde 1974, actor y director de escena del grupo TÁBANO, interviniendo en ambas facetas en los montajes de **La ópera del bandido, Cambio de Tercio, Schweyk en la II Guerra Mundial, El nuevo retablo de las maravillas, Un tal Macbeth, Se vive solamente una vez** y **La mueca del miedo.** Coordinador del área de formación del "Estudio de Teatro", organismo de promoción y difusión del Teatro Independiente. Redactor de la revista "Primer Acto" en el período 1973-75. Redactor de la revista "Pipirijaina" desde su fundación. Monitor de diversos talleres teatrales promovidos por el área de juventud del Ayuntamiento de Barcelona. Profesor de teatro en el Instituto Orcasitas de Madrid. Director de las colecciones de textos teatrales "Creación Colectiva" de la Editorial Campus y "Nueva Escena" de la Editorial Nuestra Cultura. Miembro de la Junta Directiva de la Asociación de Directores de Escena.

Voy a leer directamente la ponencia para ir más rápido, pero uniendo con lo que acaba de decir Paco últimamente, quisiera empezar con una cita que me ha venido a la cabeza de una cosa que decía hace poco Francois Truffaut. Decía que todo lo que amamos nos hace sufrir, es algo que va unido a lo que él ha hablado y yo creo que mi intervención va también un poco en este camino.

* * *

Algunas notas previas

Repetidas veces, al enfrentarnos en encuentros, jornadas o seminarios a una profundización de temas más allá de lo anecdótico o superficial que, por desgracia, a veces conllevan estos actos, nos asaltan diferentes fantasmas producidos, tal vez, por un pasado reciente en el que la teoría y la práctica teatral han estado en nuestro país tan separadas. Así se producen situaciones curiosas en las que a veces los profesores universitarios o sólo recorren el territorio de la erudición, o se lanzan al vacío del "juicio de valor" sobre determinados montajes sin conocer la compleja maquinaria de producción que un espectáculo teatral conlleva antes de ver la luz. Al otro lado, los profesionales del teatro suelen basar sus discursos en el terreno de lo anecdótico como categoría de análisis, o bien se entregan a aventuradas conjeturas sobre el lenguaje o la historia teatral que no pasan de superficiales aspectos teñidos de culturalismo.

Es pues, momento de superación y evidentemente de autocrítica.

La superación de viejas polémicas estériles podría llevarnos a una nueva perspectiva teatral y a lo que podríamos dominar una práctica/teórica en la que se encadenarían todos y cada uno de los elementos necesarios para una nueva revalorización del signo teatral. Porque en suma, pienso que en nuestro trabajo, sea o no con los clásicos, acaba por configurarse en algo tan importante, y aún hoy tan escurridizo de definir cómo es el signo teatral en toda su compleja especificidad.

Valga todo este preámbulo para realizar también otra consideración antes de entrar en materia. Mi ponencia va a intentar estructurarse a partir del punto de vista de un director de escena, que en suma es mi trabajo primordial en el hecho teatral, pero dado que provengo del, en otro tiempo, llamado teatro independiente, debo hacer constar que para nosostros no han existido nunca los departamentos estancos, sino el trabajo teatral como globalidad, de ahí que hayamos realizado funciones de directores, actores, escenógrafos, dramaturgos y técnicos como algo natural e inherente a la práctica teatral y sin que esto vaya reñido con la necesaria especialización que el proceso final requiere para un buen acabado del espectáculo. Así pues, cuando en el título de la ponencia se habla de "consideraciones dramatúrgicas" quiero aclarar que siempre mi discurso irá remitido a su interconexión con la puesta en escena; es decir, con la conclusión de un espectáculo terminado y listo para su comunicación con el público y nunca como una simple aproximación a un "arreglo literario" del texto clásico al margen de su posible representación.

El concepto de dramaturgia como trabajo de reelaboración del texto en la dialéctica establecida entre pasado y presente está muy asentado en el mundo teatral de la Europa Occidental y del Este, pero aquí en España es un espacio difuso que raras veces se trabaja en profundidad, quizás porque el "autor" de teatro —salvo raras excepciones entre las que podíamos citar a Francisco Nieva, al desaparecido Juan Antonio Castro o Domingo Miras— lo considera un trabajo "menor" en comparación a su propias creaciones, cuando en realidad es "otro" trabajo con sus leyes propias y cuya creatilidad recorre otros parámetros teatrales. Por otro lado, el profesor universitario o el especialista literario suele limitarse a realizar lo que podríamos denominar "versión" del texto; es decir, prepara una estructura textual que a veces choca contra los signos tanto visuales como sonoros de la puesta en escena. Por estas causas, muchas veces es el propio director de escena quien realiza la dramaturgia del texto clásico para aunar así sus propuestas lingüísticas, estéticas e ideológicas.

En cualquier caso, son formas posibles, que dependiendo de la coherencia de su realización pueden dar origen a buenos espectáculos, si bien, pienso que el trabajo de dramaturgia con los clásicos debería tener un lugar específico y privilegiado dentro del proceso teatral y que de alguna manera vendría a complementarlo una figura que me atrevería a denominar "dramatólogo", y que en el caso del texto clásico suministraría toda una serie de materiales sobre historia, sociología, versificación del texto, marcos referenciales de todo tipo, etc. En suma, la apuesta iría en una línea similar al trabajo que durante años lleva desarrollando Peter Stein como director de escena, Botho Strauss, como dramaturgo, y todo el equipo técnico y artístico encuadrado en torno a Schaubühne de Berlín. Aunque si repasamos los grandes nombres del teatro europeo actual veremos la estrecha relación puesta en escena/dramaturgia, es decir práctica/teórica: así son los casos de Peter

Brook/Carriére, Mesguich/Vittoz, Ronconi/Wilcok, Bene/Cuomo, etc.

Analogía y sintonía: ¿Los clásicos nuestros contemporáneos?

Como siempre, parece que ante cuestiones totalizadores hay que tomar un solo partido: o los clásicos son actuales o no lo son, o podemos sintonizar con ellos por medio de analogías más o menos actuales o están obsoletos. Sin embargo, y aún con todos los riesgos de emplear un referente no-teatral me gustaría apuntar algunas consideraciones a partir de algunas teorías del sociólogo francés Jean Baudrillard planteadas en su libro *Cultura y simulacro* (1). Y es que por mucho que se intente contemporanizar a los clásicos del siglo XVII español o del teatro isabelino inglés, surgen fisuras en todo momento al compararlos con nuestro tiempo: las relaciones sociales, políticas y económicas son radicalmente diferentes, los comportamientos psicológicos, morales y éticos están condicionados por otros modelos, las claves del lenguaje del barroco nada tienen que ver con la funcionalidad del siglo XX. Los medios de comunicación de masas eran nulos y sólo el teatro actuaba como soporte de diversión/información/ideologización en el terreno del espectáculo, la realización espacial de los escenarios era radicalmente diferente, los sistemas políticos y religiosos que sustentaban estas sociedades han variado en sus métodos de dominación, el mismo papel del intelectual, del autor o del actor ha cambiado substancialmente... ¿qué queda pues de contemporáneo en el teatro de los clásicos? Pues aunque parezca un contrasentido, su teatralidad. Ahí es donde reside su fuerza y sus posibilidades de seguir conectando con la práctica teatral de nuestros días. El hecho de que el teatro nunca es la realidad, es una elaboración ficticia de materiales reales e irreales que cobran todo su sentido en el momento de su representación, en lo efímero. Por tanto el teatro no es nunca actual ya que se escapa en cada instante del código del encerramiento en unas páginas, en película, en una tela o en un vídeo. Otra cosa, es lo que ha quedado de la ilusión de la representación, el museo para la historia que no tiene nada que ver con la sensación de lo inmediato, que se ha producido entre el actor/espectáculo recitando un texto y el espectador/receptor elaborando su propio punto de vista sobre el punto de vista que a la vez está recibiendo del escenario. Por eso, la magia teatral del conflicto de Segismundo en *La vida es sueño,* de Eusebio y Julia en *La devoción de la Cruz* va más allá del tiempo y del espacio. No es contemporánea la escritura, ni la corte, ni la moral, ni siquiera los "valores universales" de los personajes, sino que lo contemporáneo por analogía son los conflictos, las pulsaciones, las pasiones que a través de la evolución de las ciencias y la filosofía en todos estos años podemos comprender: el psicoanálisis, la antropología, la semiótica, las teorías sobre los "mass-media" nos harán posible apasionarnos por los conflictos planteados en algunos textos de los clásicos del siglo de oro porque nos remitirán a una posible sensibilidad de lo actual, pero todo ello y teniéndolo muy claramente presente cuando aceptemos que estamos ante el juego de la representación, del teatro, de algo que nos causa placer y que como señala Lucan: "El goce es lo que no sirve para nada" (2), entendiendo este concepto en contraposición a los opresores sistemas de producción económica que nos dominan.

Y es aquí donde este discurso se une al de Baudrillard cuando habla de lo real y de lo imaginario:

"Disimular es fingir no tener lo que se tiene. Simular es fingir tener lo que no se tiene. Lo uno remite a una presencia, lo otro a una ausencia. Pero la cuestión es más complicada puesto que simular no es fingir: "Aquel que finge una enfermedad puede meterse sencillamente en la cama y hacer creer que está enfermo. Aquel que simula una enfermedad aparenta tener algunos síntomas de ella" (Littrée). Así pues, fingir o disimular, deja intacto el principio de realidad: hay una diferencia clara, sólo que enmascarada. Por su parte, la simulación vuelve a cuestionar la diferencia de lo "verdadero" y de lo "falso", de lo "real y de lo "imaginario". El que simula, ¿está o no está enfermo contando con que ostenta "verdaderos" síntomas? Objetivamente, no se le puede tratar ni como enfermo ni como no-enfermo. La psicología y la medicina se detienen ahí frente a una verdad de la enfermedad inencontrable en lo sucesivo".

Otro fragmento ilustrativo es el que hace referencia a la simulación de la fábula de Borges en el que los cartógrafos del Imperio trazan un mapa tan detallado que llega a recubrir todo el territorio: "Hoy en día la abstracción ya no es la del mapa, la del doble, la del espejo o la del concepto. La simulación no corresponde a un territorio, a una referencia, a una sustancia, sino que es la generación por los modelos de algo real sin origen ni realidad: lo hiperreal. El territorio ya no precede al mapa ni le sobrevive. En adelante, será el mapa el que precede al territorio..." Y en otro párrafo: "No se trata ya de imitación ni de reiteración, incluso ni de parodia, sino de una suplantación de lo real por los signos de lo real".

Otro pasaje clarificador es el que se refiere a la restauración de la momia de Ramsés II y la forma en la que se han movilizado la ciencia y la técnica para salvarla de la putrefacción: "Ramsés no significa nada para nosostros, sólo la momia tiene valor incalculable puesto que es la que garantiza que la acumulación tiene sentido. Toda nuestra cultura lineal y acumulativa se derrumbaría si no fuéramos capaces de preservar la "mercancía" del pasado al sacarla a la luz. Para esto es preciso extraer a los faraones de sus tumbas y a las momias de su silencio. Sólo el secreto absoluto les garantizaba su poder milenario. Nosotros sólo sabemos poner nuestra ciencia al servicio de la restauración de la momia, es decir, sólo sabemos restaurar un orden visible, mientras que el embalsamiento suponía un trabajo mítico orientado a inmortalizar una dimensión oculta".

Algo similar puede ocurrir con el tratamiento escénico de los clásicos si nos limitamos a "restaurarlos como si fueran momias", todo lo más conseguiremos bellos clichés, lo cual no deja de tener aspectos también interesantes, pero nunca investigaremos en la esencia de una textualidad y unos conflictos que pueden estar por encima del tiempo y el espacio. Se trata pues de encontrar en nuestros clásicos un espacio mítico, abierto, conflictivo y transgresor, buscando el círculo mágico de unión entre una sensibilidad del pasado al contextualizarla con los métodos del presente.

Todo lo demás será el simulacro en grados que irán desde el cinismo y la grosería hasta la pudibundez o la mala conciencia, el estar recordándonos siempre que los clásicos "pueden" ser divertidos o llenándosenos la boca de patrimonio cultural al servicio de intereses oscuros. Casi siempre de coartadas prestigiosas en función de conseguir subvenciones, cuando no existe el valor de enfrentarse a posibles dramaturgias contemporáneas. Se finge tener lo que no se tiene. El sello ineludible de que toda cultura del pasado por el simple hecho de ponerla en pie sostiene sus valores universales. En suma remitirse siempre a la ausencia. Ausencia de una verdadera propuesta de desarrollo estético. Ausencia de planteamientos transformadores para salir del acartonamiento de "lo ya sabido" y ausencia del riego necesario para enfrentarse a la práctica teatral como una aventura estética de lo efímero.

La analogía y la sintonía no son ya pues, productos de la falacia intelectual de creer que la versificación y las formas de hacer de nuestros clásicos pueden ser hoy "contemporáneas", esto sería parte del juego de la simulación ya que entra de lleno a cuestionar los territorios de lo "real" y lo "imaginario". Es la trasgresión y la transformación de todo ese caudal interno que a la luz, la sensibilidad y el avance de las ciencias nos puede llevar a huir de la superficialidad de conceptos manidos para entrar a contemporaneizar los clásicos a partir de "inmortalizar sus dimensiones ocultas".

Antropología y teorías de los "mass-media". Magia y ciencia. Semiótica e intuición. Psicoanálisis y formas de producción. Conceptos que parecen antagónicos y que sin embargo hoy son fundamentos básicos para un replanteamiento del hecho teatral, pues si no logramos unir toda la tradición de una práctica poéticamente anacrónica con todo el desarrollo científico, filosófico y social de nuestro siglo me pregunto qué sentido puede tener el seguir planteándose la misma raíz del concepto teatral. ¿Tema para consagristas especializados? ¿Museo viviente al estilo de esos belenes "kistch" con figuras humanas que aún asoman en las Navidades? ¿Recurso estatal para tener un apartado de arte pobre? ¿Espacio destinado a esquizofrénicos deshauciados? ¿Deuda moral de una sociedad con mala conciencia hacia su pasado? Algo más tendrá que ser, sobre todo cuando aún hoy asistimos a teatros llenos con meses de antelación en todo el mundo. Brook, Chereau, Strelher Ronconi, Krecja, T. Nunn, Foreman, Stein, Mnouchkine, no son sino unos pocos ejemplos de que cuando se aunan riogurosidad con oficio, análisis con riesgo, capacidad poética con suficientes medios económicos, los clásicos son devorados con fruición por el público —en general, de élite, no nos engañemos— pero numeroso y heterogéneo. Pero claro, el problema está en hacerlo con coherencia, rechazar la "boutade" epatante, desterrar el maquinismo infame de sepultar al texto y al actor bajo un sistema mecánico de destrucción de la propia esencia teatral, superar las "modernidades" marcadas por las modas, ya sean por la taquilla o por la "intelligentzia", huir de los productos "investigativos" que arrojan al público de las salas teatrales. No hay respuestas cerradas a los problemas artísticos, sólo hay apuestas, y por supuesto, cosa que no pasan en nuestro país, convertir una equivocación o un fracaso en una espada de Damocles que impida volver a arriesgar en sucesivos montajes. Así pues, ni disimulemos ni finjamos; simplemente enfrentémonos a los clásicos con textos abiertos capaces de convertirse en formidables momentos escénicos de reflexión y placer.

Empleando una analogía, pienso que de alguna manera podríamos encontrar líneas paralelas de análisis con otras artes, tales como la pintura o la novela. Siempre estamos dispuestos a aceptar una revolución del lenguaje, cuando Picasso pinta su serie de *Las Meninas* o Joyce concibe el *Ulises*, pero cuando se trata de una puesta en escena siempre existe una tendencia al análisis de ésta desde un punto de vista estrecho, naturalista, ilustrador, en suma, una teoría de lo obvio. ¿Por qué un erudito es capaz de comprender la revolución cubista en pintura y aceptarla ya como un clásico del XX y cuando se hace una lectura actual de un texto clásico desde una perspectiva de renovación se hecha las manos a la cabeza? ¿Por qué está dispuesto a entender la música de Schomberg y sin embargo irritarse hasta la exasperación ante una puesta audaz de *La Dama de Alejandría?* Es triste, pero el teatro sigue siendo para muchos un arte menor, de ahí que incluso a las gentes del espectáculo se les trate siempre con una actitud paternalista, aunque hay que reconocer que en muchos casos la "incultura teatral" de nuestra profesión es un hecho palpable. Nuevamente el tema del simulacro "la suplantación de lo real por los signos de lo real". La cultura del Reader's Digest, del manual apresurado. Hoy ya no podemos hablar del analfabeto como una categoría global pero sí de analfabetismos parciales, y en ese terreno el teatro ha sido un campo abonado para oportunistas y mixtificadores. A partir de ahí los clásicos serán utilizados, manipulados, maltratados, pero siempre a partir de la simulación de los signos externos, nunca de la esencia de su teatralidad, de su verdadera proyección más allá de su simple escritura textual.

Casi me atrevería no obstante a asegurar que hoy es muy difícil hacer afirmaciones tajantes, cuando no dogmáticas, y por ello insistiría en el tema del goce, del placer como forma de enfrentarse a los clásicos y sobre todo de asistir como espectadores a las puestas en escena de los clásicos. De ahí que las consideraciones dramatúrgicas estén marcadas por la polivalencia de propuestas y que, personalmente, esté en contra de la definición de "estilo" para enfrentarse a estos textos. Cada uno tendrá su autonomía propia como es lógico y ante él se me ocurre que podrían realizar diferentes propuestas o lecturas que encuadraría en los siguientes términos: 1) Lectura simple; 2) Lectura alternativa, y 3) Lectura alterativa.

Entendamos aquí el concepto lectura como el de acumulación de materiales dramatúrgicos susceptibles de marcar y desarrollar el posterior trabajo de puesta en escena en unión de los restantes elementos de la práctica teatral: el trabajo actoral, el espacio escénico y sonoro, la luminotecnia, la música o el vestuario.

De este modo, la *"lectura simple"* aludiría a propuestas similares a las realizadas por "La Commedie Francaise", trabajos de reconstrucción, de mantenimiento de los valores tradicionales, tanto ideológicos como estéticos del teatro clásico.

La *"lectura alternativa"* será la elaborada a partir de los años 50 en toda Europa, empezando por Planchon y Brock, continuada por Strehler, Ronconi, Stein o Grotowski y culminada en la actualidad con Gruber, Cheréau o Mesguich. Aquí existiría toda una reelaboración teórica en función del punto de vista analógico que el director de escena pretende dar del mundo propuesto por el autor elegido pero en función de una sensibilidad de la cultura actual.

La *"lectura alterativa"* estaría en función de la utilización del texto clásico como punto de partida para desarrollar toda una propuesta personal en la que el texto es sólo pretexto, fuente pulsional desbordada en la puesta en escena posterior por todos los fantasmas humanos, teatrales y culturales del director, que generalmente suele ser también dramaturgo. En esta forma de enfrentamiento al teatro de los clásicos me parecen muy significativas las actitudes de Carmelo Bene y Richard Foreman.

Con este esquema no he intentado hacer ningún tipo de categorización o elección apriorística. Puedo enfrentarme como director o como espectador a cualquiera de estas formas y sentir que estoy ante una obra maestra o una ceremonia de confusión o simulacro, tanto en una puesta en escena convencional como de vanguardia. Estos son ya conceptos que casi están vaciados de contenido debido a su uso indiscriminado durante mucho tiempo. Desde la opción de una etapa anímica determinada a unos referentes socio-culturales de ese momento pueden hacerme contemplar o realizar un espectáculo de "lectura simple" con mucho más placer que una audaz propuesta de "lectura alterativa". Sin embargo el rigor en el riesgo me harán estar pulsionalmente siempre más cercano de las dos últimas que de las simples puestas en pie, que en la mayoría de los casos se quedan en reconstrucciones arqueológicas. Nuevamente recuerdo la idea de "restauración de la momia" frente a la reivindicación "del trabajo mítico orientado a inmortalizar la dimensión oculta".

Del signo teatral

Como en diversas ocasiones ha aparecido el término "rigor", me gustaría aclarar que si bien en teatro la intuición o el talento juegan un papel importante en el desarrollo artístico, es fundamental en este momento superar los diferentes estadios de "simulación" a partir precisamente de la incorporación al trabajo teatral, como ya he dicho en repetidas ocasiones, de todas las prácticas científicas y humanísticas posibles, ya que precisamente el teatro es sobre todo un arte de síntesis. Con especial importancia creo que las técnicas del diseño, los avances audiovisuales, la antropología, el psicoanálisis y la semiótica, son territorios preferentes para enfrentarnos con suficiencia a un traslado analógico y de sintonía de los textos clásicos a la sensibilidad del espectador actual.

Precisamente es en el trabajo dramatúrgico donde todos estos componentes culturales más profundamente pueden desarrollarse. La aportación del dramatólogo se unirá a la reelaboración textual del dramaturgo que confluirá en la resolución escénica de todos esos materiales por parte del director de escena. Resulta muy significativa una reflexión del director francés Daniel Mesguich acerca de su trabajo con los textos de los clásicos; llega a afirmar con un gran sentido del humor "Shakespeare había leído a Freud y a Lacan", para luego aclarar "sin embargo Shakespeare en el teatro es más fuerte que Lacan" (3). Piensa simplemente que el psicoanálisis y la semiología no pueden ser ignorados, que Deleuze, Derrida o Bataille... no son "puestos en escena", pero suministran instrumentos de conocimiento tan interesantes como los conflictos históricos de la época isabelina o el sistema de representación que los actores seguían en las compañías del siglo XVII. A menudo pienso que todo este análisis previo, toda la especulación, toda la elaboración lingüística debería pasar inadvertida en el resultado final del espectáculo que se muestra al público. Lo importante es el rigor, la coherencia, la comunicación de la caligrafía teatral buscada.

Para realizar un profundo análisis de lo analógico y la posible sintonía de cualquier texto clásico sería fundamental investigar en las aportaciones que la semiótica ha realizado en los últimos años. Nunca como proceso de mixtificación ni de descubrimiento de piedras filosofales. La simiología no resuelve una puesta en escena si por encima de ella no está el talento, la intuición o lo imprevisible, pero ayuda a comprender ciertos "secretos" del texto que a veces puedan pasar inadvertidos y una vez codificados pueden y deben ser potenciados en la puesta en escena. Valga como ejemplo el trabajo publicado por Vicent Bernat, alumno de Anne Ubersfeld, extraordinaria profesora y directora del Instituto Teatral de París III cuyos libros *Lire le théâtre* y *Le spectateur* sería fundamental publicar en nuestro país.

A través del trabajo realizado por Bernat aplicando el "modelo actancional" propuesto por Greimas, recogido en su tratado de *semántica estructural* y cuyo esquema podría sintetizarse:

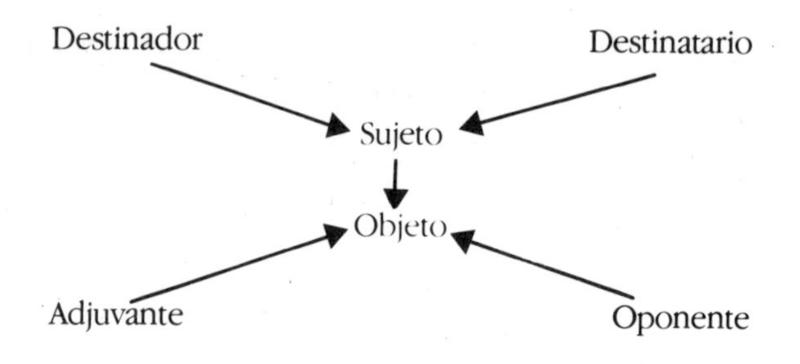

y unido al desarrollo de las teorías sobre espacio y semiología teatral de la Ubersfeld, comprobaremos la importancia capital de una personaje como es Rosaura en *La vida es sueño* que apenas había sido tenido en cuenta en las análisis de los estudios realizados por Ruiz Ramón, Casalduero o Cortina, llegando incluso en el último caso a un cierto desprecio del personaje llamándole "giróvaga" y "vanílocua", Bernat demuestra que Rosaura además de un desarrollo interno propio de gran importancia, funciona como eje conductor de los diferentes conflictos del drama calderoniano. Este hecho quedó perfectamente corroborado en la puesta en escena que JoséLuis Gómez hizo de este clásico el pasado año en el Teatro Español. Aunque conviene no olvidar que en el trabajo de dramaturgia intervino de manera fundamental José Sanchís Sinisterra, profesor y director teatral, cuyos trabajos sobre teoría de la dramaturgia son imprescindibles en nuestro actual momento teatral. Ignoro si Sanchís conocía el trabajo teórico de Bernat publicado por el Instituto del Teatro de Barcelona (4), pero lo que queda claro es que por diferentes análisis se pueden llegar a conclusiones paralelas cuando se ha empleado una cierta metodología para estudiar el texto clásico, no como mera representación del pasado sino como provocador conflictivo de un presente teatral.

Un espacio de investigación para nuestros clásicos

Todo lo anterior no serán más que palabras en el vacío si no se configura un proyecto operativo sólido en el que los ejes primordiales pasen por la profesionalidad y el compromiso ante el tratamiento de los clásicos. No olvidemos metodología y ciencia, pero mucho menos olvidemos la pulsión de placer al elegir el texto y el riguroso trabajo cotidiano que es preciso desarrollar para culminar una puesta en escena, todo ello condicionado, claro está, por las posibilidades económicas reales con que cuenta la producción elegida. No voy a entrar ahora en detalles sobre la deficiente política de gestión teatral de la Administración española y que precisamente en el tema de los clásicos se va haciendo más palpable en los últimos años, si exceptuamos las consabidas conmemoraciones de aniversarios de nacimientos o necrologías. Simplemente quiero dejar apuntado cómo hoy, la investigación, el rigor, el riesgo e incluso la coherencia cuestan dinero, a veces mucho dinero, que el Estado debería cubrir en una buena parte dado que los clásicos son un "patrimonio cultural" tan importante como los archivos, bibliotecas y demás monumentos necesitados de conservación. El teatro como "hecho cultural" se debe demostrar con algo más que discursos y asumiendo de una vez por todas que estamos y somos parte activa de la Europa Occidental.

Esto sin olvidar una reflexión apuntada por Deleuze: "El arte, y por tanto el teatro, no es una form de poder, lo es cuando deja de ser arte y se convierte en demagogia" (5), cuestión que nuestros gobernantes olvidan a menudo.

Por ello, algo que se convierte actualmente en esencial es asumir la institucionalización de instancias teatrales al margen del partido que ocupe el poder. En ese marco resultaría importante crear un espacio abierto de investigación para nuestros clásicos, más allá del concepto de Compañía Nacional de Teatro Clásico, cuya urgente necesidad también debiera ser ya una realidad.

Sin embargo, este espacio al que me refiero tendría que tener unas características más cercanas al concepto de laboratorio, de taller permanente en el que el núcleo de profesionales de todos los campos teatrales que en él trabajaran lo hicieran en el camino de ir más allá de los resultados inmediatos, de la búsqueda del éxito seguro de la rutina de la lectura obvia. Este espacio abierto, del cual sólo apunto su necesidad dado que lógicamente su desarrollo temático excede el campo de la ponencia, iría unido a la articulación práctica de alguna de las ideas esbozadas en ella.

Una ubicación excelente para este "espacio de investigación" podría ser el Real Coliseo de Carlos III de El Escorial, y sus resultados nunca deberían evaluarse en un raquítico corto plazo, si no por lo menos en un período de tres años en el que precisamente estas nuevas consideraciones ante el trabajo de los clásicos pudieran analizarse con perspectiva suficiente.

Hoy más que nunca se necesita por parte de todos los estamentos teatrales un auténtico compromiso si queremos que se produzca la ansiada renovación de nuestro teatro. Las ponencias teóricas sin articulación práctica solo sirven para analizar y reflexionar, pero todo discurso teórico es un reto que necesita unas respuestas concretas sobre el escenario. Por ello mis consideraciones anteriores no pretenden quedarse en el terreno de la mera especulación.

Analogía y sintonía de nuestros clásicos: necesidad imperiosa, pero con presupuestos suficientes, espacios teatrales para su desarrollo y rigor profesional capacitado para salir del laberinto del simulacro en el que nuestra historia reciente nos ha sumido, invadiendo en muchos casos los teatros de una confusa sensación de "museo de figuras de cera" ante el que cualquier consideración sólo podía pasar por el aburrimiento y el vacío conceptual y teatral.

NOTAS

(1) Jean Baudrillard, *Cultura y simulacro*. Ed. Kairós, 1978, págs. 5, 8, 20 y 21.

(2) Jacques Lacan. *El seminario. Aún. Libro 20"*. Ed. Paidós, 1981, pág. 11.

(3) Anna Dizier, *Daniel Mesguich et le roi Lear*. Ed. Solin. 1981. págs. 24 y 25.

(4) Estudios Escénicos. n.º 21, *La vida es sueño*. Del texto a la escena". Vicent Bernat. Cuadernos del Insituto del Teatro. 1976.

(5) Bene/Deleuze. *Sovrapposizioni*. Ed. Feltrinelli. 1978. pág. 89.

COLOQUIO

JUAN ANTONIO HORMIGÓN.— *A lo largo de las cuatro ponencias, han salido, digamos, los temas fundamentales en torno al problema de la adaptación, incluso superando lo que podríamos denominar el carácter restrictivo del concepto de la adaptación, ligado exclusivamente al trabajo con el texto, y relacionándolo más con una concepción global del espectáculo. Lo suponía. Me parece correcto y por eso digo que no nos debe crear demasiada angustia si hoy tenemos que cortar en un determinado momento, porque mañana, aunque hablaremos de temas de difusión o de política teatral, tendremos alguna ponencia que anuncio que será bastante coincidente con muchas de las cosas que aquí se han dicho, sólo que estructurada desde otro punto de vista. Vamos a poder insistir nuevamente, por tanto, en el tema que hoy seguramente quedará en cierto modo pendiente. No quiero anunciar las cuestiones que puedan ser más importantes, me parece que están en el aire, que el debate se ha planteado muy claramente en las distintas intervenciones y que, por lo tanto, podemos abordarlo en la dirección que vaya adquiriendo por parte de vosotros y por parte de lo que desde aquí podamos también plantear.*

ENRIQUE LLOVET.—*En primer lugar, quisiera felicitar muy vivamente a los ponentes de esta mañana y casi abro el debate con una pequeña cuestión de orden. No sé por qué, pero estoy acostumbrado a ver que se renuevan los escenarios, las puestas en escena y aún los textos, pero que del otro lado, las salas son siempre las mismas. Sin embargo, aquí se produce algo singular, y yo quisiera romper una lanza en defensa de Domingo Ynduráin. He hecho alusión a que en estas conversaciones los profesores aplastaban a los hombre de teatro. La soledad de Domingo Ynduráin, la lamentable ausencia de Díaz Borque y la promiscuidad y riesgo del equipo valenciano, que es probable que se vea expulsado tanto de la universidad como de los teatros por su actitud promiscua, ha desequilibrado muchísimo este debate. Por eso quiero felicitar a Domingo por su valor solitario para presentarse frente a los lobos teatrales en defensa de un punto de vista que, por otra parte, yo no comparto, porque después de mi felicitación debo decirle, para que no afloje la defensa de su posición que desde mi punto de vista está absolutamente clara, que si esto fuera realmente el convento que era, con las puertas que no cerraban, sin calefacción y sin teléfono, con una campana llamando a vísperas y el prior en vez de Hormigón, yo no estaría aquí. Estoy aquí porque ha sido adaptado este lugar a las condiciones y exigencias del público de hoy y eso me hace comunicar mucho mejor con el espíritu del convento, y digo esto simplemente para iniciar el debate que tengo la impresión que se desequilibra por primera vez en la historia de las conversaciones, y no quiero que esté solo Domingo Ynduráin.*

JUAN ANTONIO HORMIGÓN.—*Me parece excelente la puntualización de Enrique. Solo quisiera añadir que "el ausente" no está porque no ha querido venir, pero fue invitado y nos dijo solamente hace dos días que no podía venir porque tenía otros asuntos importantes. Y hay otros ausentes también que no han venido y ni siquiera se han molestado en decirlo, es decir, que existía fehaciente confirmación, como Manolo Castellanos sabe, de que iban a estar. Y lo mismo pasa con los procedentes de la universidad. Entre los invitados había varios procedentes de la universidad que confirmaron su asistencia y que no han venido porque a última hora no han podido, aunque ni siquiera nos han dicho que no venían. Seguimos guardando las habitaciones para una serie de señores fantasmagóricos que ni siquiera nos han dicho "no podemos llegar", y pertenecen algunos de ellos, fatalmente, a la universidad. Lo que sí debo decir y eso también es cierto, creo que lo insinué probablemente en mi presentación, es que mi intención fue equilibrar las Jornadas porque como tú muy bien has señalado, lo aplastante era lo otro y lo que teníamos que intentar era equilibrar los tres sectores que más o menos podían intervenir o podían estar interesados en un asunto como éste: el ámbito universitario, el ámbito de la crítica y el ámbito de la profesión teatral, en su sentido más amplio. Eso estaba equilibrado a priori. Estaba un poquito desequilibrado hacia uno de los vértices pero era sólo una pequeña compensación de otras ocasiones, pero no en los participantes, y se ha producido este hecho y me parece muy bien que lo hayas señalado para que así quede reflejado y que no haya dudas de cómo se orientó. Más cosas.*

DOMINGO YNDURÁIN.—*No sé si debo contestar, sobre todo agradeciendo a Enrique Llovet su apoyo, y en segundo lugar diciendo que no es ningún problema mi relativa soledad, puesto que no son tan lobos la gente de teatro. Yo creo que en último término a Hormigón, recordando otras ocasiones, casi, casi, no le importa la situación. A mí no me moleta en absoluto eso de tener una controversia, no es ningún problema. Respecto a lo otro, a lo de parador o convento, es muy bonito, porque el otro día le decía yo a alguien que "hay que ver cómo vivían los curas, con sus cuartos de baño en todas las habitaciones, agua caliente, nevera en la habitación, etc.". Es decir, que por supuesto hay una distancia y no estaríamos aquí; pero desde luego, como estamos aquí no es como estaban los curas, eso es clarísimo. Entonces hay que decir lo uno o lo otro, pero lo que no se puede suponer es que así vivían los curas, claro.*

RAMÓN CERCÓS BOLAÑOS.—*No voy a entrar en el tema de Guillermo ahora, porque supongo que mañana vamos a entrar mucho más a fondo y ya explicaré un poco la pequeña historia del Coliseo Carlos III de El Escorial. Lo que yo quería plantear es un tema que Paco Nieva ha subrayado, que es el famoso de la autoría. Estamos de acuerdo en que con los clásicos no hay que ser demasiado reverente, sino que hay que trasponerlos en clave de hoy, pero yo ponía en alguna de nuestras conversaciones de estos días el ejemplo del Equipo Crónica. Nadie se ecandaliza porque el Equipo Crónica desmitifique o reproduzca cuadros famosísimos como "Las meninas" o como "La familia de Carlos IV"; qualquier cuadro famoso. Supongo que todos nos sentiríamos muy enfadados e iríamos a defender al Museo del Prado a diestro y siniestro, si al Equipo Crónica se le ocurriera operar sobre los originales, sobre el propio Velázquez o sobre el propio Goya. Esto no es así, por supuesto, afortunadamente. La obra teatral es un texto escrito y lo que quizá fuera parecido a una cosa totalmente intolerable que sería hacer una revisión de esos textos y romper las planchas originales y entonces hacer aparecer a Tirso, Calderón o Shakespeare tal como uno se lo ha inventado.*

El tema de la autoría consiste en que yo creo que a nadie se le engaña cuando se le presenta una versión "basada en". Yo creo que se emplea una terminología que hay que clarificar: la palabra versión, la palabra adaptación, la palabra revisión, ¿son sinónimas o signi-

fican distintas posturas? Esa sería mi pregunta, el tema de la autoría. Segunda pregunta, conectando con lo que dice Guillermo Heras. Él se ha mostrado tremendamene generoso en cuanto a los tres posibles modos que ha propuesto de aproximarse a los clásicos: la interpretación "simple", la interpretación "alternativa" y la "alterativa". Yo diría que a lo mejor aquí tenemos una cierta animadversión a las dos últimas formas de interpretación de los clásicos, porque no hemos tenido nunca, no tenemos tradición de la primera. En Inglaterra, en Francia o en Alemania, de la interpretación "simple", me parece que la llamaba "simple" Guillermo Heras, están ya hartos por activa y por pasiva, al menos algunas clases, incluso hasta el pueblo, de conocerlas. Por eso, unas interpretaciones alternativas o alterativas no significan que se puedan cargar los clásicos puesto que ya los conoce la gente. En España, a lo mejor, significa que nadie o que mucha gente, no nadie, alguna gente que no conozca cómo es el texto. Ayer se dijo por parte de nuestros amigos mexicanos que teníamos un patrimonio común porque leíamos los mismos clásicos; yo sentí un pellizco de dolor en el corazón, porque espero que los escolares mexicanos lean los clásicos españoles, los escolares españoles no los leen todavía, en la universidad por supuesto, pero en la segunda enseñanza me da la impresión de que todavía no. Me parece que una vez más nuestros amigos de ultramar nos dan lecciones de lo que se debía hacer; pero insisto, si no se conocen suficientemente los clásicos, aunque sean leídos, ¿no sería demasiado el darles ya de entrada las interpretaciones de los clásicos "alternativas" o "alterativas"?

FRANCISCO NIEVA.—*Con relación a la autoría, la verdad es que habría que enfatizar sobre el término versión, que el versionador en este caso ha tenido hasta ahora una actitud de discreción escesiva. En este caso*

("Don Alvaro"), yo no quiero tener esa discreción, quiero poner de relieve mi concepto del teatro, del teatro romántico, como lo hice con relación a Cervantes y con relación a Aristófanes. Quiero dar mi versión y creo que se debe de notar tanto por el público como por la crítica que es una versión a través de una sensibilidad que entiende su tiempo de un modo determinado. Esa es quizá una de las cosas más importantes que debiéramos de poner de relieve a partir de esa época en que conocemos, por ejemplo, una versión de "Carmen" por Peter Brook. Peter Brook no suplanta a Bizet, no suplanta la anécdota de "Carmen", realmente lo que quiere es enfatizar también sobre esa anécdota y ese modo, esa forma de expresión. Pero la "Carmen" de Peter Brook es la "Carmen" de Peter Brook. Hace falta que se sepa que el versionador ha hecho ahí una labor de creación o de recreación del texto que no reclama toda la autoría, porque generalmente lo que se pretende es exaltar a ese autor, basarse en ese autor para acercar más el clásico al público actual.

JUAN ANTONIO HORMIGÓN.—*Voy a avanzar nada más un par de conceptos que posiblemente no sean suficientes, pero que quizás nos den más datos, porque creo que sí podría salir una pequeña clarificación de las Jornadas respecto a estas cuestiones, al menos para nosotros. Sabemos que lo que aquí se discute suele transcender poco fuera, incluso cuando se publica, pero por lo menos podría servirnos de discusión. Yo pienso que cuando hablamos de revisiones o versiones, estamos refiriéndonos a un trabajo sobre el texto, atención, sólo sobre el texto, que consiste en una determinada limpieza o corrección de algunos elementos anecdóticos o superficiales de ese texto que nos ha sido legado por la historia, incluso a veces sin ni tan siquiera una incorporación del conjunto de materiales que pueden rodear a ese texto, como otras versiones, otras edicio-*

nes, etc. Mientras que el concepto de adaptación supone una intervención sobre ese texto.

En mi opinión, lo que Paco hace son adaptaciones, hablo siempre desde el punto de vista literario, y lo planteo nada más para situarlo. El concepto de autoría, efectivamente, es algo que aquí en España nadie se ha atrevido prácticamente a emplear, aunque haya aparecido en algunos comentarios, pero no se ha atrevido nadie a decir "soy el autor del espectáculo", este es un concepto que aquí no nos atrevemos a manejar. Es un aspecto más del miedo que nos rodea a que alguien diga, por llamarse autor del espectáculo: "¿qué se ha creído ese caballero?" Y a partir de ahí viene el cañoneo en cuestión y directamente la caza del hombre. Digo esto porque es una conducta que en el teatro europeo se remonta a los años veinte, o en el mexicano, sin ir más lejos, se habla del director como autor del espectáculo. Las puestas en escena ya no se firman como puestas en escena sino que, en muchas ocasiones, supongo que Héctor Mendoza fue también quien inició esta práctica en México, dice "espectáculo de Héctor Mendoza" y se sitúa como autor del espectáculo en el que se engloba un texto, que a veces o casi siempre, está adaptado en esa segunda acepción que yo he utilizado para el término adaptación.

Lo que sí me parece importante es algo que Domingo Ynduráin ha planteado y que también se ha manejado en otras ocasiones, es que quizás lo que irrita un poco sea el enmascaramiento de estas actitudes y ahí no estoy de acuerdo. Estas actitudes no se pueden enmascarar, no se puede proceder también a la simulación en este sentido, hay que decir qué se ha hecho. Si hay alguien que ha adaptado debe decir: "esto es de este señor y eso se ha adaptado, ha habido un trabajo de este tipo". Yo pienso que un Shakespeare puede seguir siendo un Shakespeare, o un Lope un Lope, aunque se proceda a este trabajo de adaptación; pero a mí me parece que ha habido también una participación de alguien más, en la versión lo mismo, o en la autoría del espectáculo si eso se quisiera emplear de una manera más sistemática. Creo que eso debe quedar tan esplicitado como lo otro y que no debe ser objeto de repulsa inicial que es lo que conduce a ese miedo y a esa no especificación, en definitiva, de las tareas creativas a que se ha sometido ese trabajo. Es mi opinión, la doy porque puede servir también para lo que siga. Más cuestiones.

GUILLERMO HERAS.—*Sí, contesto a lo del público. Bueno, yo teóricamente estoy de acuerdo con Ramón, es decir, aquí creo que no tenemos un público de teatro, y estoy totalmente de acuerdo con todo lo que ha dicho Paco en ese sentido: el rechazo que hay ante cualquier forma nueva, entendamos el término "nueva" muy relativamente, pero es que aquí el problema está en que las puestas en escena que se hacen de los clásicos son muy alterativas, pero por otro lado, por el lado de alterarnos todo, o sea, alterarnos sobre todo los nervios. Sé que es muy arriesgado lo que digo pero es lo que pienso. Esa puede ser un arma de doble filo, porque el hecho de no tener esa tradición que creo que hay que rescatar y por eso yo defiendo la necesidad de la creación de una compañía nacional de teatro clásico, pero sin embargo, pienso que lo bueno que tenemos nosotros, en este país, es que esta todo por hacer. Pienso que las versiones alternativas, según mi terminología, que se han hecho en el Centro Dramático Nacional sobre los clásicos, han sido las que más éxito han tenido, porque de alguna manera estamos asistiendo también a un reemplazo de público, y creo que precisamente ese nuevo público es diferente a cuando nosotros íbamos a la escuela y apenas habíamos leído teatro clásico, yo por lo menos. Además lo aborrecía, porque realmente nos lo enseñaban de tal manera. Ir al Teatro María Guerrero en aquel tiempo era una tortura para nosotros. Por eso creo que la apuesta hoy del teatro español, pasa evidentemente por un reencuentro con la tradición en ese teatro nacional, pero sin embargo me arriesgaría a decir que en el momento en que nuestros "creadores" se enfrentaran de verdad con rigor y no en puestas en escenas de 15 días, 17 días, con medios suficientes, con... no sé, en fin, con unos actores que están contratados además unos en televisión, otros en no se qué, que se hace deprisa y sobre todo de forma rutinaria, precisamente las lecturas alternativas y alterativas tendrían más público y sobre todo un público nuevo que es para el que nosotros debemos trabajar. No ya para el público que de alguna manera ha cumplido una función histórica y social, pero que desde mi punto de vista ya no la cumple.*

JUAN ANTONIO HORMIGÓN.— *Perdón, solamente deseo señalar una cosa. Cuando Guillermo habla de lectura, creo que se refiere al concepto global del espectáculo no solamente a lectura desde el punto de vista literario.*

GUILLERMO HERAS.— *Totalmente global.*

JUAN ANTONIO HORMIGÓN.— *Domingo, ahora es tu turno.*

DOMINGO YNDURÁIN.— *Yo creo simplemente que hay en los montajes o en las lecturas o como se los quiera llamar, alternativas o alterativas o de cualquier otra denominación, un elemento que está presente y que sin embargo parece como si se olvidara: que son alternativas de otra cosa y alterativas de otra cosa; es decir, que para poder decir que hay una transformación es que existe un texto base sobre el que se cuenta. Inevitablemente tanto los montajes de los clásicos, esos de redes y de chismes que suben y bajan, como nosotros suponen en último término, o no lo suponen conscientemente pero el que los hace lo tiene en la cabeza, que hay una base de teatro clásico sobre la cual se está avanzando o se están haciendo derivaciones. Lo que planteo, lo que me gustaría que se planteara, es la posibilidad o qué sentido tiene el alternar o el alterar algo que la gente conoce. Resulta entonces que es una propuesta radicalmente original, digamos, o no tiene relación dialéctica con el texto base. Para el adaptador que cree que está dinamitando algo o cambiando algo, lo entendería, pero naturalmente para el espectador que no conoce ese texto, aquello no tiene sentido. De tal manera que eso presupone de manera inevitable el montaje o por lo menos el conocimiento de los clásicos como tales clásicos históricos o arqueológicos. Entonces resulta, es lo que no sé si al leer mi ponencia se ha notado mucho, que una de las cuestiones que planteaba es que hay un común denominador a todas esas historias que es el texto original, es decir, tal como fue concebido en su época por su autor y todo lo demás son variaciones sobre un mismo tema, son tientos y modificaciones, pero claro, la base tiene que estar ahí, si no está ahí no tiene ningún sentido adaptar, mejor dicho modificar un clásico o alterizarlo o lo que sea, porque no se está haciendo nada, se está haciendo otra cosa, pero no desde luego un clásico. El efecto se produce cuando el espectador tiene en la cabeza su idea del clásico original y le cambian unos determinados elementos, eso puede establecer entonces una relación dialéctica entre la propuesta antigua y la moderna, etc., pero si no tiene en la cabeza eso, le da igual que le alteren o que no le alteren, no tiene sentido del montaje o la alteración de un clásico.*

JUAN ANTONIO HORMIGÓN.— *Antes de seguir adelante, Paco quiere contestar.*

FRANCISCO NIEVA.— *Yo contestaría a Domingo lo si-*

guiente: si nosotros emprendiésemos ahora una cruzada para iniciar al público en general sobre los clásicos españoles en su total pureza, cuando pudiéramos hacer puestas en escena alternativas o alterativas, todos calvos. Claro, eso supondría frenar la evolución del teatro, porque no hay duda alguna de lo que ya he dicho: la transformación del público resulta irreversible. En este momento esa iniciación sería tan trabajosa y significaría tal retraso para la evolución del teatro, que nos sería desde luego imposible sumarnos a los nuevos tiempos y al concepto de teatro que se tiene actualmente. Lo que se quiere hacer en muchas ocasiones con esas puestas en escena alterativas o alternativas, es dar una versión quizá más cordial, más próxima a ese público ya de algún modo incapacitado para comprender a los clásicos en su pureza. Yo digo que, por ejemplo, cuando me pongo a leer a un Lope de Vega, estoy casi traduciendo, por un lado, lo que creo que el público actual va a percibir mejor, va a estimar y aquello que solamente yo como estudioso del teatro clásico puedo estimar, personalmente.

JUAN ANTONIO HORMIGÓN.— *Quisiera impedir un diálogo cerrado entre vosotros que estáis mano a mano. Tú, Ramón, también querías decir algo sobre esto.*

RAMÓN CERCÓS BOLAÑOS.— *Sólo quiero decir, Paco, que estoy conforme y que esto es la voz de una cosa que se llama Ministerio de Educación y de la segunda enseñanza, que es donde hay que hacerla, no de los nuevos creadores.*

JAVIER NAVARRO.— *Yo quisiera comentar todo un poco en general, pero primero me gustaría subrayar el valor peculiar que tiene la ponencia de Dougherty, porque introduce un tema que no se ha tenido en cuenta y es que aquí se está hablando de cómo acercar-*

se a los clásicos y nos olvidamos de que antes que nosotros, se han acercado a los clásicos mucha gente y la ponencia de Dougherty hablaba de esto. No cabe duda de que la forma en que esta gente se ha acercado a los clásicos condiciona de alguna forma la manera en que nosotros podamos acercarnos a ellos. En este sentido, Dougherty hablaba de que en el año 29 había un intento de recuperar los clásicos y la gente de teatro, la gente de teatro de verdad, se interesaba por utilizar los clásicos como una esperanza de renovación teatral. Dougherty decía que eso le recordaba mucho lo que había dicho Luis de Tavira ayer sobre la situación actual en México, pero es que a mí me recuerda mucho a la situación actual en España también, es decir, parece que ahora realmente queremos acercarnos a los clásicos también como una esperanza para renovar nuestro teatro. Otro dato curioso es que la gente que realmente se interesaba por esto en aquellas fechas, en los años veinte y treinta, como Valle-Inclán y Lorca, no se ponen en escena en España prácticamente, les pasa lo mismo que a los clásicos, están todos en el mismo paquete. Son los mejores autores de teatro español y sin embargo parece que esa esperanza fue fallida en los años veinte y por lo que se ve hoy día lo sigue siendo.

JUAN ANTONIO HORMIGÓN.—*Gracias. Luis de Tavira.*

LUIS DE TAVIRA.— *Sí. Yo quisiera concretarme a cinco puntos por orden, que de alguna manera contemplan panorámicamente varias cuestiones tocadas por los cuatro ponentes de esta mañana. La primera sería una reflexión sobre el papel de la erudición en esta dinámica de discusión acerca de los clásicos, y del papel que tiene el planteamiento que concretamente hace Domingo, en torno al conocimiento del clásico como punto de partida. Quisiera darme el privilegio de dudar de esta posibilidad. Yo creo que no es posible establecer un concepto inmanente acerca del conocimiento del clásico. El conocimiento del clásico como concepto derivado de lo que se entiende por clásico, a mi modo de ver implica un espejismo; es decir, se le conoce en un contexto histórico y quisiera recordarlo en el sentido de la reflexión que hacía Chomsky respecto a Stirner, a la crítica de Stirner, cuando hablaba de una diferencia sustancial entre lo que es el conocimiento del dato, o el manejo de la terminología que dista mucho de ser la ciencia; terminología no es ciencia, y también hay un salto brutal entre lo que es ciencia y lo que es sabiduría.*

Esto, sin dejar de ver por otro lado la importancia que implicaría una inquietud como la que manifiesta Cercós, que a mí me parece mucho más adecuada en cuanto a que una cosa es la necesidad del conocimiento del depósito de la tradición como ha venido y como ha llegado, que desde luego posibilitará ya el desarrollo futuro, y la tarea cultural de nuestros días a partir de ese conocimiento. Sí, creo que ésta es una etapa fundamental, un problema indiscutible en sí mismo, un imponderable en sí mismo como conocimiento, pero totalizar esto me parecería a mí, simplemente, una verdad parcial. Es decir, lo que propone Domingo es totalmente cierto, pero derivar de esto un absoluto me parece peligroso, sí, me parece que es una verdad parcial. Por otro lado, prefiero el problema como lo establece Nieva. Coincido plenamente con su inquietud. Yo estaría totalmente de acuerdo con él que estamos hablando de teatro y no de literatura. El problema de la adaptación es ficticio, es decir, no creo que sea problema. Se convierte en problema cuando nuestra mirada hacia el depósito de los clásicos es una mirada religiosa, devota, mitificadora, canonizadora, en ese momento surge un conflicto, pero es un conflicto que no es estético sino moral o religioso, porque si bien es cierto que la adaptación en este sentido es imposible si hablamos de teatro y si el texto no es el teatro, yo recordaría el dicho popular: "el hábito no hace al monje, así como tampoco el muro hace al convento"; en el fondo de la cuestión está el asunto de la función del texto y su relación con el teatro.

Yo partiría de la distinción entre texto y teatro para plantear la imposibilidad de la adaptación, ya que adaptación me suena a mí mucho más a toda esa inquietud de orden religioso o a discurso religioso, lo que implicaría una actitud de "agiornamento", de ahí que utilice a propósito el término. Creo que es más bien como lo plantea Nieva, el problema para mí es el de inventar el teatro. Necesariamente estaremos siempre en la perspectiva de inventar el teatro, pero inventar el teatro no quiere decir tampoco desconocer el pasado, desconocer la tradición. De la nada nunca ha salido nada, siempre se parte de algo. Lo importante en última instancia si hablamos no de texto sino de teatro, y aquí recordaría lo que decía Heras acerca del texto como pretexto, de lo que se trata es de crear teatro. El verdadero desafío entonces es inventar el teatro y esta invención del teatro implica esta dialéctica que parte de la absoluta libertad del creador por un lado, enfrentado por otro a un determinante limitativo y restrictivo total que es la realidad del público, la realidad del público como tal y la realidad en la que el público vive.

En ese sentido debemos considerar otro fenómeno que también decía Nieva, y es que estamos hablando de teatro y de la validez del teatro en un momento histórico en que presenciamos ya su derrota, la invalidación del teatro como tal, de su vigencia; también Heras reconocía que los mejores fenómenos del teatro contemporáneo se dan en una cierta clase de elitismo. En todo caso la discusión acerca de los clásicos como texto o como pretexto en función del teatro, que siempre tendrá que ser inventado, tendría que referirse pienso yo a considerar a los clásicos o bien como cómplices de este nuevo teatro que nos toca inventar; o bien como cómplices de la agonía del teatro ante la cual bien podemos cerrar los ojos. En ese sentido, el quinto punto sería traer a cuento lo que nos decía Dougherty. La exposición de Dougherty que, a mi modo de ver, está respondiendo, en mucho, a estas cuestiones por lo que implica de rescate de la dimensión de un clásico como es el caso de Tirso, al que se entiende y se lee mucho más en la medida que posibilitó un nuevo teatro muy distinto al de él y que permanece ahí y ahí está su vigencia.

JUAN ANTONIO HORMIGÓN.— *Pepe Sanchís, por favor.*

JOSÉ SANCHÍS SINISTERRA.— *Bueno, tengo un montón de cuestiones que me gustaría poder resumir. Yo creo que hay algunos asuntos que ya fueron debatidos en otras jornadas y en otros muchos marcos de debate, que tienen que ver con el concepto de autoría que ha aparecido hoy y que yo creo que deberían ser ya como dejados en un desván, ¿no? Es decir, ya no se puede negar la autoría del director de escena, ya no se puede considerar al director de escena como una especie de autor en segundo grado o de artesano o de ilustrador de texto; esto es algo que desde luego los clásicos no lo consideran así en la medida en que muchos grandes dramaturgos son también directores de escena, pero por lo menos en el siglo XX, esto ha quedado ya clarísimo.*

Todos recordaréis la tesis de André Veinstein sobre "La puesta en escena y su condición estética"; es un arte, la práctica de la puesta en escena es un arte que tiene una complejidad especial, que tiene una especificidad y la ha tenido a lo largo de la historia y sobre todo en el siglo XX se reivindica como un arte autóno-

mo. Artaud decía también que nadie merece ser llamado autor en teatro más que el responsable de la puesta en escena. Claro, desde este punto de vista, yo me atrevería a decir que no existen textos clásicos. Desde esta perspectiva de que hoy hay un autor claramente delimitable del hecho teatral, del fenómeno, del acontecimiento teatral, que es el director de escena, no existen textos clásicos, o dicho de una manera menos provocativa, la oposición textos clásicos - textos contemporáneos, no es una oposición pertinente, no es una posición significativa, y esto se aprecia claramente cuando empezamos a querer trazar la frontera. ¿A partir de qué momento un texto deja de ser considerado clásico, o ya consideramos clásicos a Chéjov, a Ibsen, quizás estamos ya considerando clásicos a O'Neill, o a Brecht y quizás no podríamos también considerar clásico, me refiero clásico en este sentido que estoy esbozando, una obra de hace 10 ó 15 años? En Cataluña, por ejemplo, observo frecuentemente una tendencia a convertir en clásicos productos que surgen en el momento; recuerdo el estreno de la adaptación de una novela de M. A. Capmany que fue saludado por la crítica al día siguiente de su estreno como: "Ha nacido un clásico".

Pero claro, lo clásico es un punto de vista, es una perspectiva, incluso un juicio de valor, por lo tanto no tiene una especificidad. La posición pertinente para mí, la posición radical, es la oposición que se da entre texto escrito y representación, puesta en escena, que es algo efímero, inmediato, contingente y cuya responsabilidad recae sobre el director de escena. Desde esa posición, digamos radical, entre el texto y la puesta en escena, se entiende perfectamente que el director de escena haya utilizado los textos clásicos como un instrumento al servicio de su creación que es la que mantiene vivo al hecho teatral. En este sentido, la ponencia de Dougherty es muy ilustradora de lo que dije, y de todos los fenóme-

nos del teatro contemporáneo en que los autores clásicos han sido utilizados justamente para cuestionar la teatralidad vigente; en esto Brecht fue modelo, porque él hacía los clásicos no solamente para, en fin, iluminar desde el punto de vista del materialismo dialéctico otros episodios de la historia, sino para cuestionar, para revolverse contra la dramaturgia imperante, la dramaturgia burguesa de su tiempo, en la que veía cristalizadas todas las contradicciones históricas de una clase social. Los auténticos creadores de teatro utilizan los textos clásicos como un banco de pruebas, como una especie de incursión y una cierta alteridad, una alteridad en este caso textual, lingüística, para modificar la teatralidad vigente.

Ahora bien, y me centro más en el tema, ante esto existen, aunque haya muchas más, básicamente tres actitudes: se pueden utilizar los textos clásicos sin este propósito, es decir, como un ejercicio más o menos culturalista y en muchos casos también, como se me ha insinuado, no quiero citar las fuentes, con propósitos claramente mercantilistas: es una manera de cobrar los porcentajes sobre los derechos de autor, modificando apenas unos versos de una obra; o se puede utilizar también el texto clásico como una especie de consagración de lo establecido, se puede hacer eso que llamamos aproximar el teatro clásico a nosotros y esto a veces enmascara la consagración de ese "nosotros", la reafirmación de los valores de la mismidad, podríamos decir; o bien, y esta sería la otra posición que es la que creo que aquí aparece en las personas representadas del campo del teatro, se utiliza el texto clásico como una manera de cuestionar la práctica teatral vigente, incluso las propias concepciones, los propios lastres de nuestra práctica creativa. Desde este tercer punto de vista que es el que me interesa, evidentemente, no hay tampoco un antagonismo con la actitud del que imita, somos los hijos de una edad científica, dijo Brecht, y en este sentido, evidentemente es un señor que pretende utilizar un texto teatral del momento que sea porque, repito, no hay una frontera entre lo clásico y lo contemporáno. Un director, un autor en el sentido de director que quiere poner en escena un texto, tiene que confrontar, desvelar, descifrar, ese microcosmos lingüístico con todos los instrumentos de la ciencia, de la intuición, de la imaginación y de su propia subjetividad, pero no hay ni mucho menos, por lo tanto, un antagonismo, ni una actitud erudita ante el texto y una actitud arriesgada, el riesgo naturalmente, es de cuenta del autor, del creador del espectáculo. Bien había muchos más temas, pero los dejaremos para posteriores intervenciones porque no quiero prolongarme.

JUAN ANTONIO HORMIGÓN.— *Gracias. Tú, Domingo, quieres contestar.*

DOMINGO YUNDURÁIN.— *Sí, yo quería contestar no sólo a la última intervención, sino a todas las otras. Yo creo que es inexacto afirmar en la situación actual que estamos en una era científica, me temo que la era científica ha pasado para convertirse en una era técnica. En este sentido, da la impresión de que se quiere acostumbrar a la gente a utilizar unas maquinitas sin saber cómo funcionan. Es decir, la urgencia que señalaba antes Nieva no deja de tener un elemento de utilitarismo en el sentido de que, por ejemplo, con las calculadoras para qué se va a enseñar ahora a la gente a hacer raíces cuadradas o cosas de esas, si hay aparatitos a los que se les tocan los botones y resuelven la cuestión. Claro, el problema que se plantea ahí es el de siempre: la información es poder y esas maquinitas no nacen de los árboles, esas maquinitas las fabrican unos señores que siguen sabiendo cómo se hacer raíces cuadradas y por eso organizan esas maquinitas para que el pueblo, la gente, o como se le suela llamar, no tengan necesidad de plantearse los problemas fundamentales y únicamente se preocupen de los problemas utilitarios e inmediatos.*

En esto del teatro y de la cultura pasa exactamente lo mismo. Es decir, hay un enfrentamiento entre la posibilidad de gozar de una manera, digamos, inmediata, sin mayores problemas ni dificultades, de un texto, de una novela o de lo que sea, o tomarse más trabajo y enterarse de por qué las cosas funcionan como funcionan y por qué las cosas son como son. Es una elección que no me parece mal ni una ni otra, simplemente quiero decir que son dos caminos diferentes. Es decir, que se puede muy bien hacer ese tipo de resúmenes de argumentos o de revistas que se han citado antes aquí, que dan las cosas mascadas y el lector recibe aquello sin ningún esfuerzo, de una manera inmediata, con, quizás, una vivencia incluso, etc..., pero nunca se enterará de cómo son las cosas. Lo que yo planteaba en la ponencia es la ventaja que tiene el planteamiento del clásico como algo que se debe de investigar y hacia lo que se debe ir. Es una de las ventajas, tiene otros inconvenientes, por supuesto, no es excluyente tampoco sino que es uno de los caminos o una de las vías. Precisamente por eso no creo que se pueda llegar, ni se debe intentar siquiera, creo además que no tiene sentido, a un conocimiento inmanente de los clásicos.

Creo que aunque he leído mi ponencia a tal velocidad, he insistido sin embargo en el planteamiento histórico de que la literatura del espectáculo teatral no tropieza con estos escrúpulos, los fenómenos tienen su lugar mejor o peor conocido en la historia y lo que venga después es otra historia. Luego he dicho, si no me equivoco, que los que creemos que la cultura es un proceso histórico no podemos prescindir de la perspectiva histórica. En definitiva, yo no trato de un conoci-

miento inmanente de los clásicos sino de un conocimiento histórico; es decir, de lo que ese clásico supone en su momento histórico. Las sucesivas interpretaciones no son más que parte de otra historia, siguen siendo elementos históricos que hay que estudiar y hay que ver cómo interpretaban a Calderón en el romanticismo o en el siglo XVIII, con la Ilustración, etc. Ese tipo de creencia, la que busca un sentido inmanente al clásico, desemboca inevitablemente en algo que a mí me parece bastante inadmisible, en la creencia contraria de que un clásico dice lo que en cada momento le queremos hacer que diga y por otra parte en la libertad de interpretación, es decir, cada uno puede interpretar lo que a mí me sugiere, lo que a mí me dice. Y esa labor tiene un resultado que, por otra parte, se puede enlazar con lo que señalaba antes Paco Nieva y es que como él hace notar, cuando se enfrenta con un texto romántico o el que sea, él, como ha dicho, va cogiendo o dejando automática y reflexivamente las cosas que le parecen y que no; pero claro, eso supone la creencia de que hay una idea que es lo fundamental y que toda una serie de elementos que andan por aquí y por allá son despreciables y otros son aprovechables; se está haciendo una labor de recoger un ramillete de flores dentro del jardín del teatro romántico.

Claro, yo me temo que el problema es siempre el mismo; para hacer lo que él hace y por otra parte, lo hace muy bien, y no es una crítica sino una descripción, eso es absolutamente inevitable y necesario. Lo que pasa es que yo creo que el problema está en que históricamente lo que daba cualquier autor del tiempo pasado tenía otro sentido que no tiene ahora. Es probable que para los espectadores de la época del romanticismo o la que fuera, cosas que hoy nos parecen demasiado excesivas, parece, sin embargo, que para ellos tenían un valor. Voy a poner simplemente el ejemplo de

Santillana, el marqués de Santillana, que por supuesto no escribió teatro. Lo que hoy podemos leer de Santillana son las serranillas, que es precisamente la producción de Santillana que menos interés tenían para él y para sus contemporáneos. Lo que a sus contemporáneos les gustaba, lo mismo de Mena, y lo que citaban constantemente e imitaban, eran los poemas de arte mayor que hoy no hay quien los lea. Entonces hay dos posibilidades, hacer una antología y poner las serranillas que los lectores las leen y tienen un goce estético, o poner "La coronación" o una cosa de esas que no hay quien la lea, salvo que tenga una preparación previa para hacerlo y vaya encontrando un goce en el descubrimiento de una serie de elementos, pero, eso es así, en el siglo XV lo que funcionaba, lo que era realmente cultural e importante, no eran las serranillas, que eran un entretenimiento cortesano a la vuelta de un viaje, etc., sino los poemas de arte mayor, los poemas de tipo moral. Por lo tanto, el hecho de que se deba adaptar eso a la contemporaneidad es un camino, el otro es adaptar la contemporaneidad al tiempo pasado.

Ocurre como lo del chino. No entendemos chino porque no lo hemos aprendido, la cuestión está en aprenderlo y una vez que se aprende se puede acceder a eso. Lo mismo ocurre con el fútbol, lo mismo ocurre con "Las meninas" de Picasso. Es decir, Picasso no es un autor que haya sido aceptado sin más, ha tenido sus problemas y hay que saber ver el cubismo, es algo que se aprende y la contestación del chino no es mía es de Picasso precisamente, cuando le dijeron que no entendían sus cuadros y contestó a una señora: "Bueno ¿usted sabe chino?, ¿no? Es que eso se aprende porque la cultura, le dijo Picasso, también se aprende". Suponer entonces que esa necesidad de contactar con el público o con el mundo actual, lleva a una situación en la cual no hay diferencias, como dice Sanchis, entre clásicos y modernos porque no hay una limitación clara, plantea un problema de base y es el de ver a qué llamamos clásico.

Como sabéis perfectamente, clásico puede ser cualquier autor digno de ser imitado y entonces...; es cierto que no se puede trazar una frontera, pero tampoco se puede trazar una frontera entre un animal y una planta, y acudo a los elementos más simples, lo cual no quiere decir que entre una vaca y un rododendro no haya diferencias, está muy claro que hay una diferencia, pero a la hora de trazar un límite concreto entre lo uno y lo otro, hay zonas que no se pueden delimitar de una manera absoluta. Yo casi diría que un clásico comienza a ser clásico cuando no se le entiende, cuando necesita un trabajo para ser entendido; la inmediatez de lo contemporáneo, es una cosa que no se nota y viceversa, y eso es algo que hay que admitirlo. No se puede leer, pues no se..., a Horacio, no se puede leer el "Mío Cid", sin conocer unas palabritas de español medieval, unas construcciones y una serie de cosas...

Una cosa final: yo creo que lo que estamos haciendo, los que se nos llama eruditos o como os dé la gana, puedo buscar cualquier otro término peyorativo, es tener un conocimiento objetivo, que puede ser transmitido generalmente, etc... Lo que hacen los artistas es otra cosa, es arte, pero lo que nosotros hacemos es llegar a este conocimiento y se puede trazar casi una historia de ese conocimiento, de los logros, etc., y hay casos en los que son muy claros. Lo de Chomsky no funciona nada, porque acaba de cambiar de teoría una vez más y entonces resulta que luego en la práctica sus teorías de ciencia, técnica, etc., en último término se apoyan en El Brocense y se apoyan en El Brocense para oponerse a la gramática, tiene también sus raíces históricas como todo el mundo.

Por último, el tema de la interpretación de los clásicos. No sé hasta qué punto, pero creo que el doctor Dougherty ha utilizado el libro de Bermejo, me da la impresión. La supuesta influencia de Tirso y del Burlador de Sevilla en Juanito Ventolera, no la veo por ningún sitio. Esa especie de parodia en "El burlador de Sevilla" que serían "Las galas del difunto", no acabo de entenderla muy bien, no creo que a Valle-Inclán le interesara nada Tirso, a don Juan Valera, sí, pero a Valle-Inclán me temo que aunque hable de los clásicos a quien trataba de cargarse era a Echegaray, eso me parece bastante claro, y a quien odiaba absolutamente era a Ricardo Calvo, que era el verdadero renovador de la escena española y que sustituyó la añeja costumbre de llamar tocando los artejos por una campanilla, que dice Valle-Inclán. Es decir, Valle-Inclán está absolutamente en contra del teatro de Echegaray que sí que es un remedo de los clásicos me parece a mí. Lo que eso indica simplemente es, y vuelvo otra vez a lo de siempre, es el relativismo, que cada época ve a unos autores con unas deformaciones que le son propias y eso es una historia, es una historia de la interpretación de las obras, lo cual no implica que no se puedan llegar a conocer elementos concretos de lo que significaban esas obras.

Doy un ejemplo y acabo, un ejemplo además que no es teatral, en "El Buscón", de Quevedo, Leo Spizer hace una interpretación sobre la sangre del cordero con que se labran esos amores, etc., diciendo que es la sangre del cordero místico; pero desde Plinio se sabe que la sangre del cordero, la sangre del cabrón caliente, es lo que sirve para labrar los brillantes —dicen—, por lo tanto la referencia de Quevedo es a la creencia tradicional de cómo se labran los brillantes con la sangre de cordero, de cordero caliente, pero cordero de verdad, y si no se sabe eso puede uno empezar a funcionar a base de —como hace Spizer— de planteamientos místicos que, naturalmente, no es el sentido de la obra. En esa dirección es en la que creo que hay que conocer a los clásicos y entonces toda una serie de confusiones son inaceptables, no otras, no la adaptación. En consecuencia, la adaptación o el montaje de "La dama de Alejandría" de una determinada manera..., eso nadie se lleva las manos a la cabeza, es perfecta y admisible, e incluso muy divertida a veces. Lo que no se puede permitir, creo yo, es la ignorancia, creer que un texto dice lo que creemos que dice y no lo que dice, no lo que nos gustaría o nos convendría o lo que en ese momento nos parece que puede significar. En cuanto a lo de Rosaura, bueno, pues ya Wilson y Parker habían señalado y bastante bien la importancia de Rosaura en "La vida es sueño" como elemento fundamental, y después mucha gente; ese era mi planteamiento.

JUAN ANTONIO HORMIGÓN.— *Domingo Miras. No hago comentarios porque el tiempo es escaso, pero la intervención de Domingo merecería uno.*

DOMINGO MIRAS.— *Una cosa es a mi juicio sumamente valiosa, es algo sobre lo que, a mi entender, hay que profundizar: se trata de la clasificación que ha hecho Guillermo Heras de las diversas maneras de adaptación de textos clásicos. La cuestión que ha surgido posteriormente es la prioridad de esas maneras, la prioridad en el tiempo. Cercós ha apuntado que sería conveniente comenzar con las adaptaciones simples o casi sin adaptación y Paco Nieva ha respondido, que entonces cuando se llegase a las otras adaptaciones todos estaríamos calvos. Quizás lo que hay aquí sea nuestra obsesión en reunir varias cuestiones diferentes y confundirlas entre sí, haciendo de todas ellas una sola cuestión. Creo, o estoy empezando a creer, que la cuestión es que hay varios públicos que piden, que necesitan varias cosas distintas y esas cosas las hemos enmascarado como si fuesen una cosa única.*

Voy a intentar explicarme. A comienzos del siglo XVIII no existían todavía los museos, había gabinetes de curiosidades, como los llamaban entonces, y galerías de cuadros, pero no había museos. No sentían las gentes del XVIII, la necesidad de encontrarse con el pasado en un lugar "ad hoc", cuando el presidente De Brosses visita Italia y escribe su diario del viaje, al llegar al teatro romano de Verona se queda maravillado. Encuentra un monumento romano en perfecto estado de conservación, considera que sería aprovechable y se extiende en su diario, en su reflexión de aquella noche, explicando cuál era el aprovechamiento que él le daría. Dice que derribaría la mitad del teatro, sustituyendo esa parte derribada por un espacio amplio para que el público lo ocupase con comodidad y en la parte que conservaría, que sería por tanto un hemiciclo semicircular, ahí se podrían hacer representaciones. O bien, a la inversa. El hecho de que el presidente De Brosses pensase esto, nos muestra hasta qué punto estaba lejano de nuestra propia sensibilidad.

Actualmente a nadie se le ocurriría derribar el teatro romano de Verona para aprovecharlo de una manera, digamos, actual. ¿Por qué?, pues porque ha nacido un público desde entonces y es un público que ha sentido la necesidad de aproximarse a su pasado, quizás porque tiene un poco de inseguridad respecto de sí mismo, como apuntaba precisamente, ahora mismo, Sanchís; pero lo cierto es que por una razón o por otra los museos se llenan cada vez más. La última vez que estuve en un museo me tuve que salir porque allí no se podía ver nada, y este público consumidor de museos, pienso, que además es creciente, glorioso, que procura también acercarse a los clásicos con un criterio museístico. Es decir, que no solamente cuando los lee, que no los lee nunca, sino cuando se ponen en escena acude al teatro como acudiría al Museo del Prado.

Yo apuntaba el otro día en una intervención que no es posible proporcionarle al público de hoy una reproducción exacta de una comedia del XVII, porque para empezar, el público es irrepetible, pero lo cierto es que el público que va al Museo del Prado y se enfrenta al cuadro de "Las lanzas", tampoco ve su contexto original, no está ya en el "salón de estados". Lo ve en otro sitio y por lo tanto se hace una idea aproximada del pasado, aunque no pueda reconstruirlo porque el pasado es irreconstruible; de alguna manera, un montaje simple, en la terminología yo creo que acertada de Guillermo, un montaje simple del teatro del pasado, sería por tanto a mi juicio un montaje museístico y como tal, desde el punto de vista teatral, puede parecernos en principio peyorativo este adjetivo, pero desde el punto de vista histórico, social y cultural es perfectamente respetable.

La cuestión por tanto es que nos encontramos con dos públicos. Un público que asume museos y un público que asume espectáculos. Estos públicos son completamente distintos en razón a sus distintas necesidades. Individualmente puede estar formado por las mismas personas sólo que con distinto talante a la hora de ir al museo y a la hora de ir al espectáculo. En consecuencia, la cuestión sería por tanto ver cómo se puede satisfacer a uno y a otro público. Aquí todos pensamos en la satisfacción del público de espectáculos, pero cuidado, el público de museos quiere ser satisfecho y aunque a las gentes de teatro no les gusten los montajes arqueológicos de tipo museístico, lo cierto es que al público de museos sólo le pueden satisfacer actores de verdad y directores de verdad, gentes de teatro de verdad. Tienen que hacer por tanto, si quieren satisfacer a ese público, que es respetable, que es numeroso y que es creciente, unos montajes que sean sucesivamente o mejor dicho, progresivamente, llenos de vida, que no sean apariencias de puestas en escena, sino verdaderas puestas en escena, con los correspondientes ensayos, medios y demás.

Luego, por otra parte, la otra versión del problema sería la del público consumidor de espectáculos que, repito, puede estar formado por las mismas personas. A ese público, por supuesto, se le pueden dar espectáculos, ya sea de autores clásicos, ya sea de autores actuales y a los clásicos por supuesto revisarlos desde todos los puntos de vista, para darles el especáculo que ese público va buscando y el espectáculo puede ser montado y consumido en función de todos los abjetivos, por diversos que sean, que el director de escena se haya propuesto. A mí me parece que la cuestión sería bastante simple.

JUAN ANTONIO HORMIGÓN.— *Paco Nieva.*

FRANCISCO NIEVA.— *Yo creo que en estas discusiones hay que introducir un elemento de ponderación, porque lo que no podemos hacer es caer en una actitud desaforada de "adaptación" y de "adaptacionismo", claro. Yo por ejemplo, con relación a lo que dice Domingo Ynduráin, si me enfrento con una comedia que me parece perfecta para nuestros días y que lo ha sido también en el siglo XIX, como es "La dama duende", casi no tengo que adaptar. Con relación, por ejemplo, a "La hija del aire", me sucede lo que ha dicho Ynduráin con Santillana y su arte mayor. "La hija del aire", es una tragedia muy densa, confusa, en dos partes largas y que está pidiendo adaptación a gritos. Las no fácilmente adaptables está visto que son las perfectas. Hay comedias del siglo de oro muy difíciles de adaptar porque son perfectas y bellísimas a nuestro modo de comprender el teatro; sin embargo, no podemos tener un repertorio restringido de obras maestras porque serían poquísimas, esa es la cuestión.*

La cultura es algo más vasto y nuestra actitud sería la de clarificar, la de mejorar en algún sentido aquello que en su tiempo tuvo una expresión dilatada, profunda, que fue más o menos comprendida —yo creo que menos—, pero, en fin, comprendida y que hoy día sería intransmisible. Claro, nuestra actitud hacia determinados clásicos —y véase también, por otra parte, que yo hablo de textos pero también preminentemente de espectáculos, hablo de montajes—, pero aun así nuestra actitud hacia los clásicos tiene que ser en todo momento amorosa, que quiere mejorar desde luego lo que le parece imperfecto. Podemos decirlo con relación a la mujer: es muy culona pero tiene unos ojos muy bonitos y claro, hace falta poner de relieve los ojos bonitos que tiene la culona. Claro, esa actitud desaforada del "adaptacionismo" nos llevaría verdaderamente a malversar de verdad el legado cultural.

Hace falta por otra parte sensibilidad y conocimiento de las obras en su pureza para poder dar una versión, no digo justa, porque, ¿dónde está el termómetro que nos van a poner debajo de la axila para decir quiénes hemos sido justos y quiénes no lo hemos sido? Esa es la cuestión. Lo que pasa es que esa actitud desaforada hay que frenarla porque entonces sería entrar a saco impunemente en un legado cultural que a mí, me sigue pareciendo muy respetable, yo creo que tanto "La dama duente" como "El alcalde de Zalamea" y algunas que otras de Lope mismo, "El caballero de Olmedo", no son tan fácilmente adaptables desde el punto de vista de la escritura, porque son perfectas. Ahora, bien, el director de escena —y yo no me he propuesto nunca poner en escena estas obras—, el director de escena puede hacer ya de su capa un sayo, pero en este caso, en relación a la adaptación textual, yo me inhibiría en muchos casos.

Lo que pasa es que en muchas ocasiones yo ejerzo determinado rinconismo y creo que "Los baños de Argel", obra tremendamente imperfecta, tenía elementos importantes, sugerencias, sugestiones del renacentismo, del manierismo de Cervantes, que quería poner de relieve. A causa de eso, pues, hice un espectáculo que algunos cervantistas consideraron que era un trabajo profundo sobre el manierismo de Cervantes y otros dijeron que no, pero claro eso es a lo que nos exponemos todos los creadores. Creo desde luego que hay que frenar un poco también ese "adaptacionismo" desaforado.

JUAN ANTONIO HORMIGÓN.— *Hugo Gutiérrez Vega.*

HUGO GUTIÉRREZ VEGA.— *Yo creo que Domingo tiene razón cuando dice que estamos metiendo una gran cantidad de temas en el mismo saco. Lo que sucede es que la mesa de hoy fue extraordinariamente rica de sugerencias y discusiones. Me siento en la obligación de decir que coincido en muchos de los puntos de vista expresados, especialmente con el de Paco Nieva, con el de Guillermo, en realidad Guillermo nos ha leído el manifiesto que mañana discutiremos ampliamente, pero es casi un manifiesto lo que nos ha entregado, con las aportaciones de Domingo y de Dru. Dru hablaba de coincidencias refiriéndose a Luis de Tavira y su exposición sobre la problemática del teatro mexicano actual. Yo creo que esto tiene una explicación, tanto Díez Canedo, como Cipriano Rivas, como Amparo Villegas, como Magda Donato, como Pitaluga, como Rodolfo Halfter que tuvo mucho que ver con la música teatral, llegaron a México con toda esa carga de inquietudes entonces. La reposición de las obras del teatro clásico en México, recibieron hasta cierto punto la orientación de estos transterrados españoles, de ahí que nuestra visión actual sea coincidente con la que ellos expusieron en*

México. Creo que las aportaciones de Dru en este sentido son valiosísimas, no sólo para los investigadores españoles sino también para los investigadores mexicanos que reconocemos en Cipriano o reconocemos en Enrique, los iniciadores de la nueva preocupación por el teatro clásico común, o por el teatro nacional en México.

La segunda cosa que quería decir, me ha inhibido un poco Domingo al mandar de un plumazo a Chomsky al cajón de las veleidades porque yo iba a citar a Lunacharsky, pero en fin, creo que Domingo también ha citado otras antiguallas, así que tengo todo derecho a hacerlo. Esto viene a propósito de las preocupaciones de Paco Nieva sobre uno de los métodos de crítica que hay en nuestro tiempo que es el marxista. Estoy de acuerdo con Paco que con el adelanto de los medios electrónicos, especialmente la presencia todopoderosa de la nodriza electrónica —parafraseando a Mac Luham— que es la televisión, hay un cambio total en la composición del público, cambio que afecta no sólo al fenómeno artístico sino también el carácter didáctico del teatro concebido como fenómeno social. Por lo tanto, la aproximación a ese público tiene que ser distinta. Advierto que me estoy refiriendo exclusivamente a los problemas de puesta en escena, no a los problemas de investigación o al aparato erudito que, estoy totalmente de acuerdo con Domingo, debe estar al servicio, y ya esto implica servidumbre del que se va a enfrentar al problema de la puesta en escena y de la confrontación de una obra ante el público. Así es que me refiero exclusivamente a los problemas de la puesta en escena, del espacio y de las posibilidades de mantener la comunicación ante un público que tiene ya una manera distinta de descodificar los significados.

La crítica marxista, efectivamente, no se ha enfrentado todavía a estos problemas de los medios electróni-

cos, por la sencilla razón que salvo las aportaciones de la escuela de Francfort, por ejemplo, las últimas aportaciones latinoamericanas, la del grupo de "Matelart", es tremendamente ortodoxa y tremendamente clerical. Leer a Marx como se lee la Biblia y convertirse en una especie de glosador disciplinado, significa matar a Marx, y ciertamente Marx, nunca habló de la televisión. Sin embargo, yo sí quisiera por un acto de justicia aportar algunos datos sobre lo sucedido en los primeros momentos de la Revolución soviética. Voy a poner dos ejemplos para terminar. El ejemplo de los primeros momentos de la Revolución soviética y del "Teatro Comunitario", del "Comunity Theatre" en los Estados Unidos. En primer lugar, quiero reivindicar el nombre de Lunacharsky, y aquí mi preocupación coincide con la de Ramón sobre el carácter del teatro como fenómeno social, sus posibilidades didácticas y por otro lado su sustantividad independiente como obra de arte. Lunacharsky mezcla los tres elementos en una serie de estudios fundamentales que, desgraciadamente, están parcialmente traducidos al castellano, pero es el iniciador de una política cultural relacionada con el teatro, además extraordinariamente respetuosa.

Ni Stanislawsky ni Nemirovich Danchenko eran miembros del partido comunista y siguieron trabajando en el Teatro de Arte de Moscú y siguieron poniendo tal y como querían a los clásicos rusos, a Pushkin o a Turgueniev, sólo Meyer hold era miembro del partido comunista e inició junto a todo el constructivismo una nueva visión del teatro. Bien, Lunacharsky defiende el carácter didáctico del teatro, ya que estaba al servicio de un proyecto revolucionario inmediato, y por otra parte respeta las características artísticas del teatro y sobre todo la libertad de la puesta en escena. Lunacharsky es el gran defensor frente a la censura de escritores como Bulgakov, si no hubiera sido por él

Bulgakov simplemente habría salido de la Unión Soviética al igual que Zamiatin, que tuvo que refugiarse en París. La defensa que hace Lunacharsky de Swartz es significativa, y yo creo que Swartz es un autor que en este momento adquiere gran actualidad sintonizando con la preocupación de Ramón. Es un autor que se dedica fundamentalmente a la segunda enseñanza, que pertenece tanto al Ministerio de Cultura como al Ministerio de Educación, lleva a Pushkin en adaptaciones extraordinariamente inteligentes y respetuosas a las escuelas secundarias, a los liceos, y por otra parte nos entrega una serie de obras en donde se mezclan los aspectos didácticos con los de absoluta libertad en la puesta en escena o en la adaptación, como "El dragón" o como "La sombra". Bien, yo estaría de acuerdo también en reconocer que este entusiasmo extraordinario, ¿y cómo olvidar a Mayakoswsky, por ejemplo, en esta empresa?, se derrumba en 1934 con el establecimiento de la censura, con el horrible manifiesto del "realismo socialista" de Zanov y con la iniciación de un teatro al servicio de un proceso ideológico muy cerrado. Yo recuerdo entre esos exiliados que fueron a México, una señora curiosísima que hacía teatro en Soria durante la guerra civil. Ponía zarzuelas, zarzuelas de propaganda política, pero como la zarzuela le sonaba muy mal por eso de "zar", entonces les cambió el nombre y les puso "sovietzuelas" y había una muy bonita que se llamaba "La sovietzuela de la verbena de la paloma de la paz", de la paloma de la paz, por supuesto. Bien, este proyecto fue liquidado por el realismo socialista, pero allí está el proyecto de Lunacharsky. Yo quisiera insistir en la necesidad de que se analizara a fondo este proyecto, porque pienso que conserva su validez en muchos sentidos.

Por último, creo que se pueden mezclar muchas de las cosas que aquí se han tratado. Ya mañana nos enfrentaremos al manifiesto de Guillermo con el cual coincido en gran parte, pero creo que la presencia, por ejemplo, de Domingo, de Dru, agrega a los que nos dedicamos directamente a la puesta en escena, grandes posibilidades de enriquecimiento. Sí, la necesidad de que el erudito esté al lado del director, al lado del productor, claro me estoy refiriendo a un productor que no tenga la aspiración inmediata o exclusiva de hacer dinero, sino que tenga también otros propósitos y otros proyectos y que el erudito participe, enriquezca y al mismo tiempo tenga la idea muy clara de que tanto el director como los actores, el escenógrafo, en fin, todos los que participan en el fenómeno teatral, deben moverse con libertad para que el fenómeno realmente se realice. Ahí está el ejemplo del "Teatro Comunitario" de los Estados Unidos en los cincuenta, en donde, sobre todo en el norte de los Estados Unidos —los grupos de teatro comunitarios son los grupos escolares—, recibían la ayuda de los eruditos universitarios y de los investigadores para que llevaran a cabo sus puestas en escena. Lo que sucede es que todos tenemos la gran fortuna del teatro cuando ya estamos en escena; es que cada quien habla cuando le toca y yo pienso que al erudito le toca en un momento del proceso hablar y después quedarse maravillosamente callado, y a la gente de teatro le toca en un momento del proceso hablar y después escuchar al erudito, pero lo importante es que todos hablemos cuando nos toca y no nos echemos encima del parlamento de los otros.

JUAN ANTONIO HORMIGÓN.— *Gracias Hugo. Realmente el asunto nos gustaría discutirlo mucho más, pero el problema que tenemos es que no hemos incluido una ponencia sobre la crítica, que hubiera podido ser muy interesante. Yo subrayo tus palabras porque si Mayerhold existió y pudo hacer su trabajo sobre los clásicos, fue porque tuvo el apoyo de Lunacharsky. Ese es un elemento que yo también insinúo mañana en la ponencia. Sigamos. Solamente quiero decir que como ya vamos muy justos de tiempo, rogaría a todos que los que intervengan a partir de ahora que, por favor, sean lo más concisos posible para ver si todavía podemos meter algunas aportaciones más. Guillermo Heras.*

GUILLERMO HERAS.— Bueno, la primera cosa es respecto a lo que dice Hugo. No iba a contestar a eso ni a nada, pero, vamos, debo decir que no he pretendido hacer un manifiesto, en todo caso es más bien una actitud ante, precisamente, el tratamiento. Puede ser sobre todo reivindicar una pasión ante el hecho teatral, eso desde luego, y quizás le haya dado un cierto tono, pero, vamos, no era mi intención hacer ningún manifiesto. Voy a ser muy breve. Yo creo que muchas veces volvemos atrás en temas que han quedado claros, entonces, simplemente pienso que una cosa que ha quedado muy clara en esta jornada de hoy, es que todos podemos trabajar; lo ha dicho Hugo, yo estoy totalmente de acuerdo con muchas de las afirmaciones de Domingo Ynduráin. Es más, en el proyecto que planteo de ese espacio de investigación en el Real Coliseo de Carlos III, para mí sería fundamental contar con una aportación real de toda una serie de estudiosos que cumplieran, como ha dicho Hugo, su misión. Creo que en el hecho teatral cada uno debe tener su espacio que luego confluyera en un espacio de discusión común; porque lo que yo no creo que haya que confundir es la audacia con la incultura, la estupidez o la soberbia, eso es otra cuestión, eso es un problema psicoanalítico en el que el artista tiene mucho de esquizofrenia, de neurosis, de todo eso. Entre seres civilizados, esa esquizofrenia hay que canalizarla precisamente en el escenario de una manera creativa.

Domingo ha puesto un ejemplo que a mí me parece

importante y clarificador a nivel de cómo se podría resolver. Él habla del problema de la sangre caliente del cordero en Quevedo, creo entender, y yo, evidentemente lo ignoro, ignoro por completo que eso servía para hacer brillantes y todo eso. Evidentemente, lo bonito del trabajo viene ahí de, por un lado, el que la persona que facilita información explica esa clave, una vez que el equipo artístico sabe esa clave lo que hay que hacer es elaborarla teatralmente y convertirla en signo teatral, pero es que ese signo teatral yo creo que es diferente a cómo era el signo real de su tiempo. Lo que hay que hacer a lo mejor, objetivamente, no tiene nada que ver con el esoterismo, pero de ese trabajo común y de unas improvisaciones de los actores y de una pulsión que surge en ese momento, resulta que a lo mejor lo más adecuado para la puesta en escena no tiene nada que ver con la objetividad del texto de Quevedo, lo mejor es subvertir el código que planteaba Quevedo. ¿Cuál es el problema? no, yo no veo ningún problema. Otra cosa es que luego eso lo publiquemos como una verdad absoluta y que intentemos hacer comulgar a la gente con ruedas de molino.

JUAN ANTONIO HORMIGÓN.— *Gracias. Luis de Tavira. Por favor, hermano Tavira, concisión.*

LUIS DE TAVIRA.— *Sí, padre prior. Yo solamente quisiera decir que no estoy en desacuerdo con lo que dice Domingo Ynduráin para nada, ni mucho menos en lo que se refiere a toda la lucha que hay que hacer absolutamente contra la ignorancia. Lo que pasa es que yo creo que también esto corre peligro cuando estas posiciones en el contexto de lo que estamos hablando, de la realidad total de la que estamos hablando, están implicados exclusivamente puntos articulables en una realidad mucho más completa. Por otro lado, desearía hacer ciertas precisiones. Yo no estaría de acuerdo en decir que estamos en una era técnica, en todo caso estamos en una era cibernética y que evidentemente implica una serie de transformaciones y modificaciones muy profundas en el campo de la epistemología, asunto importantísimo si lo que entendemos por el teatro, o lo que entiendo por el teatro, es de alguna manera una visión del mundo y además, lo que esto conlleva. Ya lo decía Nieva, en el terreno de la revolución de los sentidos o de la sensibilidad y sus consecuencias en el terreno de la masificación, lo que a mí me preocupa es una extrapolación del problema, y lo que me inquieta y ante lo que yo reacciono, es ante la ilusión del enciclopedismo que se convierte, también lo decía Heras hace un momento, como un anatema de las propuestas.*

Lo que también encuentro de preocupante en todo esto en una propuesta de estética del tipo Bill Kepman, y aquí traigo un poco a colación una expresión de Nieva cuando habla de lo perfecto. No creo que sea posible este tipo de establecimiento. Siento mucho el sabor de la teoría de los paradigmas cuando se habla de lo clásico, o de lo clásico establecido en la teoría de los paradigmas de Weber, es decir, los modelos imponderables y que evidentemente nos llegan ya a nosotros en toda esta reflexión de la tradición de lo clásico como tal, ¿no?, como modelo muy cercano al fenómeno de enajenación, como lo describe Merlau-Ponty que era teólogo y hablaba de enajenación y religiosidad. Cuando esto se aplica al arte pues es igual, es la religiosidad enajenante, esto nada tiene que ver con la función de la investigación erudita de los textos, tiene que ver con la utilización de la actitud que de ahí se desprende o puede desprenderse como un vicio común. Es a esto a lo que me refiero y vuelvo otra vez a Chomsky, independientemente que Chomsky sea moda o no, hay verdades que ahí están y lo que quería expresar, por si no lo expliqué bien, con Chomsky, era que los datos se articulan siempre a una hipótesis, los mismos datos son relativos en sí, pueden aplicarse a una hipótesis o a otra. Creo que la ciencia va más allá de esta relatividad aunque ésta sea la mismísima teoría de la relatividad.

Por otro lado, lo que decía Domingo Miras sobre el asunto del museo también me preocupa mucho, por lo que tiene justamente la religiosidad emocionante. No puedo olvidar una investigación importante que se hizo en Holanda acerca de la función del museo. Se preguntaba en una encuesta amplísima a los asistentes, con qué asociaban el museo de modo más inmediato y contesaban que al templo. Por otro lado, pienso yo, resulta profundamente cuestionadora la posibilidad de conocer, de determinar, la realidad del pasado, del presente en su perspectiva histórica cuando ésta se contempla en una vitrina, porque yo creo que la perspectiva de la vitrina da un horizonte muy distinto. Además, este problema supone una vez más la mezcla que estamos viendo de distintos conceptos y perspectivas, está dejando también una cuestión que a mi modo de ver esclarece mucho y tiene su sitio, que es la vinculación entre lo que es el teatro y el texto. De aquí una vez más que estemos considerando el problema del texto y del conocimiento del texto en función de su articulación a la escena.

Evidentemente que se dimensiona en un contexto mucho más amplio que lo modifica en sí mismo y esto está aquí, pues la realidad polisémica del hecho teatral implica enorme cantidad de cosas cuando esto se debe traducir a problemas ya no exclusivamente del texto, sino de la actuación. Señalo el terrible problema del actor concebido sólo como "el que dice". No puedo olvidar aquella maldición de Artaud a los actores franceses a los cuales maldecía porque no sabían más que hablar, o un teatro hecho para ser dicho y todo esto,

¿no? Creo que todavía hay mucho más que averiguar en torno a esta relación del texto y concimiento del texto, pero en su función en su articulación con el hecho escénico.

JUAN ANTONIO HORMIGÓN.— *Por favor, aunque hemos abarcado un campo amplio vamos a intentar ceñirnos al texto, porque mañana al hablar de la puesta en escena vamos a poder tocar todo este conjunto de hechos globales. Insisto en la concisión porque ahora estamos ya rozando el momento peligroso en que vamos a tener que cortar. Domingo Ynduráin.*

DOMINGO YNDURÁIN.— *Sí, un segundo nada más. Dos cosas. Una, que yo digo lo que digo, no lo que se supone que tengo que decir; es decir, que para mí no son propuestas excluyentes la una o la otra sino alternativas, absolutamente válidas las dos. En segundo lugar, cuando he dado el dato de la sangre del cabrón caliente, que no es un dato, lo que quería con ese ejemplo era fundamentalmente que todo eso entrara dentro de la comprensión de una realidad y que no se puede tomar simplemente por una palabra que se traduce por otra y ya está resuelto el problema, sino que eso significa, implica, toda una concepción de una serie de cosas que están relacionadas y que al cambiar los datos se va al traste el sentido de la obra original. Y en último lugar, subrayar la clave que he dado en mi ponencia, que no se trata exclusivamente de traducir, se trata de que la gente aprenda el código que se está utilizando en el teatro clásico, esa es la cuestión.*

JUAN ANTONIO HORMIGÓN.— *Dru Dougherty.*

DRU DOUGHERTY.— *Pues quería aportar un punto de vista, insistir en un punto de vista que se encuentra en esa polémica de los años veinte. Según esa sensibilidad había algo mucho más peligroso que perder a los clásicos o incluso ignorarlos, y fue que los clásicos quedaran desnaturalizados, desfigurados para los términos de aquellos críticos, de aquellos intelectuales. De hecho cada puesta en escena corre el riesgo de la desfiguración del texto clásico, en eso creo que todos estamos de acuerdo en cuanto al papel de la dramaturgia como proceso de destripar la obra, el texto y remontarlo para salvar esa figura ideal que no se debe desfigurar y para adaptarla al público mayoritario, o a los públicos, porque hay muchos públicos, sobre todo para este momento histórico. Creo que si aceptamos ese planteamiento hay que preguntar quién o cómo se garantiza la existencia de esa figura ideal, de esa genuinidad del texto y pienso que a ese problema apuntaba mi colega Domingo, porque los eruditos, evidentemente, tienen un papel al establecer un acuerdo en cuanto a lo que es la esencia de ese texto, el texto mismo, en primer lugar; pero quisiera añadir que tradicionalmente, desde luego en esos años brillantes, había otro estamento teatral que figuraba en ese proceso de garantizar, de pedir cuentas, ¿verdad?, a las puestas en escena. Este estamento era la crítica, la crítica culta, muy informada, muy bien leída, que examinaba, que juzgaba las puestas en escena, a partir evidentemente con un acuerdo, con una idea tenida en común en cuanto a lo que representaba el texto clásico.*

Dos ejemplos para ilustrar este proceso: Américo Castro sacó una edición de "El burlador", a primeros del siglo, me parece que el año 10 o por ahí, corrigiendo el texto de "El burlador de Sevilla". A partir de ese momento casi todos los demás eruditos siguen el texto de Américo Castro, supongo que las puestas en escena de "El burlador" dependen de ese texto si se montan ahora. En este momento creo que es peligroso depender de Américo Castro, que nosotros tenemos también que pe-

dirle cuentas a este erudito, pero lo innegable es que Américo Castro cambió nuestra visión y cualquier puesta en escena de "El burlador de Sevilla" a través de su erudición. Otro ejemplo: esto mismo lo hacen los dramaturgos también. Valle-Inclán, en efecto, reivindica "El burlador" de Tirso a través de sus "Galas del difunto". En "Las galas del difunto" se mete no con Echegaray, sino con Zorrilla, protestando del proceso de desvirtuación del Don Juan a través de la obra más popular, ceremoniosa, ritual, del don juanismo en España.

JOSÉ SANCHÍS.— *Yo comprendo la preocupación de Juan Antonio en cuanto a deslindar la temática y remitir las cosas de puesta en escena a mañana, pero es que me parece inevitable que hablar de dramaturgia, hablar de manipulación de textos, de tratamiento de los textos clásicos, incide directamente sobre el tema de la puesta en escena, porque de hecho, ya no adaptar un texto, sino leer un texto, es ya poner en escena. Por lo tanto yo quería, si me lo permitís, hacer brevemente unas reflexiones apuntadas ayer sobre este tema.*

Voy a intentar ser lo más breve posible, porque creo que toca algo de lo que está saliendo hoy, de lo que quizás salga mañana que, repito, no se puede deslindar. Yo pienso que una obra teatral es el registro verbal, literario, de mil posibles establecimientos escénicos, por lo tanto la lectura de un texto teatral es la asistencia a una representación imaginaria. Tanto el lector como el crítico que está leyendo el texto, está asistiendo a una representación imaginaria. Todos los niveles del discurso dramático remiten a un referente teatral, escénico, a un espectáculo que aún, o ya no, tiene lugar.

O sea leer es poner en escena. El lector es un director virtual. Hay buenos y malos lectores, del mismo modo que hay buenos y malos directores. El mal lector, como el mal director, es aquel que sólo es capaz de imaginar, de poner en escena la superficie, la linealidad del texto. Su representación imaginaria es plana, literal, en el mejor de los casos literaria. Organiza imágenes visuales o acústicas y significados simples o complejos en un teatro fantasmal, inconcreto, difuso, discontinuo, plástico, como el que erije mentalmente el lector de novela, de poesía o de ensayo, y quiero diferenciar muy claramente al lector de novela, de poesía o ensayo del lector de teatro; es decir, es un fenómeno diferente. Puede captar, este mal lector, y gozar las sutilezas del texto con la mayor penetración, pero las proyecta en una escena mediocre, mal dotada técnicamente, con unos actores que se le parecen mucho y que interpretan de un modo monótono y convencional. Puede poseer una gran cultura y una fina sensibilidad, pero escaso o ningún sentido escénico. Puede entender todas las implicaciones sociológicas, psicológicas, filosóficas, épicas y estéticas del texto, pero se le escapa su teatralidad.

El buen lector de teatro en cambio, es aquel que configura su representación imaginaria en un espacio escénico preciso, material, delimitado y altamente sensorial, aunque no responda a las convenciones y límites vigentes y es capaz de tener vigente en el curso de su lectura todos los elementos, humanos o no, que ocupan este espacio de percibir la simultaneidad y la liberación de todos los sistemas de signos que están ahí funcionando, aunque el discurso textual no los localice o ni siquiera los mencione. Las palabras y las acciones de los personajes le sorprenden, la extrañan, le resultan sospechosas, le desconciertan, cree adivinar aquí y allá segundas y aun terceras intenciones, mentiras deliberadas, autoengaños inconscientes, referencias veladas a otras palabras y a otras acciones propias y ajenas; pero en todo ello no ve solamente el genio de un autor o la complejidad de unos seres que parecen humanos, percibe además otras voces, voces del autor en los personajes, voces de otros autores en el autor, imágenes insólitas invaden la escena, proceden de viejos escenarios, de otros dominios artísticos, del borroso "filii" vivo de la historia y del mito, y también de su propio tiempo biográfico, girones de la infancia, deseos y temores presentes, noticias, sueños, libros, experiencias.

Todo tiene forma, color, sonido, ritmo, y todo resuena y espejea; también hay algo suyo en los personajes, quizás mucho, pero surgen a fragmentos que suceden diseminados, dispersionados, contrapuestos incluso. Su yo ilusorio y compacto se le revela múltiple, plural, inconciliable, casi irreconocible. La lectura le expande y le disgrega y cada nueva lectura, más; pero al mismo tiempo en cada nueva lectura —ya termino—, se esboza un movimiento de signo contrario, algo se reconstruye, se articula, se ordena, emerge del caos la sombra de una forma, un diseño impreciso, pero más y más consistente, como el plano cifrado de un nuevo microcosmos que reclama su espacio y su tiempo, su materia, sus leyes. De esa necesidad, de ese reclamo agudo del ser diseminado, efervescente, felizmente perdido en la escena imaginaria por alcanzar la contingencia que simula lo real, nace la dotación llamada, sí, de poner en escena y culmina cuando además ese microcosmos debe ser compartido, confrontado, puesto a prueba como dispositivo de encuentro e interacción con ese otro concreto y abstracto que es el público, vocación de demiurgia vulnerable.

JUAN ANTONIO HORMIGÓN.— *Bien, muchas gracias. Seguiremos mañana a las diez.*

IV JORNADA
PRÁCTICA ESCÉNICA Y POLÍTICA TEATRAL

FINANCIACIÓN, REPERTORIO, PÚBLICO Y ASPECTOS ESCÉNICOS DEL TRABAJO CON LOS CLÁSICOS ESPAÑOLES EN LA REPÚBLICA FEDERAL ALEMANA

Joachim Werner Preuss

ALTERNATIVAS ESTÉTICAS A LA PUESTA EN ESCENA DE LOS CLÁSICOS

Juan Antonio Hormigón

BASES DE UNA POLÍTICA TEATRAL PARA EL TRABAJO CON LOS CLÁSICOS

Asociación de Directores de Escena

COLOQUIO

JUAN ANTONIO HORMIGÓN.—*Buenos días. Vamos a empezar la última de las sesiones de estas Jornadas y dejaremos para el final los discursos tristes. Imaginemos que esto va a durar todavía otra semana más y así nos sentiremos optimistas. La última mesa está dedicada a algunos aspectos que prolongan la de ayer, es decir, algunas cuestiones relacionadas con la puesta en escena y otras que afectan a la proyección de ese hecho teatral en la sociedad, a los problemas de difusión y también a las cuestiones de organización y financiación; aquellos aspectos que permiten que las ideas que debatimos con tanto calor se conviertan en realidad o más bien, que sistemáticamente impiden que lo que aquí discutimos y elaboramos con tanto ardor no se pueda hacer casi nunca.*

En fin, he querido incluir estos aspectos en las Jornadas porque, respetando como siempre muchas alternativas y propuestas que desde diversos ámbitos se hacen en torno al montaje de los clásicos, nuestros amigos que proceden de la universidad, de la crítica o de otros ámbitos, olvidan con frecuencia que el teatro necesita toda una articulación infraestructural, organizativa, financiera, etc., para poder ser realizado y que, posiblemente, muchas de las cuestiones que no llegan a los escenarios españoles tienen su raíz en estas ausencias o en estas faltas o falsías organizativas. De ahí que la primera ponencia de la mañana de hoy sea la del señor Preuss, crítico berlinés que ha tenido la amabilidad, a pesar de las múltiples barreras que el desconocimiento de la lengua y de la evidente incomunicación que esto crea, ha tenido la gentileza de estar con nosotros a lo largo de todas las Jornadas y de preparar una ponencia que yo creo es muy ilustrativa para nosotros, porque aborda algunos aspectos de cómo ese fenómeno, cómo los clásicos son abordados en la República Federal Alemana desde este ángulo que he indicado. Vamos a recibir y poder valorar, pues, una serie de cifras, de alternativas, de líneas generales de alternativas escénicas, etc. Algo de lo que hoy se va a desarrollar aquí se vio ya en la sesión de vídeos comparativos que celebramos la primera noche de las Jornadas. Como era, digamos, una hora avanzada de un día durísimo, muchos, algunos al menos de los participantes no pudieron asistir a esta sesión que, insisto, fue excelente. Yo quiero una vez más darle las gracias por haber aportado ese material y habernos proporcionado la posibilidad de estudiarlo.

Y ya después de haber dicho todo esto, vamos a pasar a la ponencia. Mario León, que es el intérprete, después de unas palabras del señor Preuss, va a leer un resumen y en el coloquio, todas las preguntas y todas sus intervenciones las haremos también a través de su intérprete y traductor. Respecto a las otras dos ponencias no hay problema. La mía, por que aquí estoy. En cuanto a la otra, desde el primer día quise referirme a ella porque hay un malentendido a través de lo que se dice en el programa. La ponencia última: "Bases de una política teatral para el trabajo con los clásicos", no es de Angel Fernández Montesinos sino de la Asociación de Directores de Escena, recién estrenadita, todavía caliente. Angel Fernández Montesinos, como presidente de la Asociación, venía a leerla, pero Angel que es un director polifacético, tuvo que montar el Festival de Benidorm y supongo que tuvo algún problema de última hora y no ha podido llegar. Guillermo Heras, miembro de la Junta Directiva de la Asociación, va a leer la ponencia en nombre de esta Asociación como material informativo y también como material para el debate. Bien, dicho todo esto vamos a empezar ya para no perder más tiempo.

FINANCIACIÓN, REPERTORIO, PÚBLICO Y ASPECTOS ESCÉNICOS DEL TRABAJO CON LOS CLÁSICOS ESPAÑOLES EN LA REPÚBLICA FEDERAL ALEMANA

JOACHIM WERNER PREUSS

JOACHIM WERNER PREUSS

Nació el 12 de abril de 1931 en Berlín, Alemania. En su niñez hizo pequeñas intervenciones en el área cinematográfica, y actuó como locutor y cantor coral en la radio.

Al término de su época escolar (1949) comenzó a trabajar como ayudante de producción y de dirección en diversas películas de largometraje, así como en el área del doblaje cinematográfico.

Desde 1954 hasta 1961 estudió teatro, filología inglesa, filología alemana y publicidad en la Universidad Libre de Berlín. A partir de 1957 desempeñó paralelamente las funciones de director de radio. En 1961 se hizo cargo de la redacción de programas de teatro en la "Emisora Libre de Berlín", en donde desde 1963 desempeña además las funciones de crítico de teatro y de cronista político-cultural.

En 1971 fue elegido vicepresidente de la Central del Instituto Internacional de Teatro en la República Federal de Alemania (suborganización de la UNESCO). A continuación participó como delegado en distintos congresos de teatro. Es miembro (y durante algún tiempo fue presidente) de la Junta Asesora de Teatro en la administración del Instituto Goethe, y dio varias conferencias en el extranjero en nombre del Instituto Goethe.

Entre sus libros publicados se encuentran trabajos sobre crítica de teatro, biografías de actores y escritores, así como algunos estudios sobre "la organización de visitantes en la República Federal de Alemania" y "el sistema de promoción teatral en la República Federal de Alemania". Este último, por encargo del Ministerio de Asuntos Exteriores, se publicó por la UNESCO —en inglés— en 1980.

Señoras y señores, muchas gracias por la invitación que me ha llegado por el Instituto Alemán. Lamento que mi español se limite a estas pocas palabras, por eso a partir de ahora hablará el señor León en mi nombre. Muchas gracias.

* * *

He sido invitado por ustedes para proporcionar información sobre el eco que los dramaturgos españoles, especialmente los clásicos, suscitan en el teatro de Alemania Occidental, esto es, en la programación de los escenarios de la República Federal de Alemania y Berlín Occidental, que constituyen un panorama teatral unitario. Pero, como es natural, hablar de programación y además de representaciones exige reflejar las circunstancias y los condicionantes de este panorama teatral, esto es, exige dar informaciónes sobre ellos.

Antes de hablar de lo que hay voy a remitirme a lo que *no* hay.

En los últimos 25 años (y probablemente antes tampoco) *no han alcanzado* el teatro alemán los antiguos clásicos españoles Gil Vicente, Juan de la Encina y Lope de Rueda, al igual que tampoco lo hiciera Bartolomé de Torres Naharro. Tampoco hay referencias de que se hayan representado obras de Ramón de la Cruz (segunda mitad del siglo XVIII) ni de Pedro Antonio de Alarcón (segunda mitad del siglo XIX).

Dicho sea esto de entrada.

Ahora deseo aproximarme a nuestro tema de forma totalmente subjetiva, sin limitarme a los autores clásicos.

Cuando recibí la invitación me pregunté a mí mismo: ¿qué dramaturgos españoles recuerdas espontáneamente entre los que has encontrado en los escenarios? (Y permítanme que subraye: en los escenarios, esto es, tenía que excluir a los que había leído, a los conocidos por lo que llamamos "formación", así como los estudiados durante la carrera de Ciencias Teatrales en la universidad). Esto es, ¿qué recordaba yo al respecto, al cabo de casi 40 años de asistencia a los teatros, al principio esporádica y desde hace más de 20 años profesional, en calidad de crítico de teatro?

En mi memoria quedaban momentos y escenas de tres o cuatro escenificaciones del *Don Gil de las calzas verdes* de Tirso de Molina, una representación adaptada de la *Celestina (Comedia de Calixto y Melibea)* de Fernando de Rojas, y recordé espontáneamente varias escenificaciones de algunas obras de García Lorca, sobre todo *La casa de Bernarda Alba, Bodas de sangre, Doña Rosita la soltera* y *Yerma,* con la que tuve ocasión de encontrarme dos veces con su maravillosa actriz Nuria Espert, lo cual fue muy importante para mí; también me acordé de *Doña Diana (El desdén con el desdén),* de Agustín de Moreto; era consciente de haber visto algo de Alfonso Paso, pero sin recordar el título de esas obras o de qué trataban; desde luego que en esos momentos de reflexión también estaba seguro de haber visto algo de Lope de Vega, pero no recordaba ninguna representación, no se me había quedado ninguna escena; por el contrario se me habían quedado grabadas obras de Fernando Arrabal (al que desde luego hay que contar entre los dramaturgos españoles); y a mi memoria saltaron imágenes de obras de Calderón de la Barca como *La dama duende* o *El alcalde de Zalamea,* obras que por lo menos he visto dos veces, y *La vida es sueño,* que sólo vi una vez, pero todas ellas muy desdibujadas en la memoria.

Como es natural, algunas de las lagunas de memoria se deben más a la poca calidad de la representación que a mí mismo. Aunque desde luego no sólo a ello, pues no puede caber la menor duda sobre el hecho de que el encuentro con dramaturgos españoles queda desplazado en el recuerdo por la gran superioridad de las impresiones que transmite un teatro alemán, que al fin y al cabo prepara en su programación de 1.100 a 1.200 obras cada año. Además, en este teatro hace décadas que se prefiere sobre todo a Shakespeare, aunque en realidad los teatros actúan con bastante reserva ante los clásicos, incluso los alemanes o de habla alemana, y los griegos e incluso los romanos. Por el contrario, este teatro se dedica profusamente a los dramaturgos de los siglos XIX y XX: con especial predilección representan obras de Rusia y de Inglaterra, de Francia, de Escandinavia y de los Estados Unidos, que constituyen la parte principal.

No es que esto suceda hace poco tiempo. Si echamos un vistazo a los libros que recopilan las críticas teatrales alemanas de los primeros 50 años de nuestro siglo, esa panorámica confirma hasta qué punto reside aquí la importancia verdadera de este teatro (aparte de raras excepciones, que se aplican a la época inmediata anterior y a la misma dictadura nazi de 1933-1945, donde no sólo el teatro se restringió a obras del clasicismo alemán e internacional, sino que con sus textos señalaba de múltiples maneras posturas de oposición política, como pasó también con *El alcalde de Zalamea,* de Calderón, concebida en una época de inseguridad jurídica y de ruptura del derecho como una manifestación, quizás incluso como un estímulo para oponer a la violencia la "sabiduría del ciudadano nacido en la legalidad que proporciona validez a la ley de la costumbre por convencimiento libre y honrado" (como se decía por aquel entonces, naturalmente de forma enmascarada, en una crítica de K. H. Ruppel).

¿Y por lo demás? Las recopilaciones de críticas de aquella época rara vez consideraban las representaciones de los clásicos como motivo de análisis que desde la perspectiva del crítico fueran dignas de ser transmitidas a la posteridad, lo cual le sucedió concretamente a los clásicos del teatro español. Sólo de vez en cuando aparece una referencia a Calderón, lo cual no significa que no se hayan representado más cosas de Calderón y de otros españoles.

Otra cosa son las recopilaciones de críticas más recientes. Los dramaturgos españoles aparecen con mayor frecuencia. Pero tampoco en este caso hay una profundización. El hecho de que sus representaciones se registren más se debe sobre todo a que las recopilaciones de reseñas más recientes (debido a los cambios en el panorama teatral alemán, que aclararemos más adelante) se entienden mucho más que antes como crónicas teatrales locales: de este modo se consideran más los autores clásicos, y con ellos a los españoles. Pero también esto es muy relativo. Es el eco de una realidad teatral que no presta mucha atención a España.

Señoras y señores, se darán cuenta de que yo no me encuentro en una situación especialmente buena ante ustedes. Sin embargo creo que existen razones históricas para ello. Por eso voy a remontarme un poco más atras.

Desde que el primer gran dramaturgo alemán de teatro burgués realista, Gotthold Ephraim Lessing, polemizara en calidad de teórico en un famoso escrito de opinión (el "Hamburgischen Dramaturgie") a finales de los años 60 del siglo XVIII contra el predominio de entonces del teatro francés en Alemania, representado por Racine, Corneille y Voltaire sobre todo, y presentase frente a ellos a Shakespeare como si fuera un descubrimiento y un modelo, desde entonces los dramaturgos, el teatro y la literatura teórica teatral (al menos durante una larga temporada) abandonaron su orientación por el drama y el teatro francés con la consecuencia de una adopción cada vez mayor del drama en idioma alemán, así como también del procedente del Norte y del Este, así como del de los Estados Unidos, y después de 1945, de nuevo el francés. Las palabras clave son: Naturalismo, realismo, expresionismo, drama sicológico y absurdo. Y naturalmente también el político.

De algún modo España se ha "perdido" dentro de este desarrollo teatral desde Lessing, pero antes —cuando el teatro se orientaba hacia Francia— tampoco tenía una importancia especial. Sin embargo se produjo una notable fase intermedia que partió de un importante representante del romanticismo alemán.

August Wilhelm von Schlegel (1767-1845) suscitó el interés de los dramaturgos clásicos alemanes Wolfgang von Goethe y Friedrich von Schiller hacia Calderón en 1802 con una traducción propia de la obra de Calderón *La devoción de la Cruz*. Un año después dijo Schiller: "¡Cuántas equivocaciones nos habríamos podido ahorrar Goethe y yo si hubiéramos conocido antes a Calderón!". Y Goethe, en calidad de director del Teatro de la Corte de Weimar, permitió más tarde representar a Calderón: *El Príncipe Constante,* que por cierto era la "obra preferida" de Goethe entre los trabajos de Calderón que conocía, así como La vida es sueño y *La gran zenobia.*

Pero cuanto más admiraban los románticos alemanes a Calderón, tanto más se separaba de él Goethe al correr los años. El último gran poeta y dramaturgo del ámbito alemán, que en las postrimerías del siglo XIX no sólo ensalzó a los españoles y en especial a Calderón, sino que análogamente a *La vida es sueño,* de Calderón escribió *El sueño es una vida,* fue el austriaco Franz Grillparzer (1791-1872). A pesar de que hoy existen, como es natural, modernas traducciones de muchas obras teatrales, resulta notable que un pequeño estudio de recopilación sobre Calderón que apareció en 1967 recabase sus citas de traducción de una edición de las obras de Calderón en 36 tomos que se publicó en 1827 en Viena. En este sentido, a Lope de Vega le va algo mejor: una edición alemana incompleta, pero que al fin y al cabo abarca 12 tomos, se editó entre 1970 y 1975. También puede ser ilustrativo el hecho de que los últimos grandes trabajos teóricos tanto sobre Calderón como sobre Lope de Vega tienen ya más de 35 años.

Como es natural, la literatura es una cosa y el teatro otra. Y de hecho, el teatro español es mucho más luminoso en los escenarios.

Para nuestro teatro existe una estadística bastante fiable. Su mejor parte son las informaciones sobre las piezas puestas en escena en cada temporada. Para mí sólo tiene el pequeño defecto de que, al reseñar *todas* las piezas escenificadas registra también las representaciones en Austria y en la Suiza de habla alemana, sin especificarlas. Pero la cantidad mucho menor de escenarios que hay allí permite suponer que las referencias estadísticas variarían muy poco si sólo tuviésemos las cifras de los teatros alemanes.

¿Y qué se deduce sobre este material de la época de hace 30 años hasta hoy, concretamente desde 1947 hasta 1975?

Parece que Cervantes ha sido tristemente olvidado. No pude comprobar ni siquiera los títulos de las tres únicas escenificaciones con un total de sólo 21 representaciones a finales de los años 40. Más tarde se pretendió representar a Cervantes cuando llegó al escenario el musical estadounidense *El hombre de La Mancha* (Dale Wasserman/Mitch Leigh).

Algún que otro intento con obras de Tirso de Molina desapareció siempre muy rápidamente de los escenarios, al igual que un nuevo intento de reponer *Celos de sí mismo* a finales de los añoss 70.

Quien en Alemania habla de Tirso de Molina se refiere al *Don Gil de las calzas verdes,* que en 1951 fue redescubierto para el teatro alemán y que a lo largo de los siguientes 24 años se repuso 54 veces con un total de 1.037 representaciones (el éxito fue viniendo sólo paulatinamente, en realidad después de 1961 tras una escenificación que se consideró "ejemplar"). Desde entonces, y casi con regularidad, cada temporada teatral hubo 7 u 8 teatros que presentaron esta obra, pero sólo hasta 1968. Después desaparece casi por completo *Don Gil,* lo que por un lado se explica probablemente por la politización que había entonces en el teatro como consecuencia de los disturbios sobre todo estudiantiles, y por otro lado refleja algo muy típico: el teatro alemán es una especie de "teatro de consumo"; los autores y las obras van y vienen, algunos se intentan reponer alguna vez o experimentan incluso un renacimiento, otros tienen que esperar mucho tiempo o se olvidan por completo (más adelante volveré sobre este punto).

A Lope de Vega le sucede un poco lo mismo, a pesar de que aquí nos encontramos con un autor casi de éxito del teatro alemán: tuvo una gran caída después de 1970, pero antes (sobre todo entre 1956 y 1963) estuvo bastante difundido en las programaciones. Desde 1948 hasta 1975 tuvieron lugar 3.400 representaciones de 19 obras suyas, correspondiendo la mayoría de las representaciones a las siguientes obras: *¿De cuándo acá nos vino?*: 40 reposiciones. *El Caballero del milagro*: 32 reposiciones. *La dama boba*: 28 reposiones. *Los locos de Valencia*: 22 reposiciones. *Las discreta enamorada*: 16 reposiciones.

Sin embargo *La discreta enamorada* apenas se representó en los años 70.

Pasemos ahora al último clásico español en los escenarios alemanes: Calderón de la Barca, que al mismo tiempo significa que los documentos estadísticos tienen valores nulos o casi nulos (en parte ya lo he mencionado al principio) para poetas como Gil Vicente, Juan de la Encina, Lope de Rueda, Antonio de Corello, Ramón de la Cruz e incluso autores del siglo XIX. Tales como Pedro Antonio de Alarcón o (ya en el siglo XX) el Premio Nobel (1922) Jacinto Benavente, del cual sólo se representó una vez su obra premiada *La ciudad alegre y confiada* en un lejano teatro alemán de provincias, y añado este dato aquí porque me parece que en una crítica esta escenificación surge algo que agobia mucho la relación del teatro alemán con el drama español. Cito textualmente:

> "No se puede responder con claridad a la pregunta de si ha merecido la pena esta resurrección... Puede que el fracaso hoy se deba a la traducción alemana... (le falta) en la primera parte la ligereza espontánea del juego artístico y la segunda carece por completo de fuerza y profundidad poéticas...". ("Theater heute", 3/63).

Extrapolando su sentido, esto se aplica también a más de una vieja traducción de clásicos españoles que se sigue representando, pero que ya no responde al espíritu del idioma actual.

Pero yo quería dar información sobre Calderón de la

Barca, el español famoso en Alemania desde 1802 con repercusiones hasta nuestros días. Ante él empalidecen incluso las cifras de los éxitos de Lope de Vega: la estadística menciona para Calderón por encima de las 1.300 representaciones (casi 4.800) más que para Lope entre los años 1948 y 1965. Pertenecen a 17 obras suyas, pero sobre todo a 3: *La dama duende:* 90 escenificaciones. *El alcalde de Zalamea:* 83 escenificaciones. *La vida es sueño:* 46 escenificaciones.

Incluso *El gran teatro del mundo,* con sólo siete escenificaciones casi todas en los años 60, es sólo una obra de segunda fila. El mejor año de Calderón en el teatro alemán fue la temporada teatral de 1958/59 con más de 400 representaciones.

Pero aquí sólo se trata de hacer un paréntesis. Un paréntesis que proporcione información (con la necesaria brevedad) sobre esta panorámica del teatro en Alemania Federal con un amplio condicionante histórico.

Hasta muy entrado el siglo XIX Alemania no era un estado unitario, sino que estaba gobernado en sus múltiples territorios por príncipes y reyes. Casi todos ellos mantenían teatros, teatros cortesanos (se llamaban teatros de corte), incluso después de que el rey prusiano se convirtiese en 1871 en el primer emperador alemán y durante mucho tiempo volviese a existir un Imperio alemán. Pero al mismo tiempo había empezado ya la emancipación burguesa: la burguesía no sólo penetraba lentamente en los teatros de corte, sino que reforzaba su intervención en la fundación de teatros propios, que con anterioridad sólo habían existido esporádicamente.

Para abreviar: de aquí, tras la caída de la monarquía y los principados alemanes como resultado de la primera guerra mundial, resultó que los nuevos organismos estatales y ciudadanos de la República se dieron cargo de los teatros de corte y que muchos magistrados en las ciudades tomaron a su cargo los escenarios que hasta entonces habían sido privados de los ciudadanos; junto a ellos también existían naturalmente escenarios privales que seguían reforzando cada vez más. En este aspecto (dejando aparte los detalles) no cambió nada la política cultural de la dictadura de Adolf Hitler entre 1933 y 1945. En la época subsiguiente el panorama teatral se ramifica mucho, cambiando en un aspecto fundamental con respecto a la que existía hasta 1945. En aquélla, Berlín, capital política, era al mismo tiempo la capital del teatro. Con la partición de la gran Alemania en Oriental y Occidental, y con la subsiguiente partición de Berlín, la escena teatral occidental perdió su centro y en su lugar se formaron varios centros de importancia, que a lo largo de los años desplazaron su peso regional por migraciones de directores y compañías (o también por las cambiantes financiaciones estatales).

Para proporcionarle al teatro alemán un centro duradero, hace casi veinte años que se instauró en Berlín occidental un festival llamado "Convención de teatro". Durante el mes de mayo de cada año, un jurado de críticos teatrales presenta 10 escenificaciones teatrales notables, escogiéndolas entre las obras artísticamente más logradas a lo largo del año o que presentan nuevos caminos de forma especial (y conseguida). Si bien antaño era Berlín una metrópolis teatral, donde se tomaban las decisiones sobre carreras, estilos y tendencias, a partir de 1945 esta función la realiza la "Convención de teatro".

Hasta aquí la primera observación sobre el panorama teatral de Alemania Occidental. Hay otra observación que lo concreta:

Como resultado del desarrollo histórico existen hoy

en 55 ciudades 85 teatros estatales, municipales o financiados totalmente por la unión de varias pequeñas comunidades (subvencionados), que mantienen 243 escenarios y que, por lo regular, son lo que se llaman teatros de tres vertientes, esto es, que no sólo ofrecen obras teatrales, sino también todo tipo de representaciones musicales en teatro y además ballet. Además en 27 ciudades, por lo general idénticas, existen otros 88 escenarios privados, que en general reciben en mayor o menor medida subvenciones estatales, y unas 50 ciudades pequeñas mantienen salas teatrales o edificios para usos culturales múltiples en los que con una cierta regularidad se representan obras por compañías privadas en gira, pero también por compañías estatales y municipales vecinas.

Menciono las cifras de los teatros que existen para poder explicarles a ustedes los resultados de las programaciones teatrales en el marco de nuestro tema.

Los 85 teatros financiados por completo a través de las instancias estatales y municipales, con sus más de 240 escenarios (casi son sólo ellos los que tienen importancia numérica para nuestras consideraciones), ofrecen en la temporada teatral, que dura unos diez meses, casi 15.000 representaciones teatrales, con una programación de repertorio que cambia en general cada día y cuyo volumen global, como se dijo al principio, abarca de 1.100 hasta 1.200 obras distintas, de las que unas 1.000 suelen ser escenificaciones nuevas (esta cifra se va reduciendo algo en los últimos años). Por lo tanto, como se dijo al principio, si Calderón es el clásico español de más éxito con apenas 4.800 representaciones, pero estas a lo largo de 27 años, ello significa que por año ha habido un promedio de menos de 180 representaciones de obras de Calderón frente a las aproximadamente 15.000 representaciones teatrales, lo cual supone una participación en la programación teatral de sólo un 1,2 %. Y no hace falta que miremos con malos ojos al clásico de más éxito en el teatro alemán, Shakespeare, que cada año goza de un promedio de 1.300 a 1.500 representaciones (por lo tanto una participación del 10 % en la programación teatral): si Calderón es el autor cumbre español, este desde luego es un pobre resultado. De aquí se podría deducir que quizá habría que hacer algo en el campo de los procesos de concienciación recíproca, esto es, en el marco del intercambio cultural entre ambos países.

Pero también dije que el teatro alemán resulta ser menos un centro de conservación de las tradiciones culturales que un teatro de consumo. Y esto significa que:

1. Los clásicos "auténticos" no predominan en absoluto en las programaciones estatales.

Una estadística de los años 55 hasta 75 indica que entre los 50 autores más representados sólo hubo siete que procedían del siglo XVIII o de época anterior, y aquí Calderón y Lope de Vega ocupan los puestos 6.º y 7.º detrás de Shakespeare, Schiller, Moliere, Goethe y Goldoni.

Y esto significa a su vez que:

2. Este tipo de balances estadísticos suministran las tendencias a largo plazo, pero no informan sobre las tendencias de consumo en cada caso; me refiero a lo siguiente: cómo de pronto hay gran demanda por un autor o por una obra, y cómo apenas se tiene en cuenta a otro u otras que hasta el momento se habían tratado con preferencia.

Deseo explicar esto con una doble estadística de cinco años para el conjunto del drama español, esto es, también el moderno.

La cantidad de las representaciones de obras españolas entre 1971 y 1975 (temporadas teatrales 71/72-75/76) indican que los siguientes dramaturgos fueron los más representados:

1. Fernando Arrabal con unas 1.000 representaciones.
2. Alfonso Paso.
3. Calderón con apenas 750 representaciones.
4. Lope de Vega (470).
5. García Lorca (algo más de 400 representaciones).

Todos los demás autores españoles representados tuvieron menos de 100 representaciones.

Pero pemítanme que mencione al 6.º, con poco menos de 100 representaciones: Agustín Moreto. Pues Moreto, en los cinco años que van de 1975 hasta 1980 (76/77-80/81) con un aumento de más de 100 representaciones no solo ocupó un "seguro" 5.º puesto, sino que esta lista de principales resultó muy modificada, y no sólo porque Arrabal desapareciese en gran medida y de forma repentina del interés teatral y descendiese del primer puesto al sexto (aproximadamente la mitad de representaciones). Más bien sucedió que había aumentado el interés sobre todo por Lope de Vega, que ocupó el primer puesto seguido de García Lorca, Calderón, Paso y, como he dicho, Moreto. Al mismo tiempo descendió la cantidad total de representaciones de estos tres autores, en casi 1.000 (3.573 frente a 2.591).

(Es obvio que esta estadística tendría un aspecto totalmente distinto si se basase en la cifra de espectadores. Por ejemplo, Arrabal nunca pasó en realidad de pequeños escenarios de estudio; Paso se representa casi siempre en teatros medios, mientras que los demás se representan por lo regular en teatros con 800 hasta 1.200 butacas).

Y vamos ya con la presencia en los escenarios propiamente dicha. Esto significa sobre todo hablar sobre adaptaciones. Allí donde sigue muy al pie de la letra los textos dramáticos, el teatro alemán es un teatro interpretativo, con frecuencia también un teatro que modifica el sentido. Esto es tanto más cierto cuando utiliza versiones adaptadas para conseguir las expresiones que desea.

Es posible que esto parezca lo más natural en *La Celestina*. La *Celestina*, de Fernando de Rojas, que se conoció pronto en Alemania, es demasiado larga para poderla representar. Pero nunca ha llegado al teatro simplemente recortada. La *Celestina* tuvo importancia para el teatro alemán (y la tuvo durante breve tiempo) una vez que Giorgio Strehler escenificase en Milán una adaptación de Carlo Terron y éste la tradujera al alemán.

La *Celestina* se considera una comedia, pero casi nunca se ha representado como tal comedia. Una notable escenificación (Francfort, 1968, F. P. Wirth) mostraba seres humanos solitarios, aislados, presos de afanes y añoranzas, oprimidos por reglamentos sociales, por un código moral y por la inquisición que lo imponía: el decorado señalizaba con un entramado de barras y de chapas perforadas un laberinto que carecía de salida igual que la incomprensión del control exterior.

La más importante escenificación de *La Celestina* (Colonia, 1966, Paryla) resultó ser más comedia, aunque sin suavizar su agudeza social, en la adaptación de Carlo Terron que, según las necesidades escénicas, introdujo en el escenario, por demás vacío, fragmentos de escaleras, de casas, etc., sobre pedestales y convirtió la obra en una tragicomedia por la fuerza de los actores. Era una representación muy basada en gestos, con realismo corporal, muy expresiva, vital, ácida en el humor, marcadamente emocional. Melibea se mostraba con una sensualidad inhibida como crítica a un código moral existente que no era natural, haciendo del padre de Melibea su representante en forma de una figura secundaria con rasgos caricaturescos y una declamación hueca del texto. Celestina resultó una figura necesaria en esas condiciones y, por lo tanto, el principio de una vida positiva: furiosa-taimada, enérgica, pero también cordial, sirviendo al placer por el placer, una "imagen radicalmente opuesta a la sociedad de la etiqueta, de la represión de los instintos, de la ascesis" (Rischbieter).

Si bien aquí los seres humanos se mostraban bajo determinadas circunstancias y si bien aquí la pareja Calixto/Melibea fue un preludio literario del *Romeo y Julieta,* de Shakespeare, una adaptación de Alemanis Oriental de *La Celestina,* de Karl Michel, tiene por objeto lo trágico-grotesco, que no pretende otra cosa más que mostrar el engaño y la mentira como el resultado natural de las cohibiciones sociales, e incluso que bajo estas circunstancias no pueden aflorar los sentimientos auténticos. De este modo, Celestina es sólo una figura funcional, Calixto está sólo impulsado por los instintos y, además tiene carácter histérico-llorón, y el virtuosismo de Melibea sólo es simulado: en realidad, ella es consciente de los instintos, los conoce y quiere lo que sucede detrás, detrás de los bastidores morales de la sociedad.

Hasta aquí hemos hablado de *La Celestina.* En nuestro contexto no hace falta hablar del austriaco Hanz Grillparzer que, como ya se ha mencionado, se inspiró en *La vida es sueño,* de Calderón para su *El sueño es una vida,* estrenada en 1834. Su reconocimiento teórico de Calderón y otros dramaturgos españoles fue mucho más claro. Su *Cuento dramático* (así reza el subtítulo) apenas tiene nada que ver con Calderón en su contenido y se mantiene dentro del estilo del cuento de hadas vienés. Aquí también "se entrelazan el sueño y la vida, y el sueño purifica la vida" (Henschel), pero de hecho esto es todo lo que aún recuerda a Calderón.

Desde luego, la última gran señal en favor de Calderón hay que verla en aquella adaptación que hiciera el neorromántico Hugo von Hofmannsthal por encargo de Max Reinhardt, el personaje del teatro alemán más famoso a nivel internacional, y un director de los sentidos, los colores y los ruidos, del teatro festivo; un judío influenciado en su origen por el barroco austriaco católico que, en el ámbito de habla alemana, se convirtió en el redescubridor del teatro barroco y le regaló a Austria los Festivales de Salzburgo. Reinhardt escenificó para él esta obra en 1922 bajo el título *El gran teatro del mundo de Salzburgo* según *El gran teatro del mundo,* de Calderón. Tres años más tarde se repuso con nueva escenificación.

El estreno tuvo lugar en una iglesia barroca "sin decorados". Ante el altar mayor, bajo la blanca Gloria angelical, se había montado el escenario "tablados revestidos de rojo sobre los cuales, ante un fondo negro, se encontraban en nichos los personajes alegóricos de la obra: el rey y el rico, la belleza y la sabiduría, el campesino y el mendigo, una escenificación de la que un crítico dijo: "Es admirable la forma que tiene Reinhardt de representar la misa y celebrar el teatro, hasta el punto de que se desvanecen los límites" (Kaut).

En la segunda escenificación, que tuvo lugar tres años más tarde, en la sala se utilizó un elevado andamiaje con "formas gotizantes" (Fleischmann). También aquí se vuelve a un teatro de disputa y de imposición de posturas, lo que por aquel entonces tampoco era típico del teatro alemán, aunque desde hace mucho está ampliamente marcado por el diálogo. Pero Calderón resultaba simbólico en las palabras del adaptador Hofmannsthal, en el sentido de que "el mundo construye el andamiaje de un decorado donde los seres humanos representan la obra de la vida en los papeles que Dios les ha asignado".

Hofmannsthal omitió personajes en su adaptación (por ejemplo, el del niño no nacido), introdujo otras nuevas, por ejemplo un "antagonista". Al igual que en su otra elaboración de Calderón, "La torre" según *La vida es sueño,* Hugo von Hofmannsthal pretendía una psicologización y, en este caso, también una aproximación al viejo misterio, a los antiguos moralismos ingleses. Por ello la "sabiduría" ya no es una figura aislada, sino que refleja el comportamiento de otras dentro de un ordenamiento dado del mundo. La "muerte" es menos terrorífica que en Calderón, el "mundo" es menos alegórico. Y el "maestro" de Hofmannsthal es sólo Dios, en lugar de ser también poeta y director de la obra.

Más importante es la modificación del "mendigo", pues no acepta su papel "porque Dios lo quiso". Protesta, pone en duda el orden y, con él, la fe; sus frases se amplían hasta el manifiesto revolucionario. Sólo un ángel puede calmarle. Pero este mendigo se va al bosque y se hace ermitaño. Tiene lugar una purificación no cristiana. Max Reinhardt comentó que sólo dándole las espaldas al mundo, retirándose a la propia personalidad, se podría encontrar la felicidad interna y la máxima libertad. Lo cual era también para el director (al igual que para el autor) una renuncia a cualquier revolución social; por ello, en este sentido, sí era la visión del mundo calderoniana. Reinhardt escribió: "El mendigo subió al trono, gobernó a los demás con el poder del rey y el rey se convirtió en mendigo. El reparto no sería más justo, no sería más feliz; su elevada posición no estaría más segura ante el derecho del primero al que no le gustase la obra".

En 1933, cuatro semanas después de la toma del poder por Hitler en Alemania, Reinhardt estrenó también en Berlín *El gran teatro del mundo,* de Hofmannsthal; una semana más tarde Max Reinhardt emigraba.

Desde entonces la obra es sólo literatura. Es literatura incluso allende aquel teatro en Alemania que continuamente representa obras por su mera capacidad de transmisión literaria, y sin embargo desde hace unos veinte años ha caído muy en desgracia entre muchos críticos y gentes de teatro.

En las últimas dos décadas el teatro alemán ha estado acentuado por mensajes específicamente políticos, de análisis social y de crítica social —el drama español antiguo y remoto parecía no poder comunicar nada, o muy poco, al respecto, por lo que su participación en la planificación teatral fue reduciéndose a pesar de algunos casos aislados, de los que aún hablaremos—.

Nada consiguieron ni siquiera los aniversarios "redondos" de nacimiento o de muerte, que sin embargo suelen encontrar resonancia en la programación. Y, de momento, tampoco parece que una exposición de Calderón celebrada en Berlín (1) a finales del año pasado, que desde luego es la primera de este tipo en Alemania, haya recabado la atención del teatro; tampoco parece que un "Manual bibliográfico de la investigación sobre Calderón" (2), que por fin apareció a finales de 1979, haya tenido otra importancia que como "trabajo pionero en un campo que todavía está muy desordenado y deshilvanado, al contrario de lo que sucede con la investigación de, por ejemplo, Dante, Shakespeare, Virgilio o Goethe" (3).

También ha pasado sin eco notable el estudio sobre Calderón de 1967, sin embargo bastante difundido (es un pequeño volumen con un contenido bastante amplio). Por aquel entonces, cuando Beckett y la oleada de los absurdos todavía influían bastante en el teatro alemán, el autor (Heinz Gerstinger) escribió: "La postura básica de Calderón ante la vida y el teatro presenta paralelismos con el presente en puntos tan decisivos que parece resultar imprescidible una versión modernizada de su obra".

No sólo se establecía un paralelismo con uno de los "padres del drama moderno", August Strindberg, cuyas obras se representan mucho: aquí la "resignación" de los personajes de Strindberg en su lucha por la autodeterminación y la autorrealización contra poderes exteriores más fuertes se interpreta como idéntica al concepto desengaño en Calderón. Aquí Calderón también se presenta como precursor de Samuel Beckett. Los poderes fuera de nosotros son los que mandan, nosotros estamos en sus manos.

Desde luego que estas referencias significan mucho. A pesar de que, naturalmente, no se puede olvidar que en Calderón este poder externo se define con la idea cristiana de "Dios", mientras que Strindberg lo deja sin definir y en Beckett es un "Godot", todo lo más misterioso e indefinido. Aunque aquí la referencia llegó algo tarde. Bien es cierto que tuvo su validez durante algunos años (aunque sólo durante algunos años) el hecho de que Calderón también tenía que responder a ese teatro moderno que se comportaba de forma antipsicológica (si bien esto también ha cambiado ahora), pero, como ya se ha dicho, en esos años se produjo la politización de los escenarios y, durante un decenio, el teatro dio prueba en los escenarios de que el hombre debe y puede cambiar las condiciones de este mundo por sí mismo.

Esto no sólo significaba representar a Bertolt Brecht. En este sentido hay que incluir también a un teatro que sólo representaba un mundo desgraciado y los abismos humanos. También forma parte del contexto una adaptación de Calderón que se pudo ver en 1973 (en Francfort/Main): el adaptador y director era el argentino Augusto Fernández, de fama y gran actividad en Alemania; la base para su escenificación fue *La vida es sueño,* de Calderón, pero también utilizó otros textos calderonianos. Dios estaba "tachado" en este Sueño y vida del príncipe Segismundo, según Calderón. Se vieron escenas que parecían pintadas por Goya —un variopinto espectáculo de crueldad llevado hasta lo grotesco—. Segismundo hace colgar a su padre (en lugar del suicidio del príncipe que presenta Calderón), los instintos empujan a Aston a la violación incestuosa de su hermana Estrella para, así, poner de manifiesto la libidinosidad de Estrella; en resumen: teatro barroco de horrores y pasiones como marco del tema de fondo de que el perdón es algo improbable.

Esta adaptación, desde luego de forma extremadamente sintomática, muestra dónde están la dificultades en relación con Calderón: por un lado "el hombre y la fe cristiana, el hombre y dios, la aceptación de su voluntad" de Calderón, por otro "el hombre y el hombre, el hombre y el mundo, la lucha por la existencia".

Poco antes de esta representación en Francfort se produjo algo similar en Bremen con la adaptación de otro clásico español. Reiner Werner Fassbinder (cuando todavía era autor y director de teatro y aún no había llegado a ser hombre del cine) adaptó *Fuenteovejuna,* de Lope de Vega, bajo el nuevo título *El pueblo en llamas.*

Fassbinder no quería aceptar que un rey pudiese perdonar a los campesinos si éstos asesinaban al gobernador del rey porque éste se hubiese comportado de modo explotador y brutal. Fassbinder convirtió la obra en un sangriento espectáculo de opresión entre los poderes de la fuerza bruta y los satíricos del mal gusto. Al final los campesinos matan a palos al matrimonio real, caricaturizado como algo encantador; la violencia sólo puede generar contraviolencia, y queda descartado que la violencia pueda perdonar (como es el caso en Calderón).

En un comentario sobre Calderón (Rühle) se podía leer algo que todavía es válido: "Quien se deja llevar por sus versos se abandona a elucubraciones en las que la terrible realidad queda superada por un salto mágico, por un salto a lo maravilloso. Por lo tanto, entregarse a Calderón significa tener fe y esperanza de que lo maravilloso, de que el milagro borra el punto de partida más terrible de las acciones que ya están en marcha. ¿Quién puede hacerlo todavía hoy, quién quiere hacerlo?

Lo maravilloso, el milagro —también se podría decir: lo fabuloso—.

Precisamente ahora, a principios de septiembre, se reestrena *La vida es sueño,* de Calderón. Un director todavía realtivamente joven (Michalael Gruner) ha escenificado la obra siguiendo muy de cerca a Calderón, aunque sólo hasta cierto punto. Su desconfianza, en conjunto, surge al principio de esa distanciadora enajenación que aparece cuando hace declamar la primera escena del texto original español y al mismo tiempo anuncia por los altavoces que en el escenario se va a representar una "fábula", una fábula que hará crecer hasta la utopía para desvelarla con tal utopía.

"Aquí se iba transformando como en sueños el escenario oscuro como la noche mediante paredes de espejos, cortinas y abismos que van surgiendo. Los personajes se movían por las tinieblas con sus fastuosos y rígidos disfraces como sombras sacadas del mundo pictórico de Velázquez" (NRZ/Birgit Kolgen). En una nueva traducción adaptada (Gruner/Georgina Belenguer) sólo habla ya en verso (en este caso son cuartetos) el rey y el personal de la corte; todos los demás hablan en prosa.

Aquí Segismundo, como nuevo gobernante, no sólo es ejemplo en el sentido de Calderón de la armonía restablecida con la reconciliación, sino que incluso tira su espada, se convierte en símbolo, en representante del movimiento moderno para la paz y también de la proclamación del desarme unilateral. Este Segismundo ni siquiera llega a realizar lo que en el caso de Calderón puede y debe hacer por razones de estado: castigar a aquel que le liberó de la torre con un acto rebelde.

Por cierto, esta corrección de Calderón ya se realizó antes en una representación en Düsseldorf (Jean-Pierre Ponnelle). Al director "le molestaba la "injusticia" que sentiría un público moderno sin un profundo conocimiento de Calderón al ver la condena del soldado rebelde por Segismundo, que es tan clemente. Modificó la escena a fondo... en el sentido de nuestra conciencia, al hacer que Segismundo se limitase a romper el puñal del soldado rebelde y lo tirase al suelo. Después le lanza su propio puñal al que se va" (Gerstinger).

Pero ahora, en septiembre de 1982, la ironía, el desenmascaramiento crítico de una utopía tal, la contradicción del director con la certeza del perdón que tiene Calderón: un nuevo poder guerrero con mayor aspiración al trono se concentra en el personaje de Astolfo, el príncipe de Moscú, ¡que llega incluso a vestirse de cruzado! ¡Qué lejos está esto de Calderón!

Calderón, en el teatro alemán de los últimos diez a veinte años, significa casi siempre Calderón menos Calderón, en general Calderón menos Calderón más añadidos.

Al igual que hiciera el director argentino ya mencionado, que trabaja mucho en Alemania y que también escenificó *La grande Zenobia*, de Calderón, esto es, la obra en torno a la reina Zenobia y el emperador romano Aureliano, ambos equipados por Calderón con un formato histórico universal, la historia se convirtió en una acción burlesca, en un teatro total de strip-comic de las caricaturas, en un espectáculo circense irónico-satírico bajo el lema "hombres - animales - sensaciones". Y esto lo hizo Augusto Fernández, que sensibilizó de forma grandiosa al teatro alemán y al que le regaló escenificaciones profundamente psicológicas de algunas obras de García Lorca... Y que conste que si aquí se le menciona con dos trabajos sobre Calderón se hace porque ha sido el único entre los directores especialmente importantes del actual teatro alemán que se ha ocupado de los clásicos españoles, concretamente de Calderón.

Resulta chocante la abstinencia de los demás desde hace tanto tiempo. Sobre todo ante un trasfondo que se puede describir de la siguiente manera:

Hasta finales de los años cincuenta y principio de los sesenta existía fundamentalmente un teatro que se basaba en la poesía. Los excelentes declamadores, los grandes gestos, el patetismo dramático, los grandes arreglos en cuadros estáticos y móviles, todo ello resultaba válido hasta entonces. Pero el conjunto se convirtió en algo hueco, en diálogos y escenas con declamaciones vacías, o al menos así pareció ser de repente. Frente a este teatro surgió un teatro de directores marcado por el acervo de las experiencias de modernos dramaturgos: eran las experiencias con modelos que exigían la expresión corporal y la acción directa hasta el exceso, que no son esclavas de pensamientos ni de ideas, sino que son el reflejo del mundo y del hombre en ejercicios realistas y surrealistas, en señales directas e indirectas, mediante gestos y posturas, en general mediante metáforas, llegando hasta los decorados escénicos, en símbolos de colores y formas. Se impuso una nueva generación de directores con un teatro que, en nuestro contexto, se podría quizás definir mejor como al estilo de Fernando Arrabal; un teatro de imágenes que abstraen, de claves, de conversiones puramente estéticas (a pesar de que esto se realiza hasta dimensiones críticas, incluso llega a la agresión estética directa), un teatro de cincelado gesticular y corporal acompañado externamente por un escenario simbólico, por aditivos escénicos "opinantes", por vestuarios "significativos" que servían para definir psicológicamente los contenidos y los personajes o que servían de referencia a la actualidad conservada durante siglos.

Augusto Fernández mostró la aplicación a Calderón en su "Príncipe Segismundo"; Fassbinder en *El Pueblo en llamas,* según Lope de Vega. Pero esto apenas tuvo consecuencias, al menos no las tuvo directas. Las fuerzas que caracterizaban el teatro alemán siguieron bloqueando el camino a los clásicos españoles. Las causas se pueden seguir buscando en la más reciente escenificación de Calderón, que acabo de tratar de describirles.

Cuando en los años sesenta apareció una nueva generación de directores que estaba en contra del entonces llamado "rancio tratamiento de los clásicos", se trató en general de analizar críticamente a los clásicos (fuesen los que fuesen) y materializarlos en sus esencias sociales. Se buscaba información sobre las circunstancias sociales que estaban detrás de los textos y de la acción como comunicación histórica o como explicación y reflejo de nuestro presente, de lo cual no sólo resultaban automáticamente cambios en los clásicos o escenificaciones intencionadamente críticas de lo clásico. Y esto sigue siendo válido hoy. En esto se introducía, aunque de modo distinto a como se hace hoy, una cierta vida psicológica propia de los personajes clásicos, pues en definitiva sólo se trataba de claves en el contexto que fuese. Tanto mayor importancia tiene también en este sentido la referencia de los críticos de 1967, de la que hablamos antes, sobre la actualidad de Calderón, por ejemplo, que amplió aun con la frase: "Calderón previó que se superaría el drama de carácter psicológico".

Bueno, me parece que el tratamiento de Strindberg, incluso el tratamiento de Beckett (autores modernos a los que se refería el comentario) no demuestra sólo que los directores alemanes se han vuelto a dedicar intensamente a la psicologización, con lo que quizás pueda estar relacionada la caída de Arrabal, al igual que el francés Genet en las programaciones teatrales alemanas. Junto al problema de que siguen sin existir traducciones alemanas que resulten adecuadas de los clásicos españoles y que tengan un lenguaje moderno, en el caso de Calderón, que no es el único, la razón de las reservas que hay ante él es la concepción católico-cristiana del mundo con sus ideas determinantes sobre la moral y los valores.

Probablemente también se trata de las posibilidades del teatro alemán, al menos bajo un aspecto que tiene su importancia.

El clasicismo español "adaptado a la alemana" o el intento de aproximación a las "temperaturas" originales de las obras rara vez ha satisfecho las aspiraciones más altas. Por ejemplo, el recuerdo y las crónicas sobre *La dama duende,* de Calderón, describen una representación marcada por el baile y el gesto, casi musical en escenarios giratorios (1956, Steinboeck, Berlín), donde la música aparecía de forma graciosa e irónica y determinaba el tono de la representación. Pero también hubo al mismo tiempo una escenificación orientada en su aspecto externo "a la española" (1956, Düsseldorf) con motivos escénicos al estilo de Miró y de Picasso y canciones españolas de amor grabadas en magnetófono, pero junto a ello no sólo había un texto alemán seco y astillado, sino también una acción que recordaba más a la Commedia dell'Arte italiana. También hay recuerdos de una escenificación que representaba *La dama duende,* de forma algo melancólica, como una comedia de carácter con una connotación irónica (Munich, 1958). También hubo representaciones que "hacían honor a una situación cómica basta" (Hannover, 1960), o que sólo eran "agradables y tranquilas" (Berlín, 1966), o que presentaban un juego del escondite divertido e inocente (Francfort/Main, 1969), o que ofrecían *La dama duende* en un armazón de tablas como teatro para la arena de un circo (Baden-Baden, 1973), por cierto que con una traducción (H. C. Artmann) que colocó el texto de Calderón en una moderna prosa de lenguaje coloquial salpicada de palabras a la antigua.

Aquí no puedo pasar revista a todas las escenificaciones ni a todas las obras que se llegaron a estrenar alguna vez. Por eso en esta temática parcial haremos sólo referencia a dos escenificaciones de *El príncipe constante,* de Calderón, que si bien fueron importantes no tuvieron mayores repercusiones.

Una de las adaptaciones se estrenó a principio de los años cincuenta (Munich) y mostraba una apasionada leyenda heroico-romántica con rasgos realistas, pero que el lenguaje casi convertía en ópera; la otra, estrenada a mediados de los años cincuenta (Hamburgo) resultaba estatuaria, a excepción de las escenas cómicas, y estaba interrumpida por escenas de batalla en pantomima estilizadas hasta el baile; el lenguaje era estético; un comentador hablaba de un "tratado escénico espiritual" (Gerstinger).

Finalmente está en este contexto *El alcalde de Zalamea,* de Calderón, una pieza que choca de nuevo con algunas objeciones estéticas. Un famoso crítico escribió al respecto: "El drama del campesino y del juez Pedro

Crespo... es hoy un tema difícil, a nuestros contemporáneos les suena como una rara referencia de épocas pretéritas y de países extraños. Tres siglos después de la muerte de Calderón la ética del honor se ha convertido en algo abstracto (lamentable, pero innegable)" (Drews).

Así pues, a veces hubo declamación pura, a veces también cuadros de género. Una escenificación convincente sólo aparece en Berlín en 1962 (G. R. Sellner), una escenificación densamente poética que en su atmósfera se aprovecha mucho de las experiencias con García Lorca, pero con un estilo que se acercaba al teatro de exhibición de un Brecht, gracias a lo cual los personajes se convirtieron en claves de posturas, pero no en caracteres.

Pero veamos un poco qué hay más allá de Calderón.

De Agustín Moreto sólo se ha representado *Doña Diana* con mayor o menor asiduidad; se puso en escena como una travesura, como una broma sobre la domesticación de una española obstinada, de modo irónico y travieso, o bien como comedia de salón divertida y desenfadada, o bien como un teatro de entretenimiento, superficial y revestido de caricatura. Casi nunca se consiguió (o se quiso) lo que se cita también como un defecto de algunas representaciones de Lope de Vega: "la elástica elegancia y la gracia (española)". Más bien la distancia irónica se convierte en un tumulto artístico de comedia.

Apenas queda huella de que en tiempos Franz Grillparzer, situó a Lope de Vega por encima de Calderón y le calificó de poeta español "de naturaleza pura", lo que significaba también ponerle en contraposición de la fe absolutamente cristiana de Calderón. Apenas queda rastro de que en el caso de Lope de Vega incluso las "comedias divertidas", como por ejemplo *¿De cuándo* *acá nos vino* hay connotaciones que lindan con lo trágico.

Cuando se publicó la edición alemana en seis tomos de los dramas de Lope de Vega, hace ya casi treinta años, un crítico escribió: "El reflejo de la tragedia en la mayor parte de las escenificaciones sólo representa a la mitad de Lope de Vega. Hacer que el transfondo serio de las comedias y los sainetes pase a primer plano sin frenar el predominio de la comedia sería el siguiente objetivo del renacimiento de Lope de Vega, igual que la recuperación de sus tragedias y funciones dramáticas" (W. Karsch).

Pues bien, este renacimiento tuvo lugar en realidad en los años setenta, pero no cumplió estas tesis. Tampoco ayudó en este sentido el hecho de que (1967, Francfort/Main) uno de los directores alemanes que ahora cuenta entre los más importantes, Klaus Peymann, escenificase la función *¿De cuándo acá nos vino* como si estuviese filtrada por Brecht, dándole un acento épico a Lope de Vega y aunando además lo científico moderno. Peymann realizó estudios psicológicos y psiquiátricos y con la obra afirmaba que no se trataba de un mundo lleno de locos sabios, sino de un mundo en el que se muestra la locura de los que se llaman normales. Peymann escenificó *El manicomio del mundo* como una terrible cámara de torturas. Lope de Vega llegó al escenario de forma dura y realista, habiéndose eliminado todo lo poético (según FAZ/Wa.).

Este ejemplo demuestra dónde están los problemas: los directores buscan en las piezas mucho más significado de crítica social de lo que parecen ofrecerles los antiguos poetas. Esto se aplica incluso a las comedias puras.

Tomemos el ejemplo del *Don Gil de las calzas verdes,* de Tirso de Molina.

Esta comedia de malentendidos siempre encontró sitio en el teatro alemán, pero hizo su gran entrada en unas décadas muy concretas, cuando uno de los actores alemanes más importantes, y también uno de los directores de teatro más afamados de los años treinta hasta los años sesenta, Gustav Gründgens, presentó en 1961 el "Don Gil" como un teatro rococó total de gran agudeza, comediante e irónico, de cante y baile, siempre "flotante" con muchos "gags" burlescos.

Inmediatamene después hubo otra adaptación de gran éxito (Bremen) que subrayaba asimismo lo divertido del teatro, pero que ya buscaba otras dimensiones. A comienzos de un período teatral que planteaba problemas de identidad, que buscaba y utilizaba claves y símbolos internos y externos, la acción se presentó bajo la luz de un destellante entramado de tubos de neón. La acción y los personajes quedaron así "expuestos", pero al mismo tiempo "rotos": una serie de altos espejos en el escenario que continuamente reflejaban a los personajes en múltiples facetas (en parte incluso antes de hacer su aparición en escena era aquí no sólo un medio para demostrar que en teatro es teatro: las imágenes reflejadas simbolizaban la apariencia y el ser, eran alegorías de las confusiones de identidad en esta obra.

Pero aquí, en definitiva, no pasaba de ser la inocente farsa de capa y espada. Posiblemente ha sido una serie de representaciones de *La Celestina* desde 1966 (de la que ya hablamos antes) la que ha ido buscando cada vez más los condicionantes del entorno político-moral en las llamadas comedias y, en general, sólo los encontraba de forma como mucho indirecta. Entonces se presentaban en el escenario con simbolismos casi siempre externos.

En este sentido no ha sido ninguna sorpresa que en

1977 el autor de teatro y de televisión Knut Boesser presentase una adaptación modificada del *Don Gil,* que pone de manifiesto el riesgo no sólo moral al que se expone la existencia de la muchacha que corre vestida detrás del hombre. La comedia, en el caso de Boesser, se convirtió en una función de emancipación bajo la perspectiva y las visibles medidas de castigo de la Inquisición, bajo condiciones sociales, incluso de las calumnias. Aquí se puso de manifiesto lo que debió suceder quizás en la época de Tirso de Molina sin las referencias al transfondo sensacional, quizás incluso revolucionario: en el caso de Tirso de Molina (y no sólo en su *Don Gil*) el principal papel activo lo tiene la mujer, que por aquel entonces carecía totalmente de derechos, bajo el dictado de la moral y del patriarcado, mantenida en plena dependencia. La adaptación de Knut Boesser puso fin a lo que llamó "la inofensivización de la función de *Don Gil* en el núcleo de la tensión psicológica y social de la intriga".

Y precisamente ahora, aunque sólo exista en manuscrito, Knut Boesser también ha terminado una obra según *La vida es sueño,* de Calderón bajo el título *Violencia y pasión.*

Deseo hablar un poco de esta obra, que se ha convertido en peculiar, porque me parece que muestra con mayor claridad dónde se encuentran los problemas sobre todo de Calderón en el teatro alemán: precisamente en el ámbito de la metafísica. Por mucho que los directores alemanes utilicen alegorías, claves y símbolos para lo ideal y espiritual, todo ello es una materialización, una concretización que responde a una postura del autor que se transmite en una conversión de Calderón claramente visible en su aspecto externo, como sucede en el caso de Knut Boesser.

Aquí se trata de una obra contemporánea de nuestro

más inmediato presente; la escena es Camboya (en lugar de Polonia); Camboya, símbolo concreto y sinónimo de la lucha por el poder entre tres sistemas de dominio.

En cuanto a la obra de Boesser (utilizando motivos y personajes de Calderón) esto significa que el rey Basilio gobierna con terrible despotismo. Una rebelión comunista armada no ha vencido todavía porque el pueblo considera a Basilio como dios, como intocable, y además hay un poder extranjero que por intereses económicos y por enemistad intrínseca al comunismo apoya militarmente a Basilio.

Basilio sabe que la intocabilidad y la ayuda podrían perder importancia porque en la corte también están la sobrina y el sobrino, Estrella y Astolfo, cada uno actuando para sí mismo, pero con una alianza erótica que tiene por objeto tomar el poder de Basilio; existe la amenaza de una revuelta palatina que puede llegar a contar con la aquiescencia del poder extranjero que aún le ayuda.

Pero Basilio no está pintado con tonos absolutamente negativos y negros. Si ahora hace venir a su hijo Segismundo empujado por la necesidad, esto también tiene algo que ver con un pragmatismo político que podría proporcionar la paz al país. Segismundo acaba de finalizar sus estudios de filosofía política en París, es comunista, sufre psíquicamente por el hecho de que él y tantos otros como él son meros ideólogos de la teoría, en lugar de tomar las armas contra el tirano Basilio, en lugar de combatir contra esa odiada marioneta del imperialismo y el capital. Segismundo se ve a sí mismo y a su círculo como un grupo de eunucos hamletianos y, precisamente para terminar con esa situación, quiere hacer explotar la bomba de tiempo contra sí mismo y sus camaradas; entonces aparece Clotaldo, que no es reconocido como enviado de Basilio, junto con su séquito, figurando como "el hombre bueno de Camboya": Segismundo es sometido y llevado inconsciente a Camboya (con él también está Rosaura, la muchacha comunista).

¿Es vida real o es sueño cuando Segismundo se entera de que el odiado enemigo político es su propio padre? ¿Es vida real o es sueño cuando precisamente su padre le ofrece compartir el poder y, con él, también la divinidad, para que se encargue de las reformas sociales y sea reconocido por los rebeldes, que así depondrían las armas? Dicho de otra manera: ¿se encuentran el sueño (el sueño de una forma de vida comunista) y la vida (la verdad que aún queda de la otra forma de vida (contra la que se combate) en un compromiso tal?

Desgarrado por intrigas y consejos, con la seguridad que la proporcionan las noticias de que los rebeldes le aceptarían como nuevo gobernante, pero que exigen la cabeza de su padre, Segismundo mata a Basilio de un disparo. Como sucesor, tambien con el status de divinidad, Segismundo empieza a imponer el "nuevo orden" definido teóricamente en París: ya no debe haber ciudades en un país caracterizado por la agricultura —todos los ciudadanos se van con los campesinos—; para no perturbar el trabajo de éstos, la emigración también supone la separación de las familias. El que se opone es eliminado.

Donde antes había divinidad real impera ahora el dios de la ideología personificado en Segismundo. Rosaura escapa; Estrella, que sólo ansía poder, se une a Segismundo. Pero aparece Astolfo, al que podríamos calificar de político del poder que calcula fríamente, acompañado por tropas de la potencia extranjera. Rosaura va con él y, como considera que Segismundo ha mancillado mortalmente sus ideales comunistas, abate a tiros a Estrella y Segismundo. Astolfo se convierte en nuevo dueño del poder, y proclama la paz con la oferta de un gobierno de "unidad nacional"— pero quien se oponga arriesga su vida por perturbar la paz—.

Comentario del autor Knut Boesser:

"Siempre fueron juntos la esperanza en tiempos mejores y el asesinato de masas. Así sucedió con Robespierre, al igual que con todos los héroes en el teatro del progreso.

Segismundo es igual. Mientras... hace planes, está en estado virtuoso pero en cuanto toma el poder resulta terrible, pues debe liquidar a los que quieren otra situación.

¿Qué queda de la virtud si se asesina en su nombre...?

¿Qué queda de alguien que, precisamente es radical y quiere introducir la virtud en el estado, no se percata de los manejos de la intriga política, si en definitiva él... sólo es un impedimento para aquellos que han estado esperando a que alguien haga por ellos el trabajo sangriento necesario? Es superfluo y debe marcharse, igual que todos los que ha eliminado, para que los pragmáticos, los cínicos y los tecnólogos de la política puedan tomar el poder".

Como decíamos, este es el comentario sobre una comedia. Pero no es una comedia de Camboya. Camboya es símbolo de "todas partes". Se trata "del poder y la violencia y la intriga política, de política que nos afecta a todos porque todos estamos implicados en ella, y mientras podamos reirnos un rato sobre estos manejos, no nos dejaremos amilanar".

Por cierto, permítanme recordar que el punto de partida fue *La vida es sueño,* de Calderón.

NOTAS

(1) "Calderón en Alemania - Calderón en su época, reflejado en la crítica y en el teatro de 1681-1981", organizado por el Instituto Iberoamericano de la Fundación para el Patrimonio Cultural Prusiano.

(2) Manual bibliográfico calderoniano, Kassel, 1979 y sig.

(3) Catálogo de la exposición, véase (1).

ALTERNATIVAS ESTÉTICAS A LA PUESTA EN ESCENA DE LOS CLÁSICOS

JUAN ANTONIO HORMIGÓN

JUAN ANTONIO HORMIGÓN

Nació en Zaragoza en 1943. Licenciado en Medicina. Diplomado en el "Centre Universitaire International de Formation et Recherches Dramatiques" de Nancy (Francia).

De 1962 a 1965, dirige el Teatro Universitario de Zaragoza. Premio nacional de dirección de Teatro Universitario con **Los Bandidos,** de Schiller. Monta obras de Lope de Rueda, Quiñones, Calderón, Timoneda, Ben Johnson, Maquiavelo y Valle-Inclán (**Las galas del difunto** y **La hija del capitán**).

De 1966 a 1969, dirige el Teatro de Cámara de Zaragoza, en donde adapta y pone en escena **El Barón,** de L. F. Moratín, **La dama del olivar,** de Tirso de Molina, **Bilora** y **Parlamento de Ruzante que vuelve de la guerra,** de Angelo Beolco. También **Andorra,** de Max Frichs.

En 1975 crea la "Compañía de Acción Teatral". Con ella pone en escena **La mojigata,** de L. F. Moratín, que representa a España en el Festival del Teatro de las Naciones celebrado en Venecia el año 1981.

En 1977, la Compañía Nacional representa su adaptación del **Julio César,** de Shakespeare.

Es profesor de dramaturgia y estética teatral de la Escuela Superior de Arte Dramático de Madrid. Dirige el Aula de Teatro de la Universidad Complutense de Madrid. Es profesor extraordinario de la Escuela de Actores de Évora (Portugal). Ha presentado ponencias y dado cursos en las aulas de teatro de las universidades de Valladolid, Murcia y Granada, Biennale de Venecia, Instituto Internacionale per la Ricerca Teatrale (Venecia) y Universidad Nacional Autónoma de México, en donde dirigió las "Jornadas Calderonianas" celebradas en 1981. Ha participado en numerosos seminarios y congresos nacionales e internacionales.

Entre sus libros están: **Teatro, realismo y cultura de masas, Valle-Inclán, la política, la cultura, el realismo y el pueblo,** edición de **Textos Teóricos,** de Meyerhold, su obra **Judith contra Holofernes;** sus adaptaciones, **Julio César o la ambi-**

ción del poder, La dama del olivar, La mojigata, El dragón; su preparación de obras colectivas o recopilaciones como **Brecht y el realismo dialéctico, Valle Inclán: cronología y documentos, Valle-Inclán y su tiempo, Investigaciones sobre el espacio escénico,** etc. Colaboró en los temas sobre teatro español de la enciclopedia "Teatro del '900" (Milán, 1981).

Ha dirigido y creado las exposiciones "La España de Larra", "Valle-Inclán y su tiempo", "Moratín y el teatro de la Ilustración" y "Calderón".

Desde mediados de los años sesenta, ha colaborado en numerosas publicaciones periódicas y revistas especializadas y en el programa de TVE "Encuentros con las letras". En la actualidad es colaborador teatral del programa "Ateneo" de Radio 3.

En 1979 recibió el Premio de la Crítica mexicana por su puesta en escena de **Los Veraneantes,** de Gorki, con el C.U.T. de México.

Es secretario de la Asociación de Directores de Escena.

JUAN ANTONIO HORMIGÓN.— *Quiero dar las gracias muy efusivamente al señor Preuss, porque realmente ha hecho un esfuerzo de condensación en su ponencia de unos materiales que, yo creo, serán muy interesantes e iluminadores después de la discusión nuestra de ayer. Iluminadores para comprender también lo que se puede hacer con los clásicos y qué es eso que llamamos la lectura o adaptación de los clásicos. En ese sentido, pienso que todos estos materiales vienen a incidir muy directamente en nuestra discusión iniciada ayer y que, sin duda, va a continuar.*

Yo voy a leer ahora mi ponencia. Que nadie se asuste porque no la voy a leer completa. Lo mío a veces no tiene remedio y me salió una cantidad de folios realmente espeluznante. Intentaré comentar, explicar el por qué de esta ponencia, e inmediatamente haré una pequeña síntesis de algunos párrafos de la primera parte y leeré más de la segunda, porque es la que entra de plano y de pleno en el tema concreto del título. Estoy convencido que muchos de los argumentos y de las aproximaciones a la figura del director de escena creador que hago aquí, después de escuchar una ponencia como la del señor Preuss, después de escuchar afirmaciones como las que ayer hacía Pepe Sanchis, tendrán poco sentido. Sin embargo, he respondido a algo que me venía directamente de la prensa española, de determinada prensa española y de determinados comentaristas teatrales que en los últimos tiempos están esforzándose seriamente por hacernos retroceder al siglo

XIX, ocultando, negando, e incluso atacando furiosamente la figura del director de escena en su acepción más simple. Como si el teatro en el siglo XX se hubiera creado un poco por generación espontánea. Yo sé que esto es un poco kafquiano, pero nuestra vida española es a veces muy kafquiana sobre todo en estos territorios. En ese sentido he redactado la primera parte de la ponencia, intentando encontrar toda una serie de testimonios bastante amplios, aunque no son, por supuesto, todo lo amplios que debieran ser si se quisiera hacer un trabajo exhaustivo sobre el debate en torno a la figura del director de escena creador a lo largo del siglo XX. Esto en primer lugar. En segundo, porque solamente a partir de la figura del director de escena podemos hablar de alternativas estéticas al trabajo con los clásicos, porque es de la actitud de los directores de escena de donde han salido las alternativas globales al concepto del espectáculo.

* * *

Uno de los aspectos más determinantes del teatro contemporáneo, quizas el que más personalidad y especificidad le confiere, sea la aparición y configuración del director de escena como creador. Por supuesto que más que del acta de nacimiento de una profesión que adquirió lugar definido y dimensión propias, estoy hablando de una actitud nueva ante el trabajo teatral, resultado no sólo de los importantes cambios sociológicos de las compañías, sino, ante todo, del combate mantenido por el teatro para responder a su propia crisis interna, determinada por las crecientes contradicciones sociales a las que dar respuesta y a la delimitación de un lugar propio y concreto en el mundo de hoy.

Paralelamente, el repertorio de nuestro siglo ha dado

gran importancia a la revisión de las obras del pasado, no sólo aquellas que podemos considerar como "clásicas" en acepción común para todos, sino las que cada país o tradición teatral ha considerado como tales en función del papel que desempeñaron en la génesis de su propia trayectoria teatral. Si el director de escena ha desarrollado una gran actividad en la incorporación de nuevos autores al repertorio, es evidente que su intervención fue decisiva a la hora de recuperar a los clásicos en su plena vitalidad, tanto dramatúrgica como escénica.

Dado que aquí y ahora, como consecuencia inmediata de los particulares vericuetos recorridos por el teatro español, este debate sigue abierto, incluso en sus términos y terminología más atávica; dado que aquí y ahora, queda sobre esta cuestión todavía mucha tela teórica, técnica y práctica que cortar, con el permiso de ustedes comenzaré por el principio.

I

Desde que el teatro existe podemos hablar de puesta en escena, entendiendo ésta en su sentido más genérico, como una determinada organización de los materiales escénicos, interpretación actoral, música, elementos espacio-visuales, iluminación, etc. Dicha organización que, en principio, implica un cierto orden escénico y determinación respecto a los materiales escogidos, pudo, en la mayor parte de los casos, no ir más allá que la repetición de un código de representación férreamente establecido, fijado por el hábito de una tradición normativa que implicaba a todo el conjunto social. Sin embargo, incluso reducido a su condición más artesanal o entremezclado con otras profesiones teatrales, es posible descubrir la acción constante del director de escena a lo largo de la historia del teatro.

Durante siglos, la figura del director no quedó reflejada en los documentos. La voz del poeta y la posibilidad temprana de que su escritura permaneciese y transcendiera a su tiempo, lo convirtió en el testimonio único de lo que el espectáculo fue. Las descripciones, cuando las hubo, no fueron sino literatura que relataba algunos aspectos de ciertas obras de arte de vida efímera que son las representaciones teatrales. Pero el director existió siempre, escondido tras el poeta o el promotor, el monje o el regidor de escena, el intendente o el actor ilustre. Hasta fecha relativamente próxima, reducido al papel de ordenador de artilugios, máquinas, idas y venidas del desarrollo de la acción, aunque no siempre.

El hecho de que la puesta en escena tuviera un carácter repetitivo, sometida a una codificación de parámetros estrictos, le restó obviamente dimensión creativa. Sin embargo, aunque en proporciones limitadas, es posible rastrear en los orígenes de amplios movimientos escénicos o en las intervenciones de ciertas personalidades artísticas en la creación de espectáculos, un sello en el que laten no pocos de los rasgos de lo que denominamos en nuestro tiempo puesta en escena. Si en el segundo apartado, basta citar a algunos pintores y humanistas del Renacimiento, a Calderón, Moliere, Diderot, Goldoni, Garrick, Talma, etc.; el primero es más complejo de definir. Me refiero fundamentalmente a los momentos en que la forma de la representación teatral y los procedimientos de hacerse el teatro, iniciaban un derrotero inédito. En ese instante, antes de que la codificación se estableciera, es posible descubrir la actitud creativa diferenciadora.

El ejemplo que he escogido, pertenece a un período

en el que el teatro como institución civil había desaparecido y tímida y subrepticiamente comenzaba a renacer en los monasterios y abadías. Hacia el año 970, el obispo Aethelwod de Winchester, escribe la "Regularis Concordia", que incluye unas "anotaciones" que en expresión de Berthold, serían "el ejemplo más antiguo de unas 'indicaciones escénicas' para las representaciones eclesiales de la Edad Media" (1). El texto, escrito en latín, situado a medio camino de la celebración litúrgica y la representación de la "Visitato sepulchri", es desvelador de lo que decimos. El texto completo dice:

> Mientras se recita la lectura de "Tertia" deben revestirse cuatro hermanos. Uno de ellos revestido con alba, debe salir y dirigirse hacia el lugar donde está el sepulcro y sentarse allí, tranquilamente, con una palma en la mano. Al tercer responsorio, los otros tres deben seguirle vestidos con capas y con incensarios en la mano, y acercarse lentamente al sepulcro como si buscaran algo. Representan a las tres mujeres, que vienen a embalsamar con ungüentos el cadaver de Jesús. Cuando el hermano sentado junto al sepulcro, que representa al ángel, ve acercarse a las mujeres, debe empezar a cantar con voz suave: "¿A quién buscáis en el sepulcro, cristianas?" Luego los tres deben responder al unísono: "A Jesús Nazareno, el crucificado, ¡Oh celeste! "A continuación vuelve a decir el ángel: "No está aquí, ha resucitado como lo había anunciado. Id y anunciad a todos que ha resucitado de entre los muertos". Las tres mujeres deben dirigirse al coro con las palabras: "¡Aleluya, el Señor ha resucitado"! A continuación, el ángel que se halla sentado junto a la tumba, debe dirigirse a las mujeres con la antífona: "Venid a ver el lugar en que el Señor estaba enterrado, ¡Aleluya!". Debe levantarse, alzar la cortina del altar y mostrarles que, en lugar de la cruz cubierta, sólo quedaban los lienzos. Después de haberlo visto las tres mujeres deben depositar los incensarios en el sepulcro, tomar el sudario y extenderlo a la vista del clero, en prueba de que el Señor ha

> resucitado, y ya no está allí encerrado, mientras cantan la antífona: "Ha resucitado el Señor, que padeció la muerte por nosotros, ¡Aleluya!". Deben colocar el lienzo sobre el altar. Y al final de la antífona, el prior, uniendo su voz a la alegría por el triunfo de nuestro Rey, que con su resurrección venció la muerte, debe entonar el himno *Te Deum laudamus,* al tiempo que se echan al vuelo las campanas con toda solemnidad".

Aquí existe ya un claro plan de puesta en escena. Los objetos adquieren una disposición y utilidad que configura su valor significante en relación al significado que se pretende comunicar. Pero además, no estamos ante una ilustración literal del relato evangélico, sino ante una representación de los hechos que se convierte en realización artística autónoma a traves de la conjunción de la palabra, el movimiento, el canto, los elementos plásticos, los sonidos y, presumiblemente, la luz. El documento nos propone un trabajo de puesta en escena consciente y creativo, fruto de alguien a quien conocemos como obispo Aethelwod de Winchester, pero que quizas recoge el de diferentes personalidades confluyentes. Sólo en la medida en que estas representaciones se codificaron en parámetros rígidos, el "ordenador" primaba sobre el creador. Este fenómeno es perceptible en grandes períodos del teatro que practican procedimientos escénicos únicos.

Si en la tradición teatral europea, es difícil encontrar una definición precisa de la figura del director hasta época relativamente reciente, no ocurre lo mismo en los teatros orientales y más concretamente en el indio. El "Natya-Shastra", enciclopedia del teatro y la danza, recoge las más antiguas enseñanzas sánscritas sobre el tema. La leyenda dice que fue el dios Brahma quien lo inspiró, dado que él creó el teatro, siendo otro personaje mítico, Bharata, quien lo escribió. Los orígenes de esta composición en verso se remontan a los siglos

VII-VI antes de nuestra era. Su escritura está datada en un amplio período entre el 200 antes y después de nuestra era.

En el "Natya-Shastra", se indica que el personaje principal de una compañía era el director, el "Sutradhara". Sus conocimientos y funciones son expuestos detalladamente: "Debe conocer los instrumentos de música, los tratados técnicos, los numerosos dialectos, el arte de gobernar, el comercio de las cortesanas, las obras sobre la poética, el andar, los modales, la retórica, el arte dramático, las artes industriales, la métrica, los planetas, el zodíaco lunar, el dialecto local, la tierra, las comarcas, los países, las montañas, los habitantes, la historia antigua, las genealógicas reales (...). Escucha atentamente las lecciones sobre teoría y práctica y su memoria las registra con fidelidad; luego, las transmite a su vez, a otros". A continuación se enumeran las cualidades que debe poseer: "Memoria, espíritu, dignidad, nobleza; debe ser firme, honesto, sano, amable, paciente, dueño de sí, de palabra cordial, sincero, cortés y sin avaricia". Se enumeran también algunas de sus tareas: "Vigila los ensayos, el estilo de los actores y de las actrices, corrige el tono, la expresión, la actitud, subraya las intenciones del poeta, interpreta y completa sus indicaciones..." (2).

Con sus veinticinco siglos de antigüedad más o menos, el sentido profundo que este texto encierra de lo que el "Sutradhara" debe ser, de sus conocimientos, capacidad y actividades, bien podría servirnos también a nosotros para establecer la diferencia, a veces sutil, entre los directores de escena y los advenedizos, incompetentes, improvisados o aventureros, encaramados a este trabajo gracias a su capacidad para el engaño, la adulación, la jactancia, la supercherría, la inconsciencia, la irresponsabilidad, el oportunismo y tantas y tantas cosas que sería largo enumerar.

II

El advenimiento del director de escena en su acepción actual, hay que situarlo hacia mediados del siglo XIX. Chronegk, con la compañía del duque de Meiningen en Alemania, y Antoine, en París, serían las primeras personalidades teatrales en iniciar un tipo de práctica y una reflexión teórica sobre su oficio, que les confiere este carácter indiscutible (3). Después, y de una manera rápida y creciente, la figura del director de escena inscrito en una dinámica claramente creativa, comenzó a proliferar en muchos países de Europa. Como ejemplos bastaría recordar a Fuchs, Reinhardt, Jessner, Piscator, Engel, en Alemania; Copeau, Gemier, Dullin, Jouvet, Pitoeff, Baty, Rouché, Vilar, Barrault, Dasté, en Francia; Leon Schiller, en Polonia; Oracio Costa, Strelher y Visconti, en Italia; Stanislavski, Meyerhold, Eiseinstein, Tairov, Vajtangov, Oklopkov, en Rusia; es imprescindible contar con las aportaciones particulares de Adolphe Appia y Gordon Craig; incluso no podríamos olvidar algunos nombres españoles, con todas las salvedades desde luego, como Martínez Sierra, Rivas Cheriff, Lorca, Valle-Inclán, María Teresa León, Luis Escobar y Huberto Pérez de la Osa.

Hacia 1950 podía afirmarse ya que además de los países citados, exceptuando España, el director de escena tenía un papel preponderante en la creación teatral en Inglaterra, Bélgica, Suiza, Yugoslavia, Australia, Argentina, Checoslovaquia, Hungría, Austria y otras. Sólo en Estados Unidos prácticamente no existía en el comercio minorista de Broadway, pero sí en los centros de investigación escénica de las Universidades. Entre los países pioneros en el reconocimiento masivo del director, figura sin lugar a dudas Alemania. En su estudio "Der Regisseur", Paul Legband dice que ya en 1911, se constituyó una "Asociación de directores artísticos de la escena" que reunió en 1913, en un congreso celebrado en Berlín, a cuatrocientos miembros (4). El director de la ópera de Friburgo, Lert, presentó observaciones sobre los derechos de autor del director. En cualquier caso, tanto Francia como la Unión Soviética, tuvieron un rápido proceso de incorporación del director de escena a la creación teatral. Director de escena que a su vez se diferenció claramente en sus cualidades, conocimientos y funciones del director de un teatro, aunque a veces confluyeran ambos en la misma persona.

Este proceso que hemos enunciado en pocas palabras, no fue, ni mucho menos, un paso glorioso. Hubo un debate enconado, duro, sarcástico y despectivo en ocasiones. Las opiniones iban desde quienes reducían al teatro a su dimensión literaria, considerando la representación como "un sacrificio penoso" al que "hay que resignarse", en expresión de Becq de Fouquiéres (5); hasta quienes como Craig o Artaud, limitan la existencia del teatro al espectáculo. Quienes defienden la supremacía del texto sobre todos los elementos del espectá culo teatral a los que consideran "inútiles", frente a quienes lo conciben como motivador de la representación. Quienes acusaban al director de usurpador del autor, inventor arbitrario de lo gratuito, simple exhibicionista de trucos escénicos, "personaje imperioso e inútil" (6), "saboteador" (7), alguien que pretende "sentirse artista y creador" cuando no debe ser sino "humilde intérprete", honesto "obrero del arte" (8), que sacrifica lo principal a lo accesorio, que constituye un riesgo grave si no nefasto, para la obra literaria. Enfrente, quienes opinaban que el director es el creador más potente del teatro contemporáneo. Estas divergencias podrían extenderse y precisarse hasta límites insospechados y no pocas veces absurdos.

A mediados de los cincuenta, André Veinstein publicaba su libro "La mise-en-scéne Théâtrale et sa condición esthetique", en el que recoge de manera pormenorizada los rasgos de este debate junto a una amplia casuística en torno a la estética de la puesta en escena contemporánea (9). Para entonces, los aspectos más duros y ásperos de la controversia se habían diluido o apagado. La realidad teatral esclarecía la consolidación del director como creador en el teatro contemporáneo. Durante sesenta años, los directores se habían ganado a pulso el reconocimiento de su condición y el lugar que les correspondía en la creación teatral. Los espectáculos más importantes de todo aquel período, respondían a criterios, procedimientos y convicciones estético-escénicas de directores que ya no eran simples artesanos acondicionadores de la escena o intérpretes subalternos de la literatura, sino creadores.

A su obra escénica añadieron los directores un importante caudal de textos de reflexión sobre las condiciones, características, medios, límites, aspiraciones y métodos de su profesión. Sus detractores no pudieron hacer otro tanto, desde luego. En la práctica y en la teorización quedaron barridos. Eso no implica que hubiera unanimidad de criterios, más bien al contrario; sí la hubo en la definición de determinados principios.

No hay que considerar sin embargo, esta reciente aparición del director como una moda, casualidad o consciente desafuero contra natura. A lo largo de su accidentada historia, el teatro ha ido explicitando sus profesiones, las que contenía implícitamente desde sus orígenes, en la medida que nuevas necesidades provocaban su aparición pública, especializada y definida. Hay que convenir que el nacimiento del director-creador, responde a las necesidades internas del teatro que ve como sus medios técnico-expresivos se amplían enormemente, a la búsqueda de nuevos cauces para explorar los misterios de la interpretación y comunicación treatrales, a la urgencia de afirmarse y definirse frente a otros medios artísticos y, muy especialmente, a la acuciante pretensión de aportar soluciones, descubrir caminos y hallar respuestas al interrogante sobre el lugar del teatro en la sociedad contemporánea: compleja, crítica, atormentada y sumida en contradicciones profundas. Lugar que a su vez participa de la crisis en cuanto a su identidad y objetivos, aunque sea en muchos casos una crisis saludable.

En 1943, en su libro "L'Essence du Théatre", Henrhi Gouhier escribía: "El papel del director consiste en "recrear" la obra (...) y esto sólo puede ser una "especie de creación", no creación del drama, sino creación inspirada por el drama (...) El director aparece como el poeta de la representación. Ver en él a un decorador o a un electricista, es desconocer totalmente su obra que es esencialmente resultado de la meditación" (10). Este testimonio esclarece algo que iba a tomar cuerpo en el futuro de forma concluyente: el director es el creador del espectáculo con la totalidad de miembros de un equipo que elabora y construye los elementos constitutivos del signo y el discurso teatrales.

El director de escena contemporáneo une pues a su conocimiento de un oficio artesanal que consiste en el manejo, ordenamiento y conjunción de los materiales y elementos escénicos con los que se realiza un espectáculo —literarios, plasticovisuales, interpretativos, rítmicodinámicos y sonoros—, una noción estética que no sólo establece un objetivo preciso a la puesta en escena, propone unos procedimientos de trabajo, plantea una metodología, sino que procura su coherencia, da un sentido profundo y concreto a cada uno de estos diferentes apartados, descubre el "por qué" de cada opción asumida y unifica en un signo teatral toda su práctica creativa. Un desplazamiento, la articulación de una réplica, la escenografía, la disposición de las luces, etc., dejan de ser fruto del azar, la arbitrariedad o el pueril "hace bonito", para ser la expresión coherente y consecuente de la estética que guía la puesta en escena en su conjunto y que el director crea con el equipo con el que trabaja.

La labor del director de escena a lo largo de nuestro siglo, ha abarcado diferentes campos cuya reforma era necesaria para lograr su objetivo estético prioritario. Enumeraré algunas de sus aportaciones:

1. Ha puesto fin al sistema teatral propio del siglo XIX, basado en el egocentrismo de la "estrella", sustituyéndolo por el concepto de equipo: actores, grandes actores quizás, que trabajan en conjunto. Aunque los directores ayudados por algunos críticos fueran los principales impulsores intelectuales de esta renovación, para imponerse hubo de ir acompañada de transformaciones substanciales en la financiación, organización y difusión del teatro.

2. Ha unificado la puesta en escena: concepción global del espectáculo, en el que los diferentes elementos escénicos se coaligan armónicamente con una intencionalidad significativa.

3. Ha conferido autonomía consciente al hecho teatral respecto a otras formas de expresión artística.

4. Ha introducido nuevos procedimientos escénicos e incorporado recursos técnicos y materiales de escena.

5. Ha explorado caminos para la interpretación de los actores y su formación, incluida la creación de escuelas.

6. Ha profundizado en la lectura de los textos e incorporado a la práctica escénica las tareas de "dramaturgia". Ha enriquecido su análisis con la información procedente de las ciencias humanísticas. El estudio, montaje y revisión de las obras del pasado ha sufrido, gracias a ello, una valoración y empuje substanciales.

7. Ha incorporado al teatro formas y estilos procedentes de otros medios de expresión artística.

8. Ha buscado y definido una estética y un estilo propios para cada espectáculo.

9. Ha influido en la consideración del edificio teatral como utensilio y espacio de comunicación: propiciando el desarrollo y revitalización de los teatros a la italiana; la ubicación del hecho teatral en espacios no convencionales y diversificados; interviniendo en la construcción de nuevos locales con diseños y posibilidades muy diferentes.

10. Ha ampliado el repertorio con una particular atención hacia los clásicos, descubrimiento e incorporación de textos olvidados y de nuevos autores.

11. Ha hecho propuestas diferentes en torno a la difusión y relaciones con el público. También sobre el proceso de comunicación teatral en sí mismo.

12. Ha elaborado planes y participado en la formación de nuevos directores.

13. Ha fundado compañías con fines claramente artísticos, de experimentación, renovación de repertorios, etc.

14. Ha llevado la iniciativa en la creación o participación en centros de estudio sobre la historia, teoría, sociología, psicología, semiología, etc., del teatro.

15. Ha realizado una ingente aportación bibliográfica sobre historia, teoría y práctica del teatro.

16. Ha contribuido poderosamente a la reforma del sentido y significado del teatro en nuestro tiempo.

¿Por qué, nos preguntamos, con un "activo" tan enorme en su "haber", los directores han podido acumular tan violentas invectivas? ¿Por qué han debido soportar insultos tan irracionales como el del comentarista teatral francés Fernoux-Reynaud, valioso como paradigma, que los considera "un hongo venenoso sobre un organismo en degeneración"? (11). Creo sinceramente que el director de escena contemporáneo vino a trastocar profundamente los mecanismos de creación escénica, pero también a alterar —incluso en su vertiente más esteticista o conservadora, si era rigurosa, sincera y honda— un mecanismo de producción que reducía el arte a su condición de mercancía, hundiendo sus raíces ideológicas en el liberalismo económico del siglo XIX.

He aquí cuatro pretensiones descalificadoras del director-creador:

1. Consideración del texto como elemento predominante de la representación. Negación o desvalorización de los otros elementos del espectáculo entendiendo su presencia como un estorbo.

2. Intangibilidad del texto cuya totalidad debe ser respetada.

3. Exigencia de que la puesta en escena se limite a la mera ilustración literal del texto.

4. Negación, expresa o tácita, del carácter autónomo del teatro como medio de expresión artística, reduciéndolo a simple subordinado de la literatura teatral.

Cierto que la vigencia de estas afirmaciones es hoy prácticamente nula, pero no lo es menos que en la etapa de afirmación y desarrollo del director de escena contemporáneo, sus gritos y ecos tuvieron crispación y destemplanza. En España, en donde por múltiples razones este debate ha llegado tarde y mal, pudimos todavía leer hace sólo unas semanas que "el teatro es palabra y actor". Parece que aquí para ciertos comentaristas, las aportaciones de la estética general de la puesta en escena y de la semiología del teatro, no hayan existido.

Hace más de cuarenta años que Jindrich Honzl, director de escena y teatrólogo vinculado al "Círculo de Praga", afirmaba que "una representación teatral es un conjunto de signos" (12), e iniciaba el camino de exploración de los elementos que forman esa unidad sígnica y discursiva, sus relaciones y su capacidad significante. Veinstein por su parte, mediante su escrupulosa metodología de confrontación de opiniones, llegaba a las conclusiones siguientes: "Si las palabras pueden diferir, en apariencia, de los materiales de la puesta en escena, en el hecho de que son signos antes de ser utilizados, veremos que al transformarse en signos artísticos, se identifican con los otros signos (sonidos, colores, líneas, etc.) por su naturaleza y por su empleo. (...) O bien la preocupación predominante es "imitar" al hombre con su comportamiento tal cual se manifiesta en la vida, y es claro que entonces esta preocupación no responde a criterios artísticos; o bien la de tratar de "representar" al hombre, y sucede entonces que todos los medios artísticos tienen un valor teóricamente igual. (...) Ni por la naturaleza del material que utiliza para una obra, ni por los efectos que este material suscita, el medio literario justifica que un predominio o una jerarquía se establezcan en su favor. El valor artístico de un material depende de cómo lo ha empleado en concordancia con las exigencias particulares de un arte, de una obra y de un estilo" (13).

La sacralización del texto y su ansia de predominio, es también herencia de una tradición próxima y decimonónica, cargada de misticismo idealista. Por texto entiendo la palabra escrita, no los pensamientos, las acciones, confrontaciones o procesos. Lo cierto es que el teatro no ha sido nunca sola y únicamente palabra y actor. Nunca, en ningún momento de su historia. Siempre ha existido en la totalidad de los elementos escénicos que lo configuran, con mayor desarrollo o importancia de unos u otros, a veces con admirable equilibrio. Si algo faltó y falta en ocasiones, es la palabra.

Debo sin embargo subrayar que si el director de escena fue el maximo impulsor de estas renovaciones, ha sido igualmente responsable en ciertos casos de forzar un elemento escénico sobre los otros, de hipertrofiar una parte en detrimento de la eficacia significante global. Subscribo igualmente la opinión de Veinstein cuando afirma que los períodos de decadencia son resultado "de una ruptura del equilibrio o de la unidad del espectáculo teatral". Esta ruptura puede afectar tanto al predominio sistemático de un elemento sobre los otros como a la "escisión completa operada entre parte escrita y parte escénica, como consecuencia de igual degradación de una y otra". Señala además que esto no depende exclusivamente de la intervención del director, "sino de un decorador, de un escritor o de un actor, que cumplirían su función en provecho casi exclusivo de su disciplina de origen" (14).

Las razones aquí esbozadas responden a los anteriores apartados 1, 2 y 4. Es necesario añadir que una confrontación de este tipo fue y es posible sólo en la medida que perdure el prejuicio de que el teatro procede originariamente del texto, que se confiera jerarquía máxima antropológica a la expresión oral en los procesos de comunicación humana y que, como consecuencia lógica, se reduzca la historia del teatro a la de su componente literario —transcripción de su componente verbal— con ignorancia de los demás elementos que configuran el signo escénico o reduciéndolos a enojosos acompañantes que es necesario soportar.

Quizás esto explicaría que en el cine las cosas hayan marchado de muy distinta forma. También aquí existe un guión literario valioso, adaptación frecuente de grandes novelas o dramas. Hay actores, músicos, escenógrafos, realizadores de efectos especiales, etc. Sin embargo, nadie discute la condición unificadora del director, su impronta personal y estética y, en definitiva, ser la máxima instancia creadora y detentar la autoría del hecho fílmico como obra de arte. Es cierto que las características de producción del cine favorecen este reconocimiento. A ello hay que añadir su juventud, el desprecio que en sus inicios le mostraron ciertos círculos de escritores, homologándolo con las nimias diversiones de barraca y su nula contaminación con la expresión oral —no con la literatura—, en sus comienzos: fue mudo. Lo cierto es que mientras los directores de escena luchaban por el reconocimiento de su condición, nadie se la negaba a Griffith, Eiseinstein o Stromhein. En este aspecto como en algunos otros, el cine prestó un buen servicio al teatro.

Queda por comentar brevemente el tercer punto. Esta postura parte del deseo de no pocos comentaristas teatrales y autores, que quisieron limitar la puesta en escena a mera ejecución, traducción literal del texto y sus indicaciones cuando las hay. Se trataría de abolir toda aspiración creativa en escena, reduciéndola a pura retórica repetitiva. Por supuesto que uno de los primeros hallazgos del director fue comprender la polivalencia de los textos y sus múltiples formas escénicas. Ya en 1924, Firmin Genier escribía que "aunque se permanezca estrictamente fiel a un texto, hay innumerables formas de interpretarlo y todas pueden ser excelentes (15). Es eso lo que permite ver un *Hamlet*, un *Don Juan*, un *Alcalde de Zalamea*, distintos en cada montaje, conservando el nexo identificador de la fábula.

Desde el campo de la interpretación musical, Gisele Brelet, estableció una serie de conclusiones en torno al ejecutante en las que, aun tratándose de un arte con una transcripción global en la partitura, define como una "traición" las interpretaciones "neutras" y "objetivas" que fueron el ideal de muchos instrumentistas a principios de siglo. "La obra producida, dice, carece entonces de realidad" (16). Lo que coincide con la opinión de numerosos directores y críticos que, como André Villiers, declaran que "sólo por el desconocimiento de las leyes de la invención, se puede (...) rehusar (a la puesta en escena) el carácter de una creación verdadera y original" (17).

Ciñéndose en concreto al trabajo con los clásicos —aunque puede y debe generalizarse—, el director no podría limitarse a la traducción literal, al ilustrativismo, a riesgo de un empobrecimiento desolador. Se ha impuesto por tanto una acción interpretativa o creadora a partir de los textos o motivada por ellos. Una tarea que ha alcanzado dimensiones de amplitud diferente pero que afecta a los siguientes campos de la práctica escénica:

— Lectura e intervención sobre el texto, de lo que después hablaremos.

— Acondicionamiento de nuevos espacios teatrales.

— Búsqueda de nuevos espacios.

— Utilización del teatro a la italiana de forma distinta.

— Conjunción de los materiales de escena para crear estilos propios.

— Incorporación de nuevos procedimientos escénicos: introspección psicologista, biomecánica, teatro épico y dialéctico, etc. Como dice Ruggero Jacobbi: "esta operación de dirección no es sólo fruto de técnica e intuición. Presupone la existencia de un núcleo cultural riquísimo; una verdadera puesta en escena tiene dentro de sí una suma de nítidas nociones y convicciones sobre la evo-

> lución del teatro, y más aún sobre la propia evolución de la literatura y el sentido general de la historia humana. El director debe saber siempre colocar el texto y personaje en el lugar que les compete en un cuadro global que interesa a todos los aspectos de la vida. Aquí emergen fundamentalmente cuestiones de etnología, antropología y sociología. Sin un "back-ground" cultural (pero sobre todo literario e histórico) y sin un cierto espíritu de universalidad, es imposible que un director pueda actuar con seguridad (18)".

En definitiva, el director de escena contemporáneo tendría ante sí la tarea de revitalizar activamente su objeto de producción: el teatro; "pues no existe ninguna sabiduría, ninguna habilidad, ninguna ciencia, ninguna de las bellas artes, ninguna consideración religiosa ni ninguna acción piadosa que no pueda hallarse en el teatro". Palabras con las que el dios Brahma aseguró a los hombres la permanente vigencia de su arte.

III

El teatro español desde 1900, incorporó muy tardiamente, cuando lo hizo, los modos y procedimientos técnico-estéticos que se producían en Europa. La historia de nuestro teatro sigue siendo la de los textos en su dimensión precisa de literatura para la escena, casi nunca la de los hechos escénicos. Mientras surgían tendencias innovadoras en lo literario, las condiciones de su representación, salvo casos bastante excepcionales, seguían ancladas en la rutina. La figura del director de escena definido como tal, tardó mucho en aparecer aun en su aspecto más simple, no digamos la del creador de una estética, una lectura o la adopción de un estilo que es mucho más reciente.

Estos hechos, suelen ser veladuras que cohartan la comprensión de múltiples problemas que han llegado hasta nosotros y gravitan sobre la práctica. No pocas veces he tenido que insistir ante hispanistas extranjeros que se ocupaban del estudio de las tendencias vanguardistas escénicas de los años veinte y treinta, que debíamos circunscribir los textos a su condición literaria, pues la mayoría nunca fueron representados. Hablar de ellos como teatro tenía sus riesgos, pero obviar las razones y causas que impidieron su conversión en espectáculos, impedirá comprender las raíces y naturaleza del problema.

Por eso hoy es posible conocer, pongo por caso, una versión de *El caballero de Olmedo* o *La dama boba*, pero no creo que sepamos nada, aparte de las informaciones genéricas que podamos más o menos deducir, de cómo eran aquellos espectáculos. Por eso, analistas tan interesantes como Ixart, Leopoldo Alas, Pérez de Ayala, Díez Canedo o Araquistain, centran sistemáticamente sus estudios críticos en el texto, una pizca en la interpretación y nada en el espectáculo como hecho estético completo y autónomo (19). No puede, pues, extrañarnos que al faltar estímulos creativos, de producción e intelectuales, la presencia activa y definida del director de escena tardara en hacer acto de presencia y los hábitos obsoletos de la práctica teatral decimonónica, dominarán la escena española contemporánea.

Quizás eso explique también que algunos comentaristas teatrales de hoy mismo, esgriman un mal disimulado encono e incluso una soterrada descalificación del director de escena como creador. A veces cobijados tras la defensa del texto, y por tanto del escritor, como esencia, substancia y centro del teatro. Otras, negando la licitud de la invención —etimológicamente: "descubrimiento"— del espectáculo por parte del director. Así podemos leer expresiones como: "el director estuvo bien porque no se ve...", a lo que podríamos añadir que, con frecuencia, no se ve por que su trabajo no existe aunque lo firme.

La incorporación del director de escena más que de la convicción artística o de las condiciones desarrolladas por el propio teatro español, surgió de la necesidad de que alguien ordenara los diferentes recursos técnicos que poco a poco se iban incorporando, dándoles un cierto toque personal o grandílocuencia de formato. Todavía en 1949, en la encuesta realizda por Veinstein al final de su libro, el señor Laplane, director-adjunto del Instituto Francés, respondía: "El *metteur en scene* en el sentido francés (o inglés, alemán, ruso, etc.) no existe en España, y las diferentes tareas de la puesta en escena están distribuidas prácticamente entre el director (es decir el empresario-gerente), el autor y un especialista, principalmente técnico, llamado escenógrafo..., con intervenciones abusivas de los actores, que se consideran estrellas". A la novena pregunta: "¿Se considera que hay una crisis del teatro español? En caso de que sea así, ¿la crítica la atribuye exclusiva o parcialmente a la ausencia del director del tipo francés, capaz de iniciativa en la elección de los textos, de concepciones teatrales sistemáticas, de innovaciones técnicas y artísticas?", el especialista teatral del Instituto respondía así:

"Si, hay una crisis grave, pero no parece que se deba al hecho de que el régimen del *metteur en scéne* especializado no se ha impuesto en España. La ausencia aquí de grandes directores puede parecer más bien, el efecto que la causa de esta crisis, cuyas razones profundas son de índole material y circunstancial. Censura severa y puntillosa que tiende a amortiguar las audacias, estrechez de presupuesto de las empresas dramáticas, que impide todo esfuerzo financiero de envergadura, influencia tiránica de las estrellas en la preparación de la pieza, cansancio de los intérpretes que deben dar regularmente dos representaciones por día (y que, por otra parte, no se benefician, como en nuestro país, con una formación larga y exigente); por último, tendencia general del público al conformismo".

Teniendo en cuenta estos antecedentes, no debe sorprendernos que la paulatina homologación del calificativo profesional del director de escena, no haya respondido siempre a su adecuada valoración teatral. Hasta el momento no existe un procedimiento formativo y lo que es peor, desde las diferentes instancias sociales no es precisamente formación lo que se exige. Su existencia puede incluso despertar inquietud, sospechas, animosidad y en definitiva, ser inconveniente y no mérito para trabajar. Como en casi todas las facetas del teatro en nuestro país, la improvisación preside la formación y el acceso profesional. Nunca se ha establecido el mínimo de cualificación necesaria. Confusiones e interferencias de otras áreas de actividad planean sobre su persona. Cualquiera que haya tenido la decisión de incluirse en una cartelera, ha podido firmar una puesta en escena. Así, algunos productores de espectáculos se convirtieron en directores por el hábito de aparecer en los programas, conocer el tinglado comercial del teatro y comprar la cobertura precisa para legitimarse. Advenedizos y oportunistas encontraron terreno abonado para el ejercicio de sus habilidades de trepa y zapa. Algunos actores-estrella, inmersos en la vieja usanza, firmaron sus espectáculos amarrando para casa y quizás evitándose un sueldo. Todo esto ha contribuido también, en no pocos casos, al desprestigio del director.

Sin embargo, la actitud más grave procede de las propias instituciones que producen o difunden teatro como bien cultural y que, en principio, debieran ser el lugar privilegiado para el director de escena creador, en donde pudiera entregarse a su trabajo específico sin interferencias de otro orden. Aquí observamos auténticos equilibrios para que los directores españoles trabajen lo menos posible. Siempre se puede traer alguien de fuera o de otro medio artístico. Con frecuencia se legitima al advenedizo y se vitupera la capacidad, competencia o saber. El objetivo no es nutrir al teatro español de una propuesta propia, de una base estética plural, amplia y profunda, de una sólida cualificación profesional, sino de tener un nombre en los carteles que de lustre a la operación en marcha. A la hora de las decisiones, un nombre en la cartelera tiene para quienes así actúan, mayor importancia que el trabajo concienzudo de un director preparado para estos menesteres y que espera poder trabajar, sin necesidad de autopublicitarse con raptos de lamentable exhibicionismo.

Dadas las circunstancias, no deja de ser curioso leer, nuevamente en nuestra prensa, que el director español tiene "la obsesión latina de hacerse notar". La historia contemporánea y el presente del teatro, están justamente plagados de grandes commociones e incluso de escándalos, debidos a la vigorosa y visible intervención y personalidad de los directores. Nos sobran ejemplos de alemanes, rusos, polacos, americanos, checos, ingleses, por supuesto franceses, italianos y de otros muchos países. Frente a su alarde y disponibilidad de medios, los directores españoles son de una modestia monacal: a la fuerza ahorcan, desde luego.

Los rasgos definitorios de la situación española en este terreno revelan aspectos propios de los años ochenta, pero de hace un siglo. No se trata de una revitalización sino de un retroceso basado en la dogmática imposición —desde áreas concretas de poder de la crítica de la cultura— de prejuicios y lastres de los que el teatro logró defenderse y desprenderse hace tiempo. Prejuicios que, como es fácil suponer, abarcan el conjunto de la producción y práctica teatral. La atávica naturaleza del debate y del problema, no es sino un síntoma de que en nuestro teatro perviven buena parte de las estructuras materiales, organizativas, estéticas y mentales del siglo XIX.

Al plantearse el trabajo con los clásicos en nuestro país, es imprescindible no olvidar estos hechos y circunstancias. En primer lugar, las posibilidades y la condición del director de escena indígena.

IV

Es evidente que tras lo expuesto aquí, las alternativas estéticas al trabajo con los clásicos proceden de la propia práctica teatral a través de las aportaciones de los directores. Intentaré definir ciertas líneas genéricas de actuación pero subrayando, que la aportación personal en la elaboración de una estética del espectáculo hace que tenga que considerarse cada uno en particular como una obra de arte autónoma.

Al referirnos a los clásicos, debemos tener igualmen te en cuenta que estamos ante un material de partida eminentemente literario. Muchos de estos textos enarbolan el membrete de "obras maestras", con todo lo que tiene de equívoco y, lo que es peor, de reductor. Los otros elementos del espectáculo han desaparecido. Nos quedan en el mejor de los casos descripciones, testimonios documentales, algunos objetos, dibujos y grabados, restos de maquinaria y sobre todo, el local escénico en que nacieron. En el caso español, si exceptuamos las anotaciones escénicas de Calderón a *Hado y divisa de Leónido y Marfisa,* las referencias de cronistas como Leon Pinelo, Pellicer, Barrionuevo, la marquesa de Aulnoy, Zabaleta, etc., o de gente de teatro como Lope de Vega, Agustín de Rojas y otros, se refieren particularmente a la sociología del hecho teatral más que a la representación en sí. Todo ello nos sirve para hacernos una "idea" de cómo fueron aquellos fastos cómico-dramáticos pero no para conocer realmente sus procedimientos y articulación escénica.

Por otra parte, estas obras se han inscrito en un proceso que transciende a su propio tiempo. Cada época las ha leído, interpretado o recreado de forma distinta. Justamente, su grandeza ha residido más en lo que el futuro fue descubriendo que en lo que el escritor propuso originariamente y el público de su tiempo comprendió. Su transcendencia reside pues, en su capacidad para hacerse contemporáneas en los momentos y circunstancias posteriores en que fueron representadas. Todo ello ha proporcionado una tradición que cuanto más se alejaba de los orígenes, más se encerraba en la autosuficiencia y autocomplacencia de sí misma. Las propuestas estéticas que a continuación esbozamos, nacen en consecuencia de la postura de los directores respecto al origen, tradición y carácter contemporáneo de los clásicos en el teatro que se hace y para el público concreto que lo contempla.

Opción arqueológica. Intento de reconstrucción

Es una corriente que arranca de mediados del siglo XIX. Corresponde al período de esplendor del romanticismo historicista y verista en pintura. Charles Kean, en Inglaterra, realizó montajes shakespirianos ante grandilocuentes y fastuosos decorados de sir Watson Gordon. Contó con la colaboración de especialistas en vestuario y armas, el resplandor espectral de las antorchas y luces de gas. El conjunto era tratado con ampulosidad y esmero. Los textos se recortaron y modificaron para servir al objetivo e interés fundamental: hacer que destacaran los imponentes decorados. Henry Irving, en las postrimerías del siglo, prosiguió el camino trazado por Kean.

Otro ejemplo, más riguroso, es el de Franz Digelstedt en Munich. En su montaje de la *Antígona*, de Sófocles, en 1851, "se sirvió del arte y de la ciencia" para intentar ofrecer —en frase de Berthold— "una interpretación fiel a la Antigüedad". El texto alemán fue establecido por el filólogo Friedrich Thiersch. El escenógrafo Simón Quaglia, se sirvió de los datos del arquitecto Leo von Klense. Los trajes se diseñaron según las indicaciones del pintor y director de la Academia, Wilhelm von Kaubach. Moises Mendelssohn, compuso la música. El decorador mostraba la escalinata y pórtico de un templo dórico y Dingelstedt confiaba en su fuerza visual.

La fase de máximo explendor de este movimiento se alcanza con la compañía creada en 1866 por el heredero de Sajonia y Weimar, en la pequeña ciudad de Meiningen. Su proyección internacional fue enorme. Ludwing Chronegk fue su director de escena, pero el propio duque Jorge II, realizó los bocetos de los decorados y su mujer, la actriz Ellen Franz, influyó poderosamente en la asesoría literaria y la significación dramatúrgica de los textos. El repertorio fue fundamentalmente de clásicos y se desarrolló un estilo histórico-naturalista enormemente significativo. Largos ensayos cuidaban la representación en sus más mínimos detalles. Los actores constituían un conjunto disciplinado. No había estrellas; los protagonistas de un espectáculo eran figurantes en el siguiente. Pero todos, hasta los personajes mudos, eran trabajados de forma individual, por eso nadie era sustituible.

Los decorados conjugaban los fondos planos con elementos corpóreos de balaustradas, escaleras, estrados y una disposición asimétrica. Los trajes participaban de esa misma concepción verista. Eran textiles de Lyon y

Génova expresamente fabricados: gruesos paños, sedas, costosos terciopelos. La pasión por el verismo convertía en auténticas las togas para *Julio César,* que con sus casi veinte kilos de peso provocaban el agotamiento físico de los actores.

La influencia de los Meininger llega hasta Stanislavski y, sobre todo, Antoine, particularmente en la tercera de sus etapas como director, entre 1906 y 1914, del Odeón parisino. Sus escenificaciones de obras de Moliere y otros clásicos franceses, pretendían la reconstrucción del espacio y ambiente originales, situando a los espectadores en el escenario, por ejemplo. Posteriormente se han ensayado otros proyectos de reproducciones "puristas", como las del "Théatre Antique de la Sorbonne", espectáculos en Epidauro o el teatro sueco de Drottningolm, etc.

La pretensión científica de estos intentos, no logra ocultar el transfondo idealista, museístico y ahistórico que los orienta. Me refiero, evidentemente, a sus modelos más radicales y a sus fundamentos programáticos. Aunque todos los elementos del espectáculo pudieran reconstruirse, es imposible hacerlo con la dicción, el ritmo, la interpretación de los actores, los procedimientos utilizados y las condiciones socio-culturales concretas que rodearon la comunicación teatral originaria.

Ilustrativismo y tradicionalismo

Enunciada de una manera general, esta corriente es la expresión epigónica de la anterior, sólo que desprovista de sus aspiraciones cientifistas, ansias de grandeza, elaboración y criterio en la ejecución. Representa su prolongación degradada. Sin embargo, una gran parte de los montajes de los clásicos siguen esta senda trillada y empobrecedora.

Quienes así trabajan parten de la aceptación del texto como tabú. El texto intangible al que la puesta en escena debe limitarse a ilustrar. Ilustración que a falta de referencias más legítimas o accesibles se centra y limita a la reproducción retórica de lo que se considera como tradición. La interpretación se inscribe igualmente en la continuidad de lo inmediato y aceptado como respetable. Los decorados y trajes manejan un cierto monumentalismo de cartón piedra, costumbrismo superficial y acumulación de lugares comunes.

La adscripción emocionada a la tradición de que hace gala, no debe ocultarnos el alcance del concepto en este caso. Tal como han señalado muchos grandes directores, es necesario no confundir las "tradiciones", copias serviles de los procedimientos y de las convenciones artificiales y rutinarias, con la "tradición", "conjunto de leyes que fluye de la naturaleza misma del teatro y tal como aparecen a través de las manifestaciones de las grandes épocas" (20).

En el caso que nos ocupa, es a esas "tradiciones" de polvo y mugre a las que se hace referencia. Hábitos, comportamientos escénicos, formas de dicción y entonación del verso, gestuación, que arrancan de los amenes decimonónicos y de los ejemplos romántico-veristas que antes hemos enunciado. Es decir, idealismo y falsedad en la concepción con una envoltura de verismo de cartón piedra: rígido, grandilocuente y decorativista. Las apelaciones a la historia conducen al sistemático falseamiento de la verdad histórica. A la preocupación por investigar y saber se la sustituye por la aceptación de lo que "dicen" que es. Esta actitud, que toma la rutina perpetuada por concepción original, la declamación ampulosa, el cliché, la repetición de los mismos usos, por continuidad de una escuela, supone la noción banalmente culturalista en el significado y tratamiento de los clásicos. Se acentúa su carácter museístico en la medida en que se montan por prestigio u obligación, nunca por convicción y placer; dejando que la pátina del tiempo, la suciedad y no la historia, se depositen sobre sus cadáveres amortajados con ornamentos de guardarropía.

Hemos señalado antes la consideración del texto como tabú, lo que abarca no sólo la intangilibidad del material literario sino también la aceptación de unos significados, procedimientos e incluso una estilítica como indisolublemente unidos y dependientes. No se trata sin embargo de una afirmación sino de una actitud defensiva. La contradicción aflora cuando vemos que esos textos sacralizados, no se establecen a partir de un cotejo riguroso de las fuentes originales sino que recogen los usos y deformaciones que se han ido acumulando y desarrollando, para fabricar versiones a gusto de la "estrella" que las acomodaba a su medida. Es a esos textos y a su comprensión adulterada a los que se tiene por intocables, no a los verdaderos originales muchas veces rechazados. Respeto e intangibilidad pueden con frencuencia hacerse compatibles con los añadidos "ad libitum" —vulgo "morcillas"— en que se explayan ciertos cómicos salidos del fondo de esas "tradiciones" teatrales a las que algunos tienen la osadía de denominar escuelas.

Estamos ante la tendencia conservadora, temerosa de cualquier innovación de fondo. Desprecia el trabajo intelectual fiando en la sabiduría mítica de las "tablas". Acepta como lícita la manoseada secreción de los tiempos, antes que lanzarse al análisis y la lectura personal. El afán de investigación es anulado por la rutina.

El soporte supuestamente teórico de estas formulaciones, las exigencias de "control" hacia el legado clásico, pueden ser altamente perniciosas para el teatro y traer consecuencias graves a la libertad de creación. Proyectan una red de suspicacias en la mente de los espectadores e indecisión en la gente de teatro. Quizás convenga recordar a este propósito admonitorio, que el ministro de propaganda nazi, señor Goebbels, ya puso a los clásicos bajo control aplicándoles "leyes especiales' para proteger la pureza de su legado. Como muestra baste recordar que autorizó únicamente las traducciones shakespirianas de Schlegel-Trieck, prohibiendo las de Hans Rothe realizadas en 1936 y todas las demás. También entonces, la prensa alemana rechazaba únicamente todo intento de cambiar una coma a los clásicos.

* * *

Las tres alternativas que voy a exponer a continuación, parten de una postura común de libertad ante el texto clásico. Sin embargo, mientras las dos primeras lo toman como excusa, la última intenta establecer una dinámica creativa entre respeto a los orígenes y libertad de análisis y escenificación. Antes de seguir adelante, quisiera hacer una serie de consideraciones generales respecto al valor y sentido de los textos clásicos que han llegado hasta nosotros:

Las primeras ediciones de las obras de autores que consideramos clásicos, y en particular de los nuestros, no proceden en muchas ocasiones de manuscritos del autor, ni fueron corregidos por él. Con frecuencia se trata de copias de trabajo de los actores o de transcripciones recogidas o memorizadas durante las representaciones.

En vida del autor pudieron editarse versiones diferentes de la misma obra, con cambios notables de una a otra.

A veces existen diálogos, escenas, monólogos, anotaciones, entre los manuscritos y papeles del autor, que por distintas razones y no siempre literarias, no se incluyeron en la edición o en la representación de la obra.

Los textos que han llegado hasta nosotros, no pocas veces son fragmentarios o tienen vacíos de estrofas, versos o palabras y diálogos.

Las obras de los clásicos españoles en particular, carecían originariamente de acotaciones, división de escenas e indicaciones al margen sobre el lugar de la acción, las sucesivas ediciones fueron añadiéndolas un poco al gusto de cada época. También se incorporaron palabras, versos, etc. Basta revisar ciertas ediciones actuales llevadas a cabo con particular rigor para comprobarlo.

A lo largo de la historia, las versiones y adaptaciones de obras del pasado ha sido práctica común. En la medida que un texto, por su temática o su significación, mantenía su vigencia, pero tanto los procedimientos escénicos como la ideología, formas culturales, gustos del público u objetivos dominantes se modificaban, surgía la necesidad de su versión o adaptación. En muchos períodos de la historia del teatro, eran estas y no los originales lo que se editaba y conocía, además de representarse.

En el pasado, la imitación, reescritura y adaptación de textos fue bastante frecuente, aceptada y reconocida como legítimo trabajo de creación. Shakespeare, Calderón, Goldoni o Moratín, lo hicieron. Charles Dullin afirma rotundamente que las grandes obras maestras dramáticas son, en su mayoría, adaptaciones y que "Moliere y Corneille no hicieron toda su vida sino adaptar" (21).

Aparte de estas consideraciones generales, señalaré

los diferentes aspectos que coinciden en la recepción contemporánea de la obra:

a) Intenciones conscientes e inconcientes que introdujo el autor en su obra.

b) Cómo fue entendido el texto por quienes lo representaron en vida del autor.

c) Cómo fue recibido el texto por su público contemporáneo.

d) Cómo ha sido leído el texto en las distintas épocas.

e) El texto tal y como es leído hoy dramatúrgica y escénicamente, en su significación concreta.

Dicho esto, proseguiré con el enunciado de las diferentes opciones estéticas.

Tendencia a la modernización decorativista

Utiliza el texto como excusa para construir un ámbito plásticovisual artificioso y exótico, basado en una estilística moderna e incluso vanguardista. Su ambición prioritaria, a veces la única, es fabricar un "invento" —casi siempre escenográfico, con su cortejo sonoro, coreográfico u lumínico— que se convierte en el objetivo central del espectáculo, en su capacidad de fascinación, en su máximo atractivo. Los aspectos inherentes al tema, conflicto, confrontaciones o procesos dramáticos, se les concede un valor secundario para que el "invento" funcione. Entre uno y otro, texto e invento, no existe una relación dinámica y creativa sino mera yuxtaposición en la que el decorativismo desequilibra la balanza en su provecho casi exclusivo.

Como puede fácilmente deducirse, esta proclividad a la deshumanización contradice la naturaleza teatral del espectáculo así concebido. Conseguir la "espectacularidad" del "show", es su finalidad suprema. En palabras de Ruggero Jacobbi, "un director que cuida poco a los actores, que vive exclusivamente de efectos de luces, de mecánicas mutaciones de escena, de estrepitosas invenciones visuales, es en el fondo un hombre incomunicante, incapaz de relaciones humanas: defiende su soledad contra la presencia del actor, en vez de sentir en él su inevitable compañero. ¡Y cómo podrá un nombre así dedicarse a un arte que es todo "relación", y que tiende por completo a la comunicación" (22).

Actualización coyuntural

También aquí el texto se considera como una excusa, pero no es ignorado sino manipulado. Con frecuencia es reescrito. Se conservan ciertos rasgos de la anécdota, no siempre los más significativos, la tipología de algunos personajes, la enjundia de contadas situaciones, a las que se agregan escenas, diálogos y expresiones directamente ligadas a la vida cotidiana y al entorno sociopolítico, cultural, la situación internacional, etc. Las frases que se destacan del original son juntamente las que pueden utilizarse en este sentido. La tipología de los personajes se acentúa, para reducirla a arquetipos comunes carentes de complejidad y reconocibles por el espectador. Tics verbales, expresiones cotidianas o del argot urbano, son incorporados de forma sistemática. El resultado es claramente otro texto profundamente desligado del original, con el que puede no tener otra referencia que el título.

En otros casos, se produce además la transformación hacia una forma escénica actual: vodevil, comedia musical, etc. No se trata de la utilización fundamentada y coherente de una serie de recursos escénicos, de unas líneas estilísticas confluyentes o equiparables, sino de fijación de una actitud previa a la que se acopla, a costa de lo que sea, el texto. Quizas sea este el planteamiento más definitorio de esta opción: inicialmente se perfila un objetivo temático argumental, después se elige y adopta un estilo de representación, finalmente se manipula el texto para que sirva a estos fines.

El procedimiento escénico suele seguir los pasos de la comedia populista. La interpretación se rige por la ley de la máxima eficacia en la construcción esquemática lineal del arquetipo. Utiliza los recursos de las formas populistas del espectáculo según el gusto del momento. Todo se mueve en estos parámetros. Tanto la escenografía como el vestuario o los utensilios, hacen referencia o incluso reproducen ámbitos, gustos, modas, de la vida cotidiana más próxima en el espacio y en el tiempo.

El proceso de actualización que acabamos de describir en su vertiente más acusada y populista, muestra rasgos diferentes en otros casos. Adquiere mayor profundidad, objetivos estéticos e ideológicos más ambiciosos, pero siempre la noción y elección actualizadora es previa y el texto colocado exclusivamente a su servicio. Esta actitud, que puede responder a legítimos deseos de dinamización de los clásicos, a limpiarlos de su carga de culturalismo estéril, corre el riesgo de precipitarlos en la simpleza populista o reducirlos a la crítica circunstancial. En mi opinión, la contemporaneidad de las obras clásicas es fruto de las analogías que suscitan, de los interrogantes que siguen provocando, de las expectativas que descubren, de las formas de comportamiento que desvelan y raras veces de la estricta concordancia con un acontecimiento inmediato.

Las iniciativas de actualización suelen coincidir con la convicción expresa del caracter aburrido de los clásicos para el gran público, lo que exigirá su homologación con los usos más simples y masivos del hecho teatral contemporáneo. No pocas veces hemos leído o escuchado que "si Lope de Vega viviera hoy escribiría..."; a continuación le colocan el género o estilo que ellos consideran más adecuado. Esta afirmación carece, por lo general, de sustentación sólida. Es un acertijo que para Lope o cualquier otro, carece de valor objetivable. Conociendo lo cínico, astuto y pragmático que fue don Félix, su inteligencia, habilidad y competencia para el sutil trasteo del personal, lo más seguro es que no se dedicara al teatro sino a profesiones más compensadoras que cualquiera podemos imaginar.

Profundización dramatúrgica y libertad creativa

El texto es asumido en su total complejidad teniendo en cuenta el conjunto de circunstancias que antes reseñábamos. El trabajo de dramaturgia, aplicado de forma sistemátina o no, constituye el principio motriz de la puesta en escena: establece una lectura concreta del texto, propone unos objetivos y fundamenta la selección, síntesis y organización de los elementos escénicos para lograr su expresión coherente. Este método no sólo posibilita múltiples lecturas, todas ellas legítimas, sino que permite la utilización de procedimientos escénicos diferentes y la práctica de estilos dispares. Es la posición estética e ideológica del director con su equipo, la que indica o descubre el camino a seguir. Este método de trabajo existió incluso antes de que el concepto de dramaturgia se hubiese definido e incorporado a la práctica teatral. De forma empírica y, si se quiere, incompleta, muchos directores lo aplicaron en sus puestas en escena. En esta corriente hay que situar los espectáculos más profundamente renovadores de nuestro siglo.

El punto de partida consiste en la aceptación del texto como motivador y su libertad de tratamiento escénico. Existe una actitud de respeto hacia su significado específico en su plena complejidad, lo que no supone ninguna sacralización apriorística de la letra. En un momento dado, el análisis dramatúrgico puede conducir a la aceptación del texto con toda su precisión original. En otros, elegir una de las variantes que existen, reunirlas, conjugarlas, suprimir paisajes, reordenar e incluso realizar una profunda intervención con el añadido de materiales literarios de origen diverso. Todo es igualmente legítimo en la medida que responda a una propuesta fundamentada y coherente, deducida de los propios elementos que el análisis de la obra y su contexto proporcionan. Las referencias a la tradición, es decir a las condiciones, sentido y circunstancias que rodearon en su tiempo la aparición de la obra, son aludidas con frecuencia y constituyen una fuente de información e inspiración.

Como ejemplo de esta actitud sobre el texto, podría citarse desde el trabajo de adaptación de Hofmannsthal, hasta las experiencias de Meyerhold, en concreto *El Inspector,* donde integró materiales de toda la obra gogoliana, lo reestructuró en episodios, añadió personajes y a través de un análisis de extraordinaria agudeza, estableció el paralelo entre las contradicciones que Gogol desveló en su tiempo y las existentes al crear el espectáculo en 1926 (23). Esta síntesis entre historicismo y contemporaneidad es perceptible no sólo en la lectura e intervención sobre el texto, sino también en la búsqueda de los materiales significativos en el conjunto de la puesta en escena.

Años antes se había realizado ya una experiencia menos radical pero de interés para nosotros, pues se trataba del montaje de *Fuenteovejuna,* por Marzanishvili. Queriendo proyectar el significado del texto sobre los acontecimientos revolucionarios recientes, era 1919, se acrecentó la presencia de los campesinos y se suprimió la parte final en que los reyes sancionan favorablemente la rebelión popular y condenan a los señores y sus secuaces. Conocida comunmente como la *Fuenteovejuna de Moscú,* en realidad se realizó en Kiev y se remontó en Tbilisi (Georgia), en 1922 (24). Hoy en España, esa parte suprimida tendría para nosotros un sentido diferente y pudiera más bien, corroborar el pacto táctico entre el pueblo y la Corona para la consolidación de la democracia.

Esta misma actitud intervencionista fue practicada por directores como Piscator, Gaston Baty, Brecht, Jessner, y más cercanamente por Beno Besson, Kreicha, Liumbimov, Brook, Marowitz, Gruber, Carmelo Bane y muchos otros. La integridad del texto fue fundamentada por Copeau y sus seguidores en Francia como Jouvet, Dullin, Barrault, Vilar; también por Gemier, Planchon o Chereau y en otros países por Stanislavski, Vagtangov, Visconti, Strelher, Squarzina, Peter Hall, Stein, Zadek, Werwert, Palitzsch, etcétera. La práctica escénica de estos directores muestra sin embargo que si su intervención sobre el texto no es sistemática ni a veces profunda, sí se producen con frecuencia cortes, adecuaciones, reordenación e incorporaciones de personajes y textos.

La estilística dominante en cada momento o la competencia y confrontación de estilos diferentes que caracteriza la evolución artística de nuestro siglo, ha orientado las realizaciones escénicas. La aceptación y defensa del carácter polivalente de la obra, permite no sólo múltiples análisis sino también la utilización de procedimientos y estilos diversos. Se ha desterrado en la práctica la anacrónica concepción mantenida por ciertos comentaristas teatrales, de que cada obra tiene su estilo propio y único del principio al fin de los tiempos. El *Tartufo* de Jouvet y el de Planchon, poseen la misma comunidad de origen y sin embargo, sus objetivos son diversos, y la elección y organización de los materiales escénicos, los procedimientos utilizados, los convierte en espectáculos distintos. Hoy es posible asistir a un deslumbrante ejercicio de contraste entre diferentes puestas en escena de una misma obra. Experiencias como la de los seis *Tartufos* que coincidieron en París a comienzos de los setenta, por ejemplo, son muy demostrativas y enriquecedoras.

Dos cuestiones destacan entre los rasgos generales típicos de esta opción estética. Por un lado el empleo del análisis y práctica dramatúrgica. Por otro, la tensión dinámica entre respeto y libertad hacia el texto heredado.

La dramaturgia, tal y como hoy la entendemos, es una actividad que se ha desarrollado y adquirido entidad propia a lo largo de los últimos sesenta años, como respuesta a nuevas necesidades planteadas al hecho teatral. Patrice Pavis dice que en su acepción teórica contemporánea, la dramaturgia "se pregunta cómo están dispuestos los materiales de la fábula en el espacio textual y escénico y según qué temporalidad. Estudia la estructura a la vez ideológica y formal de la obra, la dialéctica entre una forma escénica y un contenido ideológico y el modo específico de recepción del espectáculo por el espectador. En su voluntad de no separar la dramaturgia de la ideología, los medios formales y los contenidos a transmitir, el análisis dramatúrgico integra necesariamente la semiología que quiere también descubrir la articulación de un significante global y del significado correspondiente" (25).

De esta aproximación teórica podemos deducir ciertos aspectos de lo que es la práctica dramatúrgica en la puesta en escena.

1. Aportación informativa: análisis de autores, lectura

y selección de obras en base a criterios propios al discurso ideológico y estético de un conjunto teatral.

2. Aportación teórica: exploración y coordinación de estudios y documentos provenientes de diferentes ciencias.

— Literatura.

— Ciencias del teatro (historia del teatro, teoría del teatro, estética teatral, etc.).

— Ciencias humanas, historia, sociología, musicología, historia del arte, la artesanía, las artes aplicadas, el diseño, el traje, etc., antropología, filosofía y otras).

3. Aportación analítica:

— Lectura contemporánea del texto. Definición del "núcleo de convicción dramática" y los "subrayados analógicos".

— Orientación de la posible intervención sobre el texto.

— Enunciado general del planteamiento estético y estilístico a seguir.

— Enunciado general del procedimiento dramático.

4. Aportación a la dinámica:

— Definición de la fábula, hechos y bloques.

— Estudio del significado de los personajes y de sus relaciones. Estudio de los procesos, contradicciones y concordancias.

La enumeración de las diferentes fases del trabajo dramatúrgico, no debe reducirlo a simple escolástica. Por el contrario, los contenidos científicos de la práctica dramatúrgica exigen también de la imaginación creativa. De un modo u otro, este es el sentido que diferentes directores le dieron al señalar la importancia de que ese trabajo tuviera una personalidad definida y persiguiera unos objetivos concretos. Piscator lo expresaba de este modo: "El director, no puede ser un mero criado de la obra, pues la obra no es algo rígido y definitivo, sino, una vez puesta en el mundo, crece con el tiempo y asimila nuevos contenidos de conciencia. Así crece para el director la tarea de hallar aquel punto de vista desde el que pueda descubrir las raíces de la creación dramática.

Este punto de vista no puede ser sofisticado ni elegido caprichosamente; sólo mientras el director se sienta como servidor y exponente de su época, logrará fijar el punto de vista que comparte con las fuerzas más decisivas que constituyen la esencia de la época" (26). La segunda cuetión es la de la libertad de creación en la puesta en escena. Nos encontramos ante el binomio libertad-respeto, que no es algo simple o anecdótico sino un problema crucial en la escenificación contemporánea de los clásicos. Libertad que ha sido un principio reivindicado por todos los directores de nuestro siglo, de Gordon Graig hacia acá. En 1930, Leopold Jessner lo argumentaba de este modo: "Los clásicos deben soportar el trabajo del director, cuya misión es adaptarlos al tiempo actual, para que podamos sentirlos y comprenderlos. Es permitido dar adaptaciones de la "Biblia" todos los domingos en la iglesia, pero se niega el permiso al director para hacer lo mismo en el teatro" (27). Brecht hablaba del polvo depositado sobre estas obras por la negligencia, las falsas interpretaciones y los intentos de restauración mal hechos. Reclamaba una limpieza a fondo para descubrir el auténtico sentido de los originales. Su *Intimidación por los clásicos,* concluye con estas palabras: "Si nos dejamos intimidar por una concepción falsa, superficial, decadente, pequeñoburguesa del clasicismo, no llegaremos nunca a dar representaciones vivas y humanas de las obras clásicas. Para manifestarles el auténtico respeto al que tienen legítimamente derecho, debemos desenmascarar el respeto hipócrita y falso" (28).

La libertad de creación, como ya hemos dicho, no se circunscribe al trabajo con el texto sino que afecta a la totalidad del discurso escénico. El resultado es de una admirable riqueza pero también de extrema complejidad. Hemos visto espectáculos estilísticamente emparentados con el futurismo y el constructivismo, otros con el realismo, el expresionismo, la abstración conceptual; incorporados métodos ilusionistas, convencionales y dialécticos; cultivar la ingenuidad, la mezcla de épocas, la síntesis, el eclecticismo; interpretaciones interiorizadas biomecánicas y demostrativas. Todo ha sido posible. Los viejos temas, sus relaciones, sus pasiones, sus razones... han propiciado estilos y construcciones escénicas diferentes. Los héroes han exhibido su flaqueza ante las acuciantes punzadas de la fisiología; los Átridas se pasearon por las canchas de tenis, los salones y jardines de la alta burguesía. Bernard Dort ha escrito recientemente que "la noción de dramaturgia" está lejos todavía de haber producido todos sus efectos. No sólo propone un nuevo tipo de colaboración entre el director y su colectivo, esté compuesto o no por dramaturgos específicos) sino que contiene también una nueva forma de la obra teatral (...) Entre el autor (o el texto), el director, los "dramaturgos", el escenógrafo, los actores, los técnicos, se organiza otro reparto del trabajo" (29).

Es imposible precisar en qué momento se rompe el equilibrio entre respeto y libertad creativa. Nadie podría proponer un sistema de medidas satisfactorio. Muchas veces se trata de la impresión subjetiva de quien observa el espectáculo. Veinstein dedica muchas páginas a analizar el problema a partir de los datos existentes hasta aquel entonces. Sus conclusiones, sirven al menos para comprender que esta cuestión no es posible reducirla al juicio lapidario de los mandarines provistos de cartabón y escuadra. Lo que importa, es comprender el sistema de tensiones dinámicas que se establecen y permiten que el teatro se desarrolle. Las transcribo aquí como final de este apartado:

1. "La libertad" del director, como la de todo intérprete, consiste, una vez que se ha "liberado" de las sujecciones extrañas a su arte, en el respeto a las sujecciones que le son propias.

2. Ahora bien, precisamente las sujecciones del arte dramático, implican el respeto por la representación, lo que a su vez implica el respeto por la obra escrita. El respeto por el teatro termina pues, por postular, el respeto por la obra escrita, es decir por sus nociones estructurales, concretas y trascendentes, constantes e, inversamente, el respeto por la obra escrita postula el respeto por la representación y por el arte dramático entero, con sus nociones estructurales, concretas y transcendentes, constantes o variables.

3. La obra escrita aparece, de manera positiva, como un formulario de actos, que supone la contribución de un equipo cuyo director es el jefe. Equipo cuyo trabajo produce la representación, única obra específicamente dramática en la cual, en el momento en que se manifiesta al público, se unen y se concilian las diferentes sujecciones a las que acabo de hacer alusión.

4. Esta obra común, indivisiblemente compuesta con elementos proporcionados por el autor, los intérpretes y el público, prueba por su misma existencia que (...) las diferencias que separan a autores e intérpretes y a los intérpretes entre sí, (...) en ocasión de cada obra, no son en cierta manera "cualitativas" sino "cuantitativas", porque residen en la diferencia de dosificación que

intervienen en las partes respectivas de creación y de ejecución. Estas funciones aparecen, pues, desde este nuevo punto de vista, como análogas y complementarias; lo que torna arbitraria y falsa toda oposición entre ellas.

5. Agreguemos que esta obra común, aunque compuesta en dos tiempos y por espíritus diferentes, supone necesariamente en el autor, el director y los otros intérpretes, para retomar esta expresión muy imprecisa, una "inspiración común". Negarlo, no es negar solamente los éxitos que ilustra la historia del teatro, sino también todo valor a las manifestaciones artísticas nacidas de un esfuerzo colectivo" (30). Es por tanto el sentido de la responsabilidad, los conocimientos y la maestría de quienes crean el espectáculo, lo que se pone en juego y queda al desnudo.

V

Por lo que se refiere a España, parece bastante obvio que la segunda de las opciones descritas fue la dominante en los últimos decenios. Cumplía a la perfección con el uso que de los clásicos se quiso hacer durante la dictadura. Aseguraba la dosis de boato, pompa, circunstancia y grandilocuencia retórica del fascismo a la española. Hablo de cuando se le quiso instrumentalizar en este sentido, que no fue tanto como se piensa. En realidad, los clásicos —integrantes de un teatro que se mantenía en los niveles justos de la supervivencia agónica— sufrían los males comunes de la depredación cultural, acrecentados por su imposible conversión en productos comerciales, alimento de ese patético Broadway a la española que algunos soñadores aldeanos quisieran perpetuar.

Los clásicos, como parte substancial del repertorio contemporáneo, nunca gozaron de un proyecto programático dentro de una política teatral definida, que potrenciara su conocimiento, difusión, investigación y exploración de diferentes formas de trabajo y puesta en escena. La nueva situación no ha traído cambios significativos y sí no pocos quebrantos. Prueba de ello son ciertos espectáculos inscritos en las opciones tercera y cuarta. La tendencia actualizadora, sobrenadando en las aguas procelosas del populismo cutre que nos invade, se ha prodigado más en los últimos tiempos.

La última de las tendencias descritas es quizás la que menos aportaciones numéricas ha dado, pero sí las más significativas. Es necesario subrayar que tal y como se formula este tipo de trabajo, supone la existencia de una trama organizativa, de infraestructura, medios y sosiego, que raramente se dan en la producción teatral española. Integrar la información, estudio, documentación, análisis, investigación y experimentación, en la práctica escénica concreta, no es sólo cuestión de voluntad y de saber, sino de contar con las posibilidades materiales e intelectuales de hacerlo. A mi modo de ver, esa es la razón por la que no siempre estos trabajos han podido darse en plenitud. También, claro está, porque no todos los integrantes de un equipo poseen el mismo nivel de conocimientos, profesionalidad e incluso de objetivos. Es cierto que todo proceso de trabajo supone una decantación, pero en las condiciones actuales eso no basta. Es necesario partir de núcleos teatrales con procedimientos sólidos y objetivos claros, con la continuidad asegurada para propone su discurso estético, aplicando después las correcciones necesarias para que su paulatina consolidación se lleve a cabo.

A pesar de los muchos inconvenientes que hoy subsisten, creo que este es el camino por el que insistir para la revitalización de nuestros clásicos y de los otros. Hay unos cuantos puntos que deberían ser integrados en su puesta en escena:

Reforzar la conciencia de identidad nacional, frente a las múltiples formas de colonialismo cultural y dependencia política que hoy nos acechan.

Mostrar su "humanismo" como alternativa a las formas de vida social engendradoras de competitividad, violencia e insolidaridad.

Profundizar la lectura analógica de los textos y proponerla como algo abierto e inteligible al espectador. Más como interrogante que promueve y activa que como afirmación concluyente que inmoviliza.

Buscar procedimientos teatrales y formas de articulación de los diferentes elementos escénicos, coherentes con la propuesta dramatúrgica. Que sean expresión de sus significados y no los oscurezcan o suplanten al convertirse en fines en sí mismos. Que la tecnología erigida en monopolizadora del espectáculo no ahogue al actor ni diluya los significados.

Establecer con claridad lo que denominamos "núcleo de convicción dramática", es decir las razones del "por qué" y "para qué" de la elección de un texto. Qué se quiere contar. Cuál es el objetivo fundamental que se intenta transmitir, cuáles los secundarios, etc.

Conseguir que los clásicos pierdan la fijación y el lustre de su monotonía rutinaria, el esplandor de su culturalismo huero, vano y somnoliento, la inoperancia de su sacralización hipócrita. Que recuperen su vitalidad de origen, su capacidad de producir placer interrogando nuestra coincidencia y nutriendo nuestra sensibilidad, incorporándose de forma sistemática al repertorio teatral contemporáneo.

El trabajo que propongo no es quizás el más gratificante a corto plazo pero sí, creo, el que produciría transformaciones más profundas. Un teatro que como el nuestro se debate entre tanta puerilidad, superficialidad y banalidad, disfrazadas a veces de empaque verborreico transcendente; donde los sentimientos y emociones sucumben ante la invasión del sentimentalismo ñoño y ramplón pero, eso sí, con sus imprescindibles gotitas de "amor culpable" o "amor obscuro" si se tercia... y se tercia porque vende; donde la pasión se confunde frecuentemente con el griterío incontrolado, tirarse de los pelos y retorcerse las tripas; donde el conocimiento y el estudio es mirado con desconfianza y desdén, como si existiera un complot defensivo de la ignorancia, camuflado tras la reaccionaria exégesis de la espontaneidad o "silvestrismo" de la creación artística; donde se prefiere un espectador adocenado que responda a estímulos primitivos, que un ciudadano que disfrute con la participación en el hecho artístico; donde lo tópico se ensalza y lo típico se desprecia; donde parece que la patente de investigación estética, la permisivilidad de las máximas audacias, sólo la detentan los epígonos del formalismo caduco de colorín y tarlatana, caída de pestaña y cachón de mozuelo al desnudo, mientras se considera digna de toda sospecha cualquier tentativa de profundización estética que roce un compromiso cívico: ¡Hasta ahí podíamos llegar! Un teatro así, no recibirá con alborozo las lecturas y escenificaciones analógicas que propongo y que, además de un alto nivel de preparación cultural, científica y técnica de quienes hacen el espectáculo, considera al espectador un ser inteligente, capaz de pensar y establecer asociaciones y paralelismo creadores, y no ser simplemente la víctima propiciatoria de estímulos que lo reducen a cobaya de laboratorio. Tampoco va a ser capaz de renovar para el mundo, nuestra compleja y rica herencia teatral que hoy es practicamente desconocida para el público y los profesionales.

Estoy convencido que esta tarea de renovación podría ser un ingrediente atractivo de cualquier programa estético-teatral consecuente. Un programa, cuya urgencia reclamamos desde hace tiempo para que nuestro trabajo tenga sentido y perspectiva. Porque —como en otra ocasión escribí— un teatro vigoroso, socialmente enraizado, culturalmente responsable, estéticamente pródigo en iniciativas, debe dedicarse activamente a los clásicos. Esa es nuestra apuesta.

NOTAS

(1) Margot Berthold, *Historia social del teatro.* T. I, p. 209. Ediciones Guadarrama. Madrid, 1974.

(2) Silvain Levi, *Le Théatre Indien,* Edit. Bouillon. París, 1890, pp. 378 y 369.

(3) Ver: Max Graube, *Historia de los Meininger,* 1926; Antoine, *Mes souvenirs sur le Théatre Libre".* París, Fayard, 1921; y *Mes souvenirs sur le Théatre Antoine et sur L'Odeon,* París, Grasset, 1928.

(4) Paul Legband. *Der Regissur,* J. P. Thoth, Hamburgo, 1947.

(5) Becq de Fouquieres, *L'Art de la mise en scene",* Charpentier, París, 1884, p. 11 a 30. Opiniones parecidas fueron formuladas por Augusto Comte, Barbey D'Aureville, Mallarmé, Henri Ghéon, etc.

(6) Marcel Espiau, *L'Ami du peuple,* 14-IV-1929.

(7) H. R. Lenormand, *Notes sur le Regisseur Allemand Moyen,* "Correspondence", n.º 19, p. 23

(8) A. Villiers, *Le Metteur en scene,* en "Masques", 1945, n.º 1,p. 151

(9) Flammarion, París, 1955. Traducción castellana en Compañía General Fabril Editora, Buenos Aires, 1962.

(10) Henrhi Gouhier, *L'Essence du théatre,* Plon, París 1943, p. 76-77. Traducción castellana en Ediciones del Carro de Tespis, Buenos Aires, 1956, p. 71.

(11) *L'Usurpation du metteur en scene,* Le Figaro 16-VII-1929.

(12) *Divadelni Uvahy a programy (1920-1952),* Praga, Orbis, 1956. Traducido al francés en "Travail théatral", n.º 4, julio-septiembre 1971, pp. 5-20, Lausanne-Suiza.

(13) Obr. cit. pp. 93-95-105.

(14) Obr. cit. p. 245. Veinstein recoge las opiniones de Copeau y Gouhier.

(15) F. Gémier, *Le Théatre,* Grasset, París, 1924, pp. 39 y 150; Parecidas opiniones aparecen en escritos de Copeau, Craig, Appia, Jouvet, etc. Dullin recomendaba a los directores precaverse contra "la

prudencia debilitadora de los viejos principios para no caer en la conformidad de esas realizaciones convencionales so pretexto de escapar a cualquier precio, a los excesos de originalidad". *A l'usage du metteur en scene,* "Correspondence", n.º 24, p. 22; Meyerhold, desde otra perspectiva, escribe: "comete un error el dramaturgo que dice: "he escrito esto y hagan el favor de seguirlo al pie de la letra". Pero unas líneas escritas en unas condiciones suenan de una manera y en otras condiciones de otra. (...) ¿Qué significa esto? Que lo escrito por Chejov puede ser leído dos, tres, cuatro, cinco veces y cada lectura será distinta. Esa es la cuestión. Para que la pieza suene en el escenario se requiere tener una ideología. Hay que entender lo que el autor tiene de erróneo, ver a tiempo este aspecto erróneo y, esto es lo principal, llegar hasta las raíces de las que brotó esa pieza". "Escritos Teóricos", Comunicación A, Madrid 1972, T. II, p. 254.

(16) Gisele Brelet, *L'interpretation creatrice,* PUF, París, 1951, T. I, p. 94. Las conclusiones a que llega, aparte de la reseñada, son estas: a) Nuestros escrúpulos históricos son una creación del siglo XIX. b) La "voluntad" de "indeterminación" de los compositores del primer clasicismo, por ejemplo, era evidente. c) Una reconstrucción, aunque fuera posible, es "interpretada" de todos modos por el auditorio. d) Mal comprendida, confunde el punto de vista del arte y el punto de vista de la ciencia. e) Hay una especie de superstición en suponer "que los contemporáneos de una obra fueron los únicos que tuvieron una visión exacta de ella". f) La modificación paralela de los estilos de creación y de ejecución constituyen un hecho de evolución que no puede ser obstaculizado. g) La permanencia de la obra es el resultado de sucesivas y variables actualizaciones.

(17) A Villiers, *Psychologie de l'art dramatique.* A. Colin, París 1951, p. 100.

(18) Ruggero Jacobbi, *Guida per lo spettatore di teatro,* G. D'Anna, Messina-Firenze, 1973, p. 43.

(19) Curiosamente no fue esta la postura de Larra, cuyas críticas teatrales en los años treinta del pasado siglo, son un modelo de análisis del hecho escénico en su plena complejidad y por lo tanto, de una sorprendente modernidad.

(2O) Charles Dullin, *Le Théatre, ses conditions actuelles, ses tendences,* "Correspondence", enero 1929, p. 13. Opiniones similares de Copeau, Jouvet y Roché.

(21) Dullin, cit. p. 28

(22) Obr. cit. p. 49

(23) Gaston Baty y R. Chavance, en su *Arte teatral,* Fondo de Cultura, Mexico, 1955, hacen una breve descripción del trabajo de colaboración entre Max Reinhardt y Hofmannsthal: "En el atrio de la iglesia del Salzburgo, representó (Reinhardt) una moralidad medieval, el *Monsieur chacun'* y *El gran teatro del mundo,* de Calderón,

adaptados por Hugo von Hofmannsthal. El pórtico y las calles vecinas servían de entradas y salidas. Algunas escenas se desarrollaban dentro de la misma catedral. Gracias al benévolo patrocinio de las autoridades eclesiásticas, fueron puestos a disposición de los actores los objetos del culto y los ornamentos sagrados. En medio de tal decorado, y con accesorios de irrefutable autenticidad, la acción dramática, conducida por numerosos intérpretes, cuyas evoluciones estaban sabiamente reguladas, alcanzó una singular vivacidad" (p. 262). Meyerhold, obr. cit. pp. 131-180. Para comprender el impacto de los montajes del director ruso en este período, ver los artículos de Lunacharski. Jurij Dimitriev en su *Sovestskij cirk* (Moscú 1963, pp. 141-42), cuenta la siguiente ánécdota: "En el circo de Moscú, en una esceni-ta-kich (victoriana), el clown Lazarenco y el director de pista intercambian el siguiente diálogo: Director: Por favor, dime los nombres de los tres más grandes dramaturgos de Rusia. Lazarenko: Meyerhold, y Meyerhold y Meyerhold. Director: Pero yo pensaba que eran Griboiedov, Gogol y Ostrovki. Lazarenco: Vaya al TIM (Teatro Meyerhold) a ver *¡Qué desgracia ser inteligente!, El Inspector, El bosque,* y comprenderá quien es el autor". Recogida por A. M. Repellino en *Il trucco e l'anima,* Einaudi, Torino 1965, p. 339.

(24) Nodar Gurabanidze, hace una descripción de las dos puesta en escena en *Homage a Marzanichvili,* Ed. Khélovneba, Tbilisi 1972, pp. 120-125. "Marzanichvili es el autor del primer espectáculo revolucionario (*Fuenteovejuna,* Kiev, 1919), que entró en los anales del teatro en tanto que "espectáculo legendario". Fue la primera vez que se vio al pueblo luchando y defendiendo sus derechos, combatiendo la tiranía, consiguiendo la victoria y festejando su triunfo. La lucha de los campesinos españoles unidos por un solo objetivo cívico, su entusiasmo heróico, sus sacrificios, correspondían al estado de espíritu de la época. Los dos planos del espectáculo, la España popular, gozosa, amante de la vida, agitada, sincera y orgullosa de un lado, y, del otro, la monarquía española refractaria, recordando una marioneta, falsa, efímera, expresaban el punzante conflicto revolucionario que destruía, negaba el viejo mundo y sobre esas ruinas emprendia la construcción de un mundo nuevo. El conflicto era plástico. La acción del pueblo (Laurencia, Frondoso, Mingo) era libre, franca, "musical", mientras que la acción de los favoritos de la corte real era estilizada, condicionada, dada en perfiles. Dos Españas eran igualmente representadas en escena, la que baila, subida de color y de paisajes rítmicos (brillante colorido amarillo y rojo, las almenas de las torres como lenguas de fuego y, al fondo, las casas de rojos adobes en la hierba) y el segundo telón en tonos negros, azules, grises, que cierra la escena dos, mostrando los feudos de las grandes familias. Pero, según S. Yutkevitch, estos dos mundos, expresados mediante medios estilísticos diferentes, no contienen ninguna traza de artificio. "Por la

fuerza de su talento y de su intuición, Marzanichvili ha encontrado el límite, esa franja de la convención teatral que, siendo por su misma esencia grotesca, expresaba con exactitud las intensiones satíricas del director". "Kiev vio *Fuenteovejuna* y el aire fresco penetró en la sala del antiguo teatro Solovtsov" (I. Ehrenburg). (...) Un entusiasmo inaudito reunía la escena y la sala, los espectadores transportados abandonan el auditorio cantando la Internacional, mientras los soldados del Ejército Rojo se dirigían desde el teatro directamente al frente para tomar parte en la lucha contra la guardia blanca. (...) *Fuenteovejuna,* representada el 25 de noviembre de 1922, entró en la historia del teatro georgiano en tanto que signo de su renacimiento, en tanto que etapa importante de su renovación. Esta obra ofreció a Marzanichvili la posibilidad de llevar al teatro georgiano el espíritu revolucionario y romántico y, al mismo tiempo, crear un espectáculo de estructura sinfónica, a fin de mostrar espontáneamente el talento del actor georgiano, su juego plástico, sus dones musicales y su temperamento. (...) Los colores eran explosivos, la tonalidad general elevada en tono, la naturaleza plástica y el temperamento de los actores convertían el pathos romántico en algo todavía más vivo y excitante" Nodar Gurabanidze, en *Hommage a Marzanichvili,* Ed. Khélovneba, Tiblisi, 1972.

(25) Patrice Pavis, *Intervention,* en "VS-Quaderni di estudi semiotici", Ed. Bompiani. Milano 1973. n.º 21, p. 47.

(26) Cit. por Berthold, cit. T. II, p. 297-298.

(27) L. Jessner. *Intervención en el IV Congreso Internacional de Teatro,* Hamburgo, junio de 1930. En "Cahiers du théatre", diciembre 1930, n.º 7, p. 15.

(28) B. Brecht, *Escrits surle théatre* L'Arche, París, 1963, pp. 315-317. El tema es desarrollado también en otros trabajos: *Notas a la puesta en escena de "Don Juan", Invención poética y oficio* y el *Análisis de la primera escena de "Coriolano",* entre otros.

(29) Bernard Dort, *La Regie,* en "Teatro del '900", Feltrinelli, Milano, 1980, p. 484.

(30) Obr. cit. p. 300 -301.

JUAN ANTONIO HORMIGÓN.— *Pido disculpas, pero no me he pasado mucho. Bien, vemos rápidamente con la última de las ponencias, de la que también se va a hacer un resumen.*

BASES DE UNA POLÍTICA TEATRAL PARA EL TRABAJO CON LOS CLÁSICOS

ASOCIACIÓN DE DIRECTORES DE ESCENA

ASOCIACIÓN DE DIRECTORES DE ESCENA

En junio de 1981, tuvo lugar la Asamblea Constituyente de la Asociación de Directores de Escena. Era la primera vez en la historia del teatro español que se lograba organizar una asociación que reunía a los profesionales de la puesta en escena. La Junta Directiva quedó integrada por Angel Fernández Montesinos como presidente, Juan Antonio Hormigón, secretario y Guillermo Heras, tesorero. Los cuatro vocales: Manuel Collado Sillero, Manuel Canseco, José Luis Gómez y Juan Antonio Quintana. El número de asociados se aproxima en la actualidad al medio centenar.

Desde entonces, la Asociación de Directores de Escena ha desarrollado una actividad de orden interno tendente a establecer las bases para una actuación pública que mejore las condiciones de trabajo del director de escena en España. Ha propiciado tareas formativas y ha desarrollado su intervención en torno a cuestiones de creación, organización o gestión del teatro en nuestro país.

Durante los meses de noviembre-diciembre de 1981, la Asociación de Directores de Escena colaboró con el Aula de Teatro de la Universidad Complutense de Madrid en la organización de un seminario sobre "La puesta en escena en España".

El 15 de diciembre, coincidiendo con su presentación oficial, se inauguró una "Muestra gráfica de montajes escénicos" de sus asociados. El material reunido, casi doscientas fotografías y unos cuarenta carteles, mostraba una parte de la historia de nuestro teatro contemporáneo. Esta exposición recorrerá diversas ciudades españolas. Paralelamente se desarrollarán mesas redondas y debates en torno a la problemática y significado del director de escena.

La Asociación de Directores de Escena proyecta una amplia serie de actividades en unión de otras instituciones para su futuro inmediato.

GUILLERMO HERAS.— *"Bases de una política teatral para el trabajo de los clásicos", es una ponencia que hemos elaborado la Junta Directiva de la recientemente creada Asociación de Directores de Escena, que en la actualidad agrupa a casi cuarenta directores, entre los cuales hoy contamos en la sala a compañeros como Carlos Miguel Suárez Radillo, César Oliva, Paco Nieva o el mismo Juan Antonio Hormigón. El hecho de que la lea yo, se debe simplemente a un problema técnico porque no ha podido venir el presidente, Angel Fernández Montesinos. Insisto en que es una ponencia en la que hemos intentado conjugar las diferentes líneas, tendencias e ideologías que tiene una asociación como la nuestra, que abarca prácticamente el 90 % de los directores de escena en activo que hay en Madrid, y a la que, poco a poco, se van incorporando los demás compañeros de otros lugares del estado.*

* * *

Creada el pasado mes de junio, la Asociación de Directores de Escena que agrupa en la actualidad a casi cuarenta profesionales, definida en sus estatutos como independiente de partidos o sindicatos, estableció como uno de sus objetivos fundamentales intervenir activamente en el debate en torno al presente y futuro de nuestro teatro. Agradecemos por tanto la invitación que se nos hizo a participar en estas Jornadas de Almagro, y al mismo tiempo manifestamos nuestro deseo de que las propuestas que a continuación exponemos no caigan en saco roto ni en la esterilidad del olvido. En la medida que exista el más mínimo interés por esbozar una política teatral con cierta estabilidad y perspectiva, nos consideramos interlocutores cualificados para aportar propuestas y debatir soluciones.

I

Dado que consideramos a los clásicos como parte substancial del repertorio contemporáneo, que su puesta en escena, aproximación estética y elaboración dramatúrgica, constituyen objetivos prioritarios de nuestra profesión, los aspectos de política teatral que posibilitan la realización de un trabajo consecuente y en condiciones fructíferas, son esenciales para nosotros. Nuestras propuestas se formulan por tanto como aportaciones sinceras, son fruto de constataciones que todos hemos sufrido, llegan a la denuncia de lo que casi todos conocemos pero que, aun pudiendo, no se le pone remedio. No pretenden ser verdades absolutas pero sí parte de la verdad, y en consecuencia, estamos dispuestos a luchar porque el porvenir de nuestro teatro sea más transparente, más nítido y el director de escena español ocupe el lugar que debe en el conjunto de la creación artística de nuestro país.

II

Una política teatral nace de la convicción de que el teatro debe ser protegido, apoyado e impulsado por la sociedad para que pueda desarrollar su libertad creativa, responder a las espectativas, crisis y necesidades estéticas e ideológicas que la sociedad civil le plantea, y afirmarse como bien de cultura. Las instituciones públicas representativas definirán un programa de acción que establezca no sólo el sentido y lugar que al teatro se le da, sino todo el entramado financiero, productivo, de organización y difusión, etc., que lo hará posible.

En nuestro país, las instituciones a que hemos hecho referencia se denominan Ministerio de Cultura, Concejalías de Cultura, Consejerías de Cultura; pensamos ser consecuentes al afirmar que una política teatral democrática que canaliza los recursos sociales destinados al teatro, tiene que centrarse estrictamente en el que se defina por sus objetivos y realizaciones como bien de cultura.

Sabemos que no siempre es fácl establecer los límites y diferencias entre el teatro como hecho cultural y otras franjas variopintas de lo que se denomina "mundo de espectáculo escénico", basadas en planteamientos industriales y cuyo único objetivo es la obtención de beneficios. Para conseguir esa diferenciación podrían discutirse y pactarse criterios valorativos que establecieran con claridad la pertenencia a uno u otro campo. Nuestra sorpresa y decepción surgen cuando en el momento presente, la ambigüedad de criterios permite que la confusión impere y proliferen ayudas a quienes nada tienen que ver con el teatro como hecho cultural vivo.

En definitiva, creemos coincidir en líneas generales con las incursiones teóricas de nuestra anterior ministra de cultura, Soledad Becerril, con ocasión de la entrega de las medallas de Bellas Artes, ratificadas en su intervención en la conferencia de la UNESCO del mes de julio. Allí insistió en que "la cultura, como bien de demanda universal, se ve amenazada por quienes controlan el mercado de la industria cultural". Apeló a su cordura —dice el corresponsal— y a una autolimitación de sus ambiciones, más comerciales que culturales, para que no se produzca un empobrecimiento general de la humanidad. "La imaginación y la iniciativa del hombre —prosiguió— precisan de la libertad, el respeto y la confianza en sí mismas para desarrollarse, teniendo como punto de partida el respeto a la pluralidad". Incluso un "tremendo conservador" (contundente calificativo que quien lo conoce tan bien como Gordon Thomas (E. P. 1-VIII-82) aplica al pontífice actualmente reinante), en su carta al citado evento ruega que "la cultura tienda efectivamente a la promoción de la vida humana y no a su destrucción, a la vez que permita aflorar cada vez más la dignidad de la persona" (Efe 31-VII-82). Palabras que a quienes inspiran y proclaman sus concepciones del mundo, la sociedad, la vida y la cultura en el liberalismo o el humanismo cristiano, debieran, cuando menos, servirles de reflexión respecto al flagrante contrasentido entre lo que dicen y lo que hacen, entre sus escarceos verbales y su práctica política y social.

De todos modos, son las manifestaciones de la anterior ministra de cultura las que nos interesan particularmente, porque representan la máxima opinión gubernativa en este ámbito. Reconocemos el interés de sus afirmaciones, pero confesamos al mismo tiempo nuestra fatiga ante aseveraciones de este tipo que nunca han ido acompañadas de medidas, programas y acciones para ponerlas en práctica. Por eso subrayamos las dos ideas motrices que nos han llegado de la intervención de Soledad Becerril: necesidad de una política cultural que asegure la libertad de creación y defensa de la cultura del riesgo de mercantilización a que pretenden reducirla quienes controlan el mercado, es decir, fundamentalmente su difusión. Sólo que nosotros pensamos que los llamamientos a la "buena voluntad" a estos personajes con rostro o con el membrete de una sociedad anónima, son algo utópico. Lo que pedimos es un plan concreto que haga realidad sus palabras, más fácil en el campo del teatro que no choca directamente con la agresividad frontal de las multinaciones.

Sin entrar en los aspectos programáticos concretos sino en sus enunciados generales, nosotros consideramos que una política teatral coherente y consecuente con estas ideas debería propiciar los medios más idóneos, eficaces y positivos en cuanto a infraestructura, financiación y difusión de la práctica teatral, para conseguir un desarrollo armónico, dinámico y constructivo del arte del teatro, un impulso y crecimiento de su creatividad, ampliación de sus repertorios, mayores posibilidades técnicas, liberación de lacras comerciales que ahogan su libertad y lo adocenan reduciéndolo a simple mercancía, ampliación del número de espectadores, logrando que participen sectores cada vez más amplios, y proporcionar unas condiciones justas capaces de ilusionar y abrir espectativas e incentivos profundos a los profesionales del teatro en sus diferentes especialidades.

La concretación de estos principios en un programa plantea cuestiones de organización, criterios valorativos, fijación de objetivos, etc. El estudio de los modelos existentes en diferentes países de Europa, nos permitiría observar los aspectos positivos y las deficiencias a evitar para construir nuestra propia opción, acorde con las realidades españolas. Habría que intentar la convergencia de todos los organismos culturales, estatales, autonómicos y municipales, en apoyo de una acción conjunta sobre el teatro. Pensamos que en una situación de precariedad como la que atravesamos, el diseño de un proyecto conjunto dotaría de más recursos y medios la acción teatral, e indudablemente, habría que establecer una planificación en la que se fijaran los objetivos a corto, medio y largo plazo que se desearan alcanzar.

Objetivos que deberían tener un carácter acumulativo, llevando de un escalón a otro.

En la medida que esta iniciativa político-cultural la realiza la sociedad a través de sus órganos representativos, sus destinatarios serán las instituciones y compañías teatrales cuyos planteamientos respondan a los fines, repertorios, procedimientos de trabajo, mecanismos y fórmulas de difusión, etc., inscritos en el marco antes descrito del teatro como hecho cultural. Nos referimos específicamente a los teatros totalmente financiados, los del sector público, y a los que lo son parcialmente, de economía mixta. No a los que en la actualidad existen sino a los que debieran existir. Creemos que a quienes se plantean el teatro como una industria, ya se les han proporcionado créditos a bajo interés dado que se considera un sector con crisis de inversión.

Por supuesto que la puesta en marcha de un proyecto mínimamente digno de política teatral, exige unos fondos presupuestarios adecuados. Es imprescindible que los presupuestos se amplíen. Pero no quisiéramos dejar pasar la ocasión sin señalar que una gran parte del dinero que hoy existe se pierde en fuegos fatuos, en peregrinas maniobras de prestigio, en demagógicos populismos electoreros que no crean infraestructura ni continuidad. Que la impermeabilidad e incluso la irascibilidad de unos ámbitos administrativos contra otros impiden abordar iniciativas de mayor alcance. Que el dinero no siempre se emplea con sentido común y sí con alarmante ligereza, más aún si se tiene en cuenta su parquedad.

Dicho esto, insistimos en la necesidad de unos presupuestos para el teatro que no sonrojen nuestra condición de ciudadanos de un país que se dice desarrollado, democrático y de hondas tradiciones culturales. Sólo exigimos que si nuestra aproximación a Europa va a homologarnos en todos los campos de la vida social, lo hagamos también en el de la financiación teatral y en la forma de aplicación de esos recursos. Nada conseguiremos si con presupuestos adecuados somos incapaces de desplegar nuestra imaginación —sobre todo la de los administradores—, voluntad de riesgo y valor para emprender una tarea que quizás no dé resultados a corto plazo, pero que es fundamental para la existencia y futuro del teatro.

La puesta en práctica de una política teatral adecuada, ayudaría a eliminar de una vez las lacras heredadas del régimen anterior. Es hora ya de acabar con los subjetivismos coyunturales. Con la toma de decisiones unipersonales y omnipotentes por parte de un cargo político electo o designado, de un funcionario o de un asesor, basándose en sus gustos personales exclusivamente. De concluir con la arbitrariedad que ello comporta y hace de nuestra actividad una lotería a la búsqueda de un premio por pequeñito que sea, para poder trabajar. De terminar con las "banderías" y el "amiguismo" que circunscriben la concesión de trabajo a sus fieles o bien amados, al margen de criterios y consideraciones profesionales rigurosas. De políticos o funcionarios para curar la frustración de no haberse atrevido a seguir la carrera teatral que ansiaban, se convierten en programadores, deciden repertorios, emiten juicios estéticos definitivos que se convierten en ley y manejan como suyas las instituciones teatrales cuya gestión administrativa tienen encomendada. Impedir que los teatros pagados con el dinero de todos los españoles que debieran ser cauce y lugar de encuentro y debate de la profesión teatral, sean manejados por asesores que reparten sus prebendas, o pretenden dar rienda suelta a sus anhelos perdidos en las nostalgias de su inconsciente.

Los directores de escena españoles no queremos seguir siendo las víctimas de esta parafernalia, mendigos permanentes en nuestra propia tierra a la caza de una limosna que nos permita ejercer nuestro trabajo, desprovistos de todos los derechos y perdidos en el bosque de tanta sin razón, orillados por cualquier advenedizo, obligándonos a la sorda labor de pasillos y trasteo individual. Pedimos que de una vez se ponga orden en la casa.

III

Hemos considerado necesarias toda esta serie de reflexiones antes de abordar la cuestión de los clásicos en concreto, porque, en definitiva, una política cultural a ellos destinada no supone sino aspectos específicos de una política teatral global. Aspectos nada desdeñables sin embargo y con personalidad propia, en la medida que los clásicos son una parte fundamental del repertorio contemporáneo, al menos potencialmente, pero al mismo tiempo representan la huella fehaciente de la evolución del teatro, parte importante del núcleo constitutivo de nuestra identidad cultural y nacional, y jalón indeleble del discurso de anhelos, ambiciones, angustias, regocijos, sátiras y conflictos vividos por la humanidad.

Ante todo quisiéramos señalar que si los problemas del teatro son graves, los de la representación y difusión de los clásicos lo son muy en particular. Abandonados a las leyes de mercado no tienen más porvenir que el de desaparecer. Una inadecuada enseñanza, el "culturalismo" esterilizador con que se les ha rodeado como aureola de falsos prestigios, una tradición próxima de representaciones afectadas, grandilocuentes y retóricas, han bloqueado su acceso al público mayoritario. El populismo electoralista amenaza convertirlos en excusa para llenar en los cálidos veranos, la ausencia de un proyecto teatral consecuente. Los clásicos necesitan una política clara que garantice su existencia, su estudio, su incorporación al repertorio y su difusión normalizada.

Por todo ello, el primer punto que vamos a tratar es el de las Jornadas y Festivales de Teatro Clásico de Almagro, que podrían servirnos de punto de partida y de balance del trabajo con los clásicos en general y de una temporada en particular. Posiblemente este sea el evento creado por la Dirección General de Teatro, que ha conseguido mantener el nivel más digno en su ejecutoria. En primer lugar porque la intención es encomiable: crear una muestra en la que se acojan los espectáculos más interesantes realizados a partir de nuestros clásicos a lo largo de la temporada. En segundo, por su continuidad. En el baile de directores generales que hemos sufrido en los últimos años que han impedido y desarbolado cualquier proyecto programático, si es que los ha habido. El Festival y Jornadas de Almagro han sobrevivido y van ya por su quinta edición que es la que este año se celebra. Por último, la idea de realizar unas sesiones de estudio en las que se reúnan en un debate común especialistas de la literatura, gente de teatro, críticos, sociólogos, etc., plantea un marco de reflexión muy positivo y propone, por su propio planteamiento, una forma de trabajar con los clásicos.

Nosotros quisieramos avanzar algunas propuestas en este sentido:

a) Que las Jornadas y el Festival de Teatro Clásico de Almagro, logren un estatuto propio que les permita asegurar la estabilidad al margen de cambios políticos de índole personal o partidaria. La estabilidad es imprescindible para conseguir un rendimiento adecuado y poder elaborar los planes con un margen mayor de tiempo.

b) Que el estatuto recoja, por un lado, la necesidad

de una cierta independencia en la dirección. Por otro, que prevea unos planteamientos expansivos en cuanto al alcance y dimensión que pueda ir adquiriendo en el futuro.

c) Creemos que el estudio de los clásicos desde el punto de vista estrictamente literario, sociológico o históricamente sincrónico, tiene fundamentalmente en el ámbito universitario, un campo natural de estímulo y realización. Por ello, pedimos que en el futuro las Jornadas se centren cada vez en el estudio de los clásicos desde la vertiente concreta de su puesta en escena actual, recogiendo aquellas aportaciones que desde otras áreas sirvan a esta intención. Se trataría no sólo de analizar espectáculos concretos, sino proseguir el debate, aquí y ahora, sobre el trabajo escénico con los clásicos en general y con los nuestros en particular. También de proseguir la convergencia creativa entre directores, escenógrafos, especialistas de la literatura, críticos, sociólogos, animadores culturales, etc., para elaborar propuestas de trabajo a un nivel cada vez más alto y profundizar en su difusión y condiciones actuales.

d) En concordancia con la segunda parte del punto anterior, desearíamos que las Jornadas fueran no sólo centro de discusión y balance, sino que se convirtiera en lugar privilegiado de propuestas de trabajo. Almagro podría ser punto de exposición de proyectos, de sugerencias de repertorio sobre temas monográficos, recuperación de títulos, autores o estilos, etc. Esto conferiría un carácter dinámico a las Jornadas y sería un motor de posibilidades abiertas, que deberían tener un refrendo adecuado en los proyectos de los teatros públicos y compañías mixtas inscritos en una política teatral coherente.

e) Definir un presupuesto económico para la realización del Festival y las Jornadas, que asegure su subsistencia.

f) Conservando en buena medida su carácter monográfico respecto a los clásicos españoles de los siglos XVI y XVII, abrirse a otro períodos de la historia de nuestro teatro y también a los clásicos de otros países. Pensamos que si esta confrontación mantuviera el equilibrio justo, podría ser interesante a la hora de contratastar procedimientos dramatúrgicos, estilos e iniciativas diversificadas.

g) Dado que ya contamos con un lugar escénico privilegiado como es el "corral de comedias", pero único también en toda España, intentar descubrir y habilitar nuevos espacios que permitan diferentes propuestas estético-escénicas y posibiliten una recepción adecuada del hecho teatral.

IV

Los teatros del sector público, estatales, autonómicos y municipales, tienen un evidente compromiso respecto a los clásicos. Sus condiciones de financiación, producción y difusión les permiten abordar espectáculos de mayor envergadura, liberados, felizmente para ellos, de toda atadura o condicionamiento mercantil.

En el plan de su repertorio, los clásicos debieran ocupar entre el treinta al cuarenta por ciento de la programación. Su elección no debería dejarse nunca al azar sino formar parte de un plan definido, tanto de los títulos que se escojan como de los procedimientos dramatúrgicos y escénicos definidores del trabajo. La situación española es profundamente deficitaria en este sector de la producción teatral. En la casi totalidad de países europeos, el sector público no sólo es mayoritario sino que de él procede la mayor parte de la producción teatral de altura, es donde se define un repertorio significativo y donde se pueden acometer espectáculos ambiciosos en todos los sentidos. Es evidente que los clásicos reciben un tratamiento y acogida muy especiales.

Estos teatros tienen perfectamente divididas las tareas económico-administrativas y las artísticas. Las primeras representan el espectro político social, en la medida en que no son teatros de un partido, sino de los ciudadanos. Es natural que se articule una instancia en la que estén presentes no sólo los políticos sino otras asociaciones, como garantía de la justeza del gasto efectuado, claridad de cuentas y de que el trabajo artístico se hace con seriedad, imparcialidad y siguiendo criterios profesionales. Pero sin ninguna ingerencia en el trabajo artístico en sí, repertorios, procedimientos o estilos, etc.

La dirección artística cuenta con independencia de criterio, articula el trabajo creativo a las tareas como prefiere, pero dentro de un compromiso determinado respecto a las tareas a cumplir. No es responsable ante una persona, concejal, director general, presidente de algún organismo, sino ante el colectivo antes enunciado que representa a una buena parte de la sociedad.

Nosotros estamos bien lejos de esta situación que es la propia de un estado democrático, con las variantes que pueda haber entre un país u otro. Seguimos rigiéndonos por sistemas heredados del franquismo. El Centro Dramático Nacional intentó elaborar un estatuto propio del que nunca más se supo. En los teatros públicos no existe un esquema de responsabilidades ni de control democrático.

Resolver este asunto es de capital importancia para el porvenir del trabajo con los clásicos, porque sólo en la medida en que se logren articular planes de trabajo más amplios e insertarlos dentro de una política teatral, se podría emprender un trabajo continuado y precisar las actuaciones en este terreno. Pero al mismo tiempo, se evitaría que un teatro público pueda regirse por los criterios de la compañía privada de alguien, sólo que financiada por fondos públicos. Se podría combatir el amiguismo como factor casi privativo de los encargos. Se pondría coto a la sorda labor de quienes dedican todo su afán a la sinuosa labor de la trepa sin reparar en medios ni maniobras. Lograríamos quizás que prevaleciera la valoración del trabajo hechos con seriedad, del saber, de los conocimientos, explicitados a través de múltiples mecanismos que podrían ponerse en práctica. Con todo ello, se ayudaría a que la labor de los directores de escena españoles se centrara exclusivamente en su objetivo auténtico: realizar un trabajo artístico de primer orden; se despejarían espectativas esperanzadoras y, sobre todo, se dignificaría decididamente nuestra profesión creando una dinámica favorable a la preparación concienzuda, al estudio y a la formación constantes.

Con el número actual de teatros públicos existentes, poco o nada se puede hacer. También en esto, España es desgraciadamente la "caricatura grotesca de Europa", como decía Valle-Inclán. Por eso, sólo una política tendente a ampliar este número de instituciones teatrales, bien dependientes del Estado, Autonomías o Municipios, desde el punto de vista económico; bien de la convergencia de estos u otros organismos públicos y privados, permitiría llevar a cabo una política significativa respecto a los clásicos, además de resolver cuestiones substanciales de los problemas del teatro, por supuesto.

Merece comentario aparte la actuación teatral seguida por muchos municipios elegidos ya democráticamente. Es curioso constatar que la ausencia de planes y programas en este sentido, se refleja palmariamente en la actitud que han adoptado. En ningún caso se han propuesto la creación de instituciones teatrales, lo que hubiera incidido directamente en la producción escénica en todos los sentidos, desde la ampliación del repertorio hasta la creación de puestos de trabajo. Todo el empeño se ha dedicado a la difusión únicamente, en muchos casos con criterios más que discutibles y debiendo conformarse con lo que hay, que a veces no es mucho.

Consecuencia obvia puede ser la proliferación de "festivales" —sobre todo veraniegos— actualmente existentes. Muchos ayuntamientos están dedicando cifras importantes, en ocasiones extraordinariamente importantes, a la realización de festivales con cierto atractivo a nivel nacional e internacional. Espectáculos en los que se reúnen una serie de espectáculos que se dan una o dos veces, que se acumulan en una corta semana o diez días, que incluso se montan a veces sólo para eso. Evidentemente no estamos en contra de la realización de estos eventos pero los consideramos sólo la punta del iceberg de una situación teatral normalizada, en la que el teatro existe como hecho cotidiano que, creemos, es lo que se debe prioritariamente conseguir. Tal y como ahora se realizan, evidencian más bien su condición de coartada ante una política teatral inexistente: forma rápida de lavar la mala conciencia y de paso montar una maniobra de prestigio con los fines que en cada momento se consideren oportunos, que mucho nos tememos no son los del fomento y desarrollo del teatro.

Hay ciudades en las que se ve teatro de uvas a peras, que dedican cuantiosas sumas a su festival, olvidando por completo el teatro de todos los días, el teatro inserto firmemente en la vida civil que es cuando alcanza su verdadero sentido. Asistirán un puñado de iniciados, como el humo se irán los recursos, no se habrá enriquecido para nada la infraestructura ni la producción y para las pequeñas compañías favorecidas sólo será un parche coyuntural, quizás un parche bien mullido, pero coyuntural, que en nada ayuda a resolver la crisis en que el teatro se debate.

Estos festivales en poco favorecen a los clásicos, a no ser que existan razones arqueológico-ambientales que recomienden su utilización. Cuando no se les confina en lugares inhóspitos e incluso aberrantes para la práctica del teatro, en los que el espectáculo sucumbe a cualquier ambición artística para convertirse en la excusa de estar un rato al fresco. Todo es demasiado parecido a los Festivales de España, ahora manejados por los pequeños taifas locales y con un barniz en que el afán de ser distinto se clarea en lo que tiene de supervivencia del pasado.

De no resolverse esta situación de una manera decidida, ampliando la dimensión del sector público teatral y en consecuencia la producción de espectáculos presididos por su carácter cultural, difícilmente conseguiremos el número de montajes de los clásicos que sería necesario tener en un país como el nuestro, para que el Festival de Almagro, fuera también la punta del iceberg de esa situación normalizada.

Sólo a nivel de rumor aunque consistente, sabemos que existe la intención de crear una Compañía Nacional de Teatro Clásico. La idea nos parece excelente pero desearíamos naciera ya con los rasgos que desde aquí reclamamos, para que no sea ilusión efímera, goce de una dinámica de programación propia y no de paso a la arbitrariedad. Que sirva a la profesión teatral española y amplíe el campo de difusión de nuestros clásicos.

V

En las compañías de financiación mixta, que deben coordinar la ayuda pública, hasta ahora fundamentalmente estatal, con la inversión privada, integrándose además en la estructura del mercado teatral actualmente imperante, el tema de los clásicos reviste unas características especiales. Nosotros defendemos, más aún en la situación que hoy atraviesa el teatro público, que las compañías del sector mixto aborden el trabajo con los clásicos. Pensamos además que en una situación diferente, de estos equipos surgen no pocas veces importantes innovaciones y experiencias fructíferas.

A nuestro modo de ver, los puntos que con mayor urgencia debieran resolverse son estos:

a) Establecimiento de una normativa precisa que incentivara el trabajo con los clásicos, en los convenios o concesión de subvenciones por parte de la Dirección General de Música y Teatro. Éstas tendrían que basarse en proyectos que contaran con una información solvente y amplia, alejando en lo posible cualquier tipo de banalidad, arrivismo o improvisación.

b) Valorar de forma especial la ayuda financiera al trabajo con los clásicos.

c) Establecer una segunda forma de apoyo a través de la creación de locales teatrales que se rijan por criterios no estrictamente comerciales. En la estructura teatral hoy existente, las condiciones que plantean los dueños o arrendatarios de salas de espectáculos, suponen una aventura plagada de riesgos incluso para los productos escénicos más directamente industriales. Es evidente que cualquier director o promotor que se acercara a uno de estos señores con la intención de presentar un clásico en las paredes que controla, sería tomado por loco o tendría que comprometerse al pago de unas cantidades fijas realmente prohibitivas. Sólo en la medida en que se habiliten espacios teatrales, convencionales o no, en que el trabajo con los clásicos tenga acceso por consideraciones específicas de programación teatral, se comenzaría a romper este círculo cerrado.

Los intentos recientes en este sentido han sido a veces muy duros para quienes los llevaron a cabo. No se puede pedir a nadie en las condiciones actuales, que monte un espectáculo cuando sabe que no tendrá teatro en que representarlo porque, eso sí que parece evidente, los clásicos no son un negocio. Mientras no superemos este absurdo los seguiremos condenando al silencio o a la desaparición.

Creemos que existen varias soluciones:

1. Habilitación de locales convencionales y/o transformables, cuyo personal técnico y administrativo esté pagado por la Administración. La concesión de una ayuda incluiría financiación del montaje y programación en una de estas salas por un plazo fijo e improrrogable —aventuramos que entre 31 y 45 días—. El teatro se comprometería a entregar a la compañía los ingresos de taquilla, o bien a pagar un "cachet" fijo equivalente a la nómina y un tanto por ciento de amortización. Los precios de las entradas serían similares a los de los teatros del sector público. Con este mecanismo de difusión se lograría dar cabida en una sola sala a unos siete u ocho montajes por temporada.

2. La segunda posibilidad, que consideramos mucho menos resolutiva, consistiría en la firma de convenios con las empresas de local, en las que se arbitrara una forma de primar la aceptación de un clásico en sus paredes.

3. Lograr que un organismo, no nos importa cual pero quizás debiera ser una iniciativa de la Dirección General de Teatro, estableciera contactos con la red de teatros municipales para crear paralelamente las bases de una gira para los espectáculos clásicos por ello

subvencionados, sobre bases económicas parecidas a las expuestas en el apartado C-1. No sería difícil conseguir un mínimo de dos meses de trabajo asegurados por este sistema.

Aplicando lo expuesto en los puntos 1 y 3, todo espectáculo clásico cuyo montaje se subvencionara, podía contar con una difusión mínima asegurada de tres o cuatro meses, con lo que se alcanzaría una rentabilidad social evidente y la ayuda estatal revertiría en todo el estado.

4. En la concesión de ayudas debería valorarse como una partida separada, la posible ubicación del espectáculo en un espacio inhabitual para el teatro. Esta partida tendría como fin facilitar la realización de un hecho escénico en un lugar que precisa adecuaciones de infraestructura, y permitiría ampliar las opciones escénicas a partir de nuevos condicionamientos espaciales.

d) Concesión de una ayuda suplementaria en concepto de prima de viajes en relación a los kilómetros empleados en los desplazamientos para los espectáculos clásicos en gira. La Dirección General de Teatro debiera lograr un acuerdo con las empresas de transporte terrestre y aéreo del sector público, por el que se aplicaran tarifas especiales a pasajeros y mercancías. Con ello no sólo se incentivaría su difusión por el territorio peninsular, sino también por las islas Baleares y Canarias y se aumentaría las posibilidades de salidas exteriores, sobre todo a Hispanoamérica, "espacio natural" de la cultura española en frase de nuestra ministra.

e) Proveer ayudas en el campo de la publicidad, tanto respecto al significado de los clásicos en general, como en particular a los espectáculos que existan. En este sentido habría que estudiar todas las formas de publicitación posibles y los medios a emplear.

f) Valorar positivamente que el montaje de los clásicos responda a un trabajo riguroso, posea una cierta singularidad y proporcione al espectador materiales para su mejor recepción. En este sentido deberán tenerse en cuenta y cooperar en la publicación de documentos de apoyo, programas de mano con abundantes textos e iconografías, preparación de exposiciones, etc.

g) Posibilidad de que los espectáculos sobre clásicos contaran automáticamente con una ayuda en materiales diversos, en forma de préstamo, del fondo general de cooperación técnica que debiera crearse.

h) Exención total y absoluta de impuestos para el teatro como bien de cultura, y muy en particular para los clásicos.

i) La Dirección General de Teatro debería establecer un plan coordinado con el Instituto Iberoamericano de Cooperación y la Dirección de Acción Cultural del Ministerio de Asuntos Exteriores, para la proyección de los clásicos fuera de España, estableciendo un sistema específico de ayudas. Hispanoamérica contaría con una atención muy especial.

El corolario de estas sugerencias es uno y bien simple: lograr que el trabajo en las compañías mixtas sea similar, desde el punto de vista de medios técnicos, locales, ensayos, disponibilidad de escenario personal, etc., a los que hoy rigen en los teatros del sector público.

VI

Para concluir quisiéramos tratar brevemente el tema del público, el que con su presencia hace posible que el teatro exista. ¿Tenemos hoy en España un público para los clásicos? ¿No despiden un tufo rancio y culturalista que aleja a la mayoría y relega su recepción a una minoría ampulosa o engreída? ¿Por lo que dicen y escriben algunos "conocedores" o "iniciados" en esto del teatro, incluso no pocos profesionales, no parecen más bien un mal trago que hay que pasar de vez en cuando para estar a tono?

Al afirmar en un principio que consideramos a los clásicos como una parte fundamental del repertorio contemporáneo, creemos haber dado cumplida respuesta a estos interrogantes. Pero también estamos seguros que han existido y existen condicionamientos de todo tipo que han actuado perniciosamente en su recepción. En consecuencia, podemos planteamos la necesidad de un proceso de recuperación del público para los clásicos en particular.

Esta labor implica esencialmente, un aspecto informativo y otro de convencimiento de lo que los clásicos representan y lo que pueden ser en el escenario. Hay que conseguir alejar esa noción extendida maliciosamente que los convierte en ejemplos de la ampulosidad de cartón piedra, e aburridas y somnolientas torturas verbales, en elementales simplezas sólo aptas para ingenuidades infantiles, etc. Hay que terminar con esa actitud de aparente respeto y amor apasionado que cobija en el fondo el mayor desprecio.

Para ello habría que contar con la colaboración decidida de los medios de comunicación y de los comentaristas que en ellos escriben, informan, realizan reportajes, etc. Por supuesto que la política teatral no tendría otro objetivo que aumentar el número de seminarios o encuentros entre los implicados, y favorecer e impulsar que este tipo de labor se llevara a cabo. Mención aparte merece el papel que corresponde a la crítica ante el trabajo actual con los clásicos. Evidentemente, este tema se sale por completo de lo que aquí queremos abordar y constituye el objetivo de un estudio pormenorizado, pero cuando menos queremos dejar constancia del papel que la crítica juega en el proceso de difusión y recepción de los clásicos y del teatro en general.

A lo largo de estas páginas hemos propuesto soluciones que liberen a los clásicos del aparato mercantilista que ahoga el arte del teatro, para que los directores de escena y demás profesionales recuperen su libertad creativa y la dignidad de su trabajo. El beneficiario de esta transformación sería el público, claro está. En primer lugar, por ver elevado el nivel global de los espectáculos. En segundo, porque sus posibilidades de acceso aumentarían al reducirse el costo de las entradas. En España no existe una información transparente y clara —en esto como en otras muchas cosas— de qué tanto por ciento del costo real del espectáculo en su totalidad, cubre el espectador al pagar su entrada. Nosotros pedimos que el ciudadano vea fuertemente primados en su favor los espectáculos de los clásicos pero que al mismo tiempo esté correctamente informado de que la sociedad, a través de determinados organismos e instituciones, cubre el resto.

Elitismo y populismo pueden ser igualmente perniciosos en la recuperación del público teatral y más aún el de los clásicos. Nos referimos a uno y otro en su dimensión difusora más que en su intencionalidad creativa, aunque esta quede condicionada por el ámbito en que se produce. Si el primero sueña con segregar el teatro a favor de una minoría de escogidos, mediante el elevado precio de las entradas y su conversión en una ceremonia social de casta y clan; el segundo lo reduce a baratillo difuminado, sombras que no gozos del hecho teatral. El elitismo tuvo su época dorada y sigue siendo tendencia proclive, si no en el enunciado en la práctica, de no pocos. Los clásicos se manejan por estos sujetos como rehén privilegiado de los "mejores" frente a la plebeyez morrallesca de la raza.

El populismo es sin embargo tendencia antigua pero realidad reciente; desoladora y demoledora cuanto cabe, ahormada en las mayores buenas voluntades pero de funestos augurios para el arte del teatro. El deseo de acercar el hecho teatral a las multitudes más amplias y diversas, se hace a expensas de reducir hasta mínimos sonrojantes e intolerables el afán creativo, la investigación, la dimensión estética compleja y profundizadora, los límites y condicionantes específicos de la comunicación teatral. La exaltación del cliché superficial, de lo tosco y zafio, se conjugan con unas condiciones inhóspitas para cualquier intento de que la creación artística teatral se consume.

El mayor ejemplo de lo que describimos, lo ofrece seguramente ciertas campañas o espectáculos veraniegos en los que los clásicos ocupan lugar destacado en cuanto a los títulos que se ofrecen. El razonamiento consiste en que el público prefiere los espacios abiertos, aunque incómodos, a los teatros, que tienen aire acondicionado y las virtudes propias de locales destinados a la práctica y comunicación teatrales. Además, dicen, es posible que de este modo se logre hacer participar a muchos vecinos que no entrarían a los coliseos que forman parte de su historia y son la huella cultural de su pasado, y si lo harán en el tenderete improvisado de vallas prefabricadas y montaje de ventorrillo bananero, con sus sillas de tijera tan cargadas de hedionda poética de postguerra.

Así vemos como se levantan improvisados practicables en plazas y plazuelas, carentes de los mínimos técnicos necesarios para el trabajo teatral. Se reducen los precios de las entradas e incluso se llega a la ansiada utopía de la gratuidad, en aras de una drástica supresión de toda calidad y exigencia artística. Los clásicos aparecen así secuestrados y desnaturalizados, convertidos en expresión inmediata de este populismo de alpargata y caneco, que confunde tanto y entierra afanosamente tantas aspiraciones populares a lo largo de la historia. Y aquí, unos profesionales carentes de posibilidades de trabajar, sometidos a las condiciones que hemos expuesto anteriormente que les impiden con tanta frecuencia realizarse, estrellan sus esfuerzos y tienen que aceptarlo con resignación porque no hay otra cosa a la vista.

Lo peor quizás, es que existe una aparente filosofía que propone la recuperación de espacios urbanos para el teatro, que éste invada la calle y transforme la vida cotidiana: nada más y nada menos. Pero de la ilusión a la realidad existe un largo trecho y el teatro como accidente sólo es capaz de descubrir su impotencia para socabar el maremágnum que le rodea y que sigue inmodificado. Sabemos de sobra que el teatro nació en espacios abiertos, bien en la trama urbana bien en locales específicos. La realidad sociológica y ambiental le ofrecían una cobertura propicia. Ni el aroma, ni los decibelios, ni la dinámica de nuestras ciudades, ni los recursos o procedimientos de la práctica del arte, son hoy los que eran. Una cosa es utilizar los edificios teatrales del pasado o construirlos conscientemente al aire libre con esmero de acústica, visibilidad, recursos y medios necesarios, y otra bien distinta emprender la dinámica del vallado de plazas e irse a dormir tranquilo pensando que el teatro impregna la vida cotidiana desde los tuétanos de la calle. El resultado es la desolación de recitados ante el micrófono, frontalidades absolutas y combates desiguales con la gama expansiva de sonidos con que la técnica ha tenido a bien invadirnos en cada momento.

Atención muy especial merecen los espectadores jóvenes en su aproximación a los clásicos. Las campañas que se llevan a cabo no pueden sino dar, con el tiempo, un resultado positivo. A veces se formulan ciertas críticas desvalorizadoras de este tipo de captación de espectadores, como si los adolescentes que acuden conjuntamente al teatro lo fueran de segunda fila. El aspecto negativo puede surgir por convertirlo en acto obligatorio o asistir a un espectáculo sin la preparación debida. Sin embargo, no pocos profesores de literatura de BUP y COU, hacen un excelente trabajo de orientación previa y análisis posterior, que coadyuba fructíferamente a la formación de espectadores. Tanto las instituciones teatrales públicas como las compañías mixtas, debieran intensificar este proceso en la medida de lo posible, evitar, creemos, todo enfrentamiento admiratorio por los jóvenes espectadores y procurar el máximo entendimiento y colaboración.

Cabría también abordar planes más intensivos de formación teatral. La Dirección General de Teatro podría establecer acuerdos con el Ministerio de Educación para potenciar la enseñanza del teatro, no sólo de la literatura teatral, en los centros docentes. De tal modo que el estudio de los clásicos no se abordara exclusivamente desde los textos, sino desde la representación y la sociología del hecho teatral.

Hasta aquí nuestra aportación inicial a un tema que nos preocupa y que pensamos desarrollar en el futuro, porque, somos perfectamente conscientes, queda mucho todavía por decir.

COLOQUIO

JUAN ANTONIO HORMIGÓN.— *Quisiera, antes de empezar el debate, señalar algo que me parece importante. La propuesta en concreto de la Asociación de Directores, ha podido tener un cierto aire contundente. Estoy en condiciones de sugerir que se entendiera más como propuesta abierta, lo digo porque todos estamos un poco afectados en este asunto. Que se entendiera como propuesta abierta y como aportación verdaderamente. Que se entendiera sobre todo como el deseo de dialogar y en la conciencia de que hay muchos datos que cotejar y que contrastar. Yo creo que nadie como nosotros quiere partir de la condición real de nuestro teatro y de nuestro país, no soñar con grandezas enormes en el terreno económico, sino ver cómo se puede sacar mejor y mayor partido al dinero con el que contamos. En cualquier caso, recojo y recuerdo las cuestiones que ayer teníamos planteadas, que eran varias y diferentes, que rozaban fundamentalmente el tema de la adaptación y de la puesta en escena. Podemos completarlas con las aportaciones que nos han dado, tanto en lo que ha sido específicamente campo de la puesta en escena, como en la interesantísima, a mi modo de ver, aportación del señor Preuss, y en las cuestiones, ya típicamente ligadas a la organización española, que se han dado en la ponencia de la Asociación de Directores. En ese sentido, uniendo lo de ayer con lo de hoy, podemos empezar el debate cuando queráis dando la palabra al primero que me la pida para que comencemos cuanto antes. Guillermo.*

GUILLERMO HERAS.— *Pienso que el nivel, precisamente, de la ponencia de la Asociación, con los excesos que realmente pueda tener, quizás haya sorprendido sobre todo a las personas de fuera del país que aquí están, pero es que lo que para una serie de gente son temas debatidos, ya asumidos por la sociedad y ya olvidados, para nosotros es el comienzo de un camino que, evidentemente, tiene que transcurrir. Por eso querría aclarar que cuando hemos pensado en hacer la ponencia en colectivo, hemos querido que tuviera también un poco el carácter de propiciar el diálogo con las entidades nombradas a lo largo de toda la exposición. No se trata de hacer juicios inquisitoriales a nadie, sino de abrir un debate y un diálogo para encontrar soluciones positivas a los problemas que están planteados.*

DRU DOUGHERTY.— *De la ponencia impresionante, informativa, de nuestro invitado alemán, he sacado una conclusión que plantea una cuestión que conlleva una pregunta. Es evidente, por lo que dijo el señor Preuss, que la vitalidad, la extraordinaria vitalidad teatral de Alemania en estos días y en las últimas décadas, se debe cierta infraestructura que tiene una explicación histórica; que esto no se ha inventado, es un proceso de factores, de condiciones, de oportunidades acumuladas a través de años. En el terreno español y dentro de las cuestiones planteadas por estas Jornadas, eso significa, quizás sirve, para recordar que la actividad deseada en España con respecto a la actualización de los clásicos, tampoco puede inventarse de la noche a la mañana. Tienen que contar con una historia particular, una historia nacional local. Entonces, la pregunta que yo quisiera hacer concretamente, con respecto a las propuestas que hemos escuchado esta mañana, es: ¿Cómo se puede trabajar a través de esas circunstancias locales, nacionales, a veces irritantes pero ineludibles; cómo se puede, cuáles son esas circunstancias que a la vez obstaculizan pero también posibilitan esta actividad deseada?*

JUAN ANTONIO HORMIGÓN.— *Esta pregunta no es únicamente a la mesa, ni siquiera a quien ha leído esta ponencia, es una cuestión general. Yo lo único que quisiera señalar aquí es algo que me parece importante: es cierto que la definición de un sector público teatral mayoritario en Alemania, se produjo por una serie de circunstancias históricas, de esto no cabe la menor duda, pero también es cierto que sin tener esas circunstancias históricas se produjeron mecanismos correctores de lo que era la actividad, la producción teatral de lo que denominamos sector público, en otros países. Esos mecanismos correctores se desarrollaron antes o después por lo que yo sé, coincidiendo con el final de la segunda guerra mundial y la dinamización democrática que se produjo en las sociedades de la Europa Occidental. Se pusieron en marcha mecanismos de producción que podemos seguir denominando mixtos, en el sentido que abarcaban tanto un sector público amplio como un sector en el que el Estado participaba con su aportación; cuando digo Estado —insisto también para que quede claro, quizás cometemos un error permanente al hablar sólo del Estado—, me estoy refiriendo a todas las instancias públicas: Gobierno y gobiernos autonómicos en España, que ahora comienzan a funcionar, o gobiernos regionales en otros países, así como a los municipios y quizás otras instancias que pudieran intervenir también en la producción teatral.*

Por lo que he podido saber por las intervenciones o

conversaciones con nuestro amigos norteamericanos, en Estados Unidos las manifestaciones en este terreno son distintas, pero existe también una amplia área cultural. Ayer me hablaba, por ejemplo, Tom Middleton, del departamento de teatro de la ciudad de Berkeley (California), que indudablemente es todo un centro dramático, con tres salas, aparte de la sala grande que hay en la universidad, etc., y cuyo funcionamiento es asumido desde esa perspectiva de la producción de un teatro como hecho cultural. No se trata, pues, tanto de la adscripción a un modelo, como de que exista la posibilidad de trabajar de otro modo y se deslinde claramente la gente que hace teatro para hacer un negocio y la que hace teatro en tanto que hecho cultural, en tanto que arte del teatro, que tienen también sus normas, sus responsabilidades y sus proyecciones y que ahí es donde indudablemente los clásicos encontrarán su sitio.

Si nos encontramos en esa situación dispar, claro, tendríamos que empezar a hablar de experiencias. Yo puedo contar una mía muy sencilla: Hace dos años me encontré con un espectáculo montado a partir de un texto clásico y mi pregunta al Ministerio de Cultura fue: si queremos que esto se vea tenemos que encontrar un espacio que esté desgravado de condicionamientos mercantiles, porque si no es así, nunca se verá. Yo no puedo ir a un empresario de local a proponerle que pongamos este espectáculo, porque me echa del teatro y cree que estoy loco. ¿Cómo es posible que ese espectáculo, con un sentido y contenido determinados, pudiera entrar en un esquema de precio de entradas, tantos por cientos de taquilla, y cosas de ese tipo, en definitiva, lo que es la dinámica de un teatro que funciona como un hecho mercantil; lo que no quiere decir que los espectadores no cuenten en un teatro de proyección pública, ni mucho menos, digo simplemente que se valoran de otro modo. Y entonces, lo que pudo ser una experiencia dolorosísima en ese campo mercantil, se convirtió en una actividad gozosísima debido a que esa losa mercantilista no cayó sobre nosotros y se pudo hacer teatro, hablar de teatro y su relación con el público, no de tantos por cientos de taquilla y de cosas de esas absolutamente angustiosas que sirven, bueno, prácticamente para nada en la producción teatral contemporánea, pero digo todo esto desde un punto de vista puramente personal, sin pretender convertir el problema en general. Pienso que para mí esa experiencia sirvió para ratificarme en una serie de cuestiones, pero es nada más mi propia experiencia personal. No sé si alguien querrá decir algo más. Hugo Gutiérrez Vega hace el primer quite.

HUGO GUTIÉRREZ VEGA.— *Solamente para hacer un pequeño comentario respecto a la ponencia de la Asociación de Directores, y para agregar algo también. Es absolutamente normal la preocupación por establecer ligas, relaciones más estrechas con los otros países europeos y, en algunos de los incisos, se habla también de la participación en la vida teatral de los países hispanoamericanos. Yo saco como una conclusión aproximativa de estas Jornadas el hecho de que carecemos de información de lo que sucede, en el caso de los españoles, de lo que sucede en Hispanoamérica. Por ejemplo, el análisis, simplemente en busca de la información, de los modelos alemanes, ingleses, franceses, polacos, etc., me parece indiscutible, pero creo también que algunos países hispanoamericanos pueden aportar una buena información sobre el problema teatral. La organización teatral universitaria mexicana, que es absolutamente profesional, que tiene una larga experiencia —hablamos en la reunión de anteayer de algunos aspectos de esta organización— creo que debe ser conocida más a fondo en España, simplemento como un experimento interesante, yo no voy a hablar de logros.*

Esto tiene sus luces y sus sombras; además los hispanoamericanos tenemos la costumbre de utilizar el autosarcasmo para suspender los juicios. Casi siempre nos curamos en salud, pero en fin, creo que es un experimento interesante, y hasta ahora la única persona que se ha ocupado de difundir este experimento en España ha sido Juan Antonio Hormigón, en una serie de artículos que publicó a su regreso de México, después de que participó en la vida del teatro universitario mexicano. Yo me permitiría sugerir, ya que se trata de una ponencia abierta como Guillermo indicó, en el establecimiento de estos mecanismos de información. Creo por ejemplo que Venezuela, tiene también aspectos muy interesantes en materia de organización teatral. Desgraciadamente, los países de Cono Sur que en una época tuvieron una organización teatral pujante, se encuentran ahora en crisis, pero, por ejemplo, de los países centroamericanos, Nicaragua está en este momento elaborando su proyecto teatral y Cuba está en algunos aspectos potenciando y sobre todo rectificando errores en su proyecto de Teatro Popular.

Yo creo que es imprescindible el establecimiento de estos mecanismos permanentes de información por un lado y por el otro, de intercambios. Hasta ahora ha habido dos intercambios, la visita de Tamayo a la Compañía Nacional para la puesta en escena de "Luces de Bohemia" y la visita de Juan Antonio Hormigón al Teatro Universitario, para la puesta en escena de "Los veraneantes", que debo decir ha sido una de las más importantes del Teatro Universitario de los últimos tiempos. Fue una puesta en escena que se recuerda y se recuerda muy bien, además dejó un impacto vivo e imperecedero en los jóvenes del Teatro Universitario mexicano. Estos intercambios yo creo que no pueden ser esporádicos, no deben ser esporádicos, claro que hay otras instancias. Esta ponencia está dirigida a las distin-

tas instancias. Yo creo que si somos sinceros, y Carlos Miguel que ha viajado por todos los caminos de América conoce esto perfectamente, hay países europeos que tienen una clarísima política cultural y política teatral respecto a Hispanoamérica, por ejemplo la presencia de la Alianza Francesa y su actividad teatral en muchos países de Hispanoamérica. El Goethe Institute de Alemania, el Instituto Italiano, los institutos norteamericanos, los institutos ingleses lo hacen igualmente, mientras que la presencia española, salvo casos excepcionales, en lo que se refiere a teatro, debo decirlo y lo digo además con pena porque en última instancia el papel nuestro es establecer estos mecanismos de relación constante, cotidiana, la presencia española es bastante débil sobre todo en lo que se refiere a la actividad teatral.

Resumiendo, yo me permito sugerir de una manera muy modesta la posibilidad de que estas asociaciones o estas instituciones, observaran lo que está sucediendo en el teatro hispanoamericano. Simplemente para recibir información, desechar las cosas que no funcionen y eventualmente seguir algunos modelos que no dejan de ser interesantes. Además, no creo que esto vaya en menoscabo de nada. Sospecho que los ingleses han aprendido algunas cosas de los norteamericanos, canadienses y australianos, y no veo la razón de que los españoles no puedan aprender algo de las "provincias de ultramar". Y por otra parte, el que este intercambio se manifieste sobre todo en coproducciones, ya sea en visitas de directores, y un ideal que desde hace tiempo venimos acariciando —acuérdense de aquello "tomar un círculo, acariciarlo y se convertirá en vicioso"— en fin, un ideal que hemos venido acariciando es la creación de compañías con distintos acentos americanos, con actores de distintos países americanos y de España, que se enfrenten a la puesta en escena del teatro clásico.

JUAN ANTONIO HORMIGÓN.— *Muchas gracias, Hugo, muchas gracias por todo, claro. Yo creo que es una propuesta a tener en cuenta. Al terminar esta sesión podemos hacer una reunión bilateral, para establecer ese contacto. Tiene la palabra Luis de Tavira.*

LUIS DE TAVIRA.— *Es una moción acerca de esta discusión, de esta última discusión. Yo me pongo muy nervioso porque es ya el último coloquio y creo que hay varios temas. Fundamentalmente uno es el de las dos primeras ponencias y uno tercero, el más concreto, el de la última, que nos pueden llevar a un cierto caos en la discusión porque creo que hay muchas cosas que todavía están abiertas, incluso de las ponencias de ayer, y que mantienen un diálogo abierto y directo con las dos primeras ponencias de hoy, concreciones que yo sentiría claramente distintas aunque relacionadas con la otra ponencia. Yo sugeriría que se estableciera un orden temático para poder ir interviniendo, si no va a ser un relajo de ir y venir.*

JUAN ANTONIO HORMIGÓN.— *De acuerdo. Dedicaremos los últimos minutos, pues, a las cuestiones organizativas, etc., y vamos a comenzar por lo que queda de ayer y las dos primeras ponencias de hoy, y luego dedicamos una segunda parte a esta cuestión. Está claro. Estamos de acuerdo. Lo vamos a hacer así. Bien, tiene la palabra el señor Preuss.*

PREUSS.— *Creo que la mayor diferencia de las estructuras teatrales, en comparación con el teatro en Alemania, consiste en lo siguiente: Alemania es un país en el cual las ciudades y los pueblos están muy juntos, muy próximos. A esto se debe que los teatros que ha habido durante siglos en las pequeñas ciudades-estado y los pequeños reinos que había en Alemania, estuviesen en competencia mutua y de aquí ha surgido la necesidad de esta competencia, de adquirir la mayor fama que se pudiera, y para esto hacía falta financiación. Esto significa que hoy día las administracione locales, tratan de superar a las administraciones vecinas en la financiación de actos culturales, en la financiación de cultura, en definitiva.*

Por ejemplo, ahora que estamos en una crisis financiera, se produce este hecho curioso: antes de borrar los presupuestos dedicados a la cultura, la administración correspondiente mira a ver lo que ha rebajado el vecino para no quitar más presupuesto que ellos. Además hay que añadir que en Alemania nunca ha tenido lugar una revolución propiamente dicha. Además hay que tener en cuenta que el ciudadano tendía a acercarse a los actos culturales cortesanos, y luego el trabajador ha tratado de acercarse al burgués, por eso el acceso al teatro de las capas inferiores sociales ha sido muy temprano y muy rápido. Antes de que lo dijera Brecht, era evidente que la cultura, el teatro con ella, es una de las cuestiones superfluas por las que merece la pena vivir. Esto se puso de manifiesto sobre todo en la segunda mitad del siglo XIX, mediante el hecho de que los periodistas y la gente de la cultura organizaron las asociaciones de trabajo cultural. Así, a principios de este siglo y finales del pasado, se organizaron asociaciones de trabajadores para la asistencia al teatro, para trabajar con el teatro. Estas asociaciones todavía existen hoy y tienen una importancia esencial para el teatro.

Hay que tener en cuenta que en Alemania se venden al año de 22 a 25 millones de entradas de teatro. Claro, muchas de ellas corresponden a veces a las mismas personas que van a lo mejor 10 veces a lo largo del año. Una tercera parte de esta cifra se trata de gente que está abonada a los teatros. Otro tercio, son miembros de estas asociaciones de espectadores teatrales y apenas un tercio de las entradas se venden directamen-

te en taquilla. Esto proporciona naturalmente a los teatros una seguridad financiera que, dentro del marco de la competencia que tienen las diferentes ciudades entre sí, resulta esencial. En la República Federal Alemana, hay que recordarlo, no existe un Ministerio de Cultura a nivel federal, por el contrario, la cultura se centra en Ministerios regionales de Cultura y de ahí las actividades municipales o comarcales. Los políticos que deciden sobre la financiación de la cultura, no se encuentran en absoluto alejados de la capital nacional sino que responden ante sus electores en el Ayuntamiento o en el Parlamento regional.

FRANCISCO NIEVA.— *Me alegro mucho de haber oído muchas de las cosas aquí expuestas sobre las grandes corrientes del teatro alemán, que han tenido por mí un tratamiento práctico en España, sin que por esto se haya señalado en modo alguno por la crítica, sino incluso, recibido con cierta reticencia. Yo trabajé durante varios meses —nueve meses— con Walter Felsenstein, aprendí mucho del teatro alemán. pero en fin, mi cuestión no es ésta; yo quería preguntar a nuestro amigo alemán si las adaptaciones de Schiller, de Goethe o de Lessing, son en Alemania tan atrevidas en supresiones o en suplantación de sentidos y si se han hecho, si han tenido éxito; en fin, cual ha sido su suceso.*

PREUSS.— *Lo que he dicho de los clásicos españoles en la panorámica del teatro alemán, puede aplicarse casi por completo a los propios clásicos alemanes. Hay que recordar además que de los pocos clásicos que se representan todavía en Alemania, la mayoría son clásicos extranjeros, mejor dicho, son clásicos que no pertenecen al ámbito de habla alemana. Quizás esto se deba precisamente a que al escenificar un clásico de habla alemana ya se le conoce tradicionalmente. Ya he indicado en la ponencia que de los siete clásicos que se han representado en los últimos años, únicamente dos eran alemanes.*

JUAN ANTONIO HORMIGÓN.— *Muchas gracias. Luis de Tavira, por favor.*

LUIS DE TAVIRA.— *Bien, yo me quería referir aún más ampliamente a la discusión en torno al asunto de los clásicos, derivada un poco de la discusión de ayer y presente desde luego en la ponencia de hoy de Juan Antonio Hormigón y que encuentro plenamente dimensionada en la ponencia de Preuss. Ubicándome sobre todo en la parte de la ponencia de Guillermo Heras, acerca de la actitud ante los clásicos y su referencia al análisis de "la momia", a mí me preocupa todavía mucho el problema de la acepción diversa, variada, que tenemos acerca de los clásicos. Pero quisiera referirme a aquella que me parece más peligrosa y discutible y es la que implica el concepto de lo clásico como permanente. Cierto que en el fondo de todo el problema de distorsión que implica el concepto de clásico, subyace la teoría del substrato aristotélico, y haré referencia a este problema filosófico que me parece que es el que alimenta o sostiene el problema de concepción de lo clásico, porque siento que esta teoría del substrato aristotélico está en el fondo, como un intento de asir y justificar el problema del cambio histórico. Ya Aristóteles, intentaba explicarse el cambio desde la perspectiva metafísica, a partir de la relación que existía entre causa formal y causa eficiente, potencia y acto, para afirmar la existencia de un substrato esencial, invariable. Es decir, la forma se transforma pero la esencia es inmanente, lo cual en la proyección histórica de esto en virtud del filtro medieval, se convierte para nosotros ya en pura teología. La presencia del materialismo como alternativa frente a todo esto, modas aparte, implica un abismo epistemológico frente a esta visión aristotéli-*

ca y va mucho más allá de la conjugación de los sentidos. Implica un salto en la revalorización de la conciencia que surgió en la instancia inicial del idealismo hegeliano. La dialéctica conjura esa cómoda necesidad del espejismo, que todo cambie para que nada cambie. No, el cambio es material y ante esto la determinación de la forma como materialidad invalida la ilusión del substrato. Una objetividad independiente de la semántica, transforma la imagen de la semántica en la afirmación del descubrimiento de que el lenguaje, si hablamos del texto, pero el lenguaje en término general y amplio, es siempre prelógico. Es decir, la palabra es, antes y después, mucho más que la interpretación que reducía la función de la palabra o el signo a la ilustración verbal o ilustración oral de una idea.

Esta concepción de lo clásico, creo que subyace en el fondo de la discusión de la utilización de los clásicos y de su referencia al fenómeno de lo teatral, por cuanto sus connotaciones metafísicas o epistemológicas están delimitando o definiendo el problema de la visión del mundo; siempre que entendamos al teatro cómo un modo de ver al mundo. Por ello, en la discusión habría que rescatar todas estas afirmaciones que ya hacía Heras y que confirma la exhaustiva e impresionante ponencia de Juan Antonio Hormigón, de la necesidad de discutir y revalorar el problema teatral a la luz de la semiología y el problema de los signos, y su relación con la semántica, y el problema de los contenidos. Esto es muy claro en la ponencia de Preuss por lo que se adivina en los intentos de interpretación en Alemania.

Haciendo aquí referencia a lo que decía Nieva, tuve la oportunidad de ver recientemente en Berlín una puesta en escena del "Fausto" de Goethe, de Grüber, y era muy impresionante lo que se hacía con el texto reducido a tres actores solamente y a un trabajo dramatúrgico y de puesta en escena realmente violento, sin que por ello dejara uno de sentir en todo momento un tremendo rigor teatral, incluso de trabajo en serio, de comprensión en serio del problema de Fausto. Creo que este problema del sustrato aristotélico que sustenta la noción de lo clásico, es lo que implica el oscurecimiento de un problema que ya Brecht mencionaba cuando hablaba de la imposible sustentación del conflicto visto como eterno en el teatro; es decir, no existe el conflicto eterno. Y a partir de la no existencia del conflicto eterno existe el conflicto histórico, de aquí se derivan todas estas cuestiones. Otra parte importante que me parece muy esclarecedora del problema, es la propuesta de Juan Antonio Hormigón, que nos lanza a un vacío de documentación y de estudios que es quizás la mayor perturbación del problema ante la vigencia del clásico en la escena. Se trata del desconocimiento total que tenemos de un estudio profundo, serio y articulador de la dirección escénica en su perspectiva histórica y en su consistencia teórica; es decir, hablamos de dirección escénica con mucha desautoridad. Esto es explicable, en la medida en que el propio fenómeno teatral como efímero nos ha dejado como documento de investigación casi exclusivamente el texto, ha llegado a la determinación del problema teatral circunscribiéndolo a un fenómeno de literatura.

Es decir, el teatro ha quedado, sobre todo en el dominio común del tratamiento del fenómeno teatral, como un estudio de tipo literario. El teatro no es otra cosa, no ha sido otra cosa para muchos historiadores que un género dramático, un género literario. Si nosotros echamos una ojeada a las historias del teatro, poco es lo que encontramos acerca del fenómeno escénico y mucho sobre historia de la literatura dramática. Los nombres que articulan la literatura dramática son los de los autores, evidentemente por la naturaleza propia del hecho teatral como de toda esta cuestión, mucho tiene que ver la necesidad de articulación de una teoría escénica frente a una teoría dramática que es la que ha regido como perspectiva. Por otra parte, toda esta actitud casi teológica que es la que sustenta esta visión de los clásicos, la que me refiero, ha implicado la sacralización del texto, esta sacralización del texto en muchos casos, y sobre todo en los que recientemente hemos podido presenciar, está amparando la irresponsabilidad y el fraude, justamente por la condición de indiscutible que tiene el clásico. La sola mención del nombre o del título reconocido como canonizado, como canonizado en términos religiosos, es decir, en hechos sagrados, en hechos santos, permite la indiscutibilidad de su valor y por lo tanto es la mejor coartada para la irresponsabilidad y el fraude.

Creo, en resumen, que la gran desgracia de los clásicos es el que sean clásicos. Se puede con la mayor irresponsabilidad montar un pésimo espectáculo que, por el solo hecho de llevar el nombre de un clásico que firma el texto, puede considerarse de por sí valioso por el solo hecho de ser referido a un valor establecido como clásico. Esto, de alguna manera, revierte el problema que se venía discutiendo acerca del respeto o no respeto a los clásicos. La falta de respecto a los clásicos, creo yo, más importante y más tremenda, es la de no referirse, la de no entrar en discusión con el clásico, lo que implicaría necesariamente todo ese tremendo proceso de la investigación del texto en sí y de la materia en sí con la que se va a trabajar, para poder llevarla a escena. Creo que la presencia de los clásicos en una anécdota mexicana, queda plenamente aclarada cuando Hugo Gutiérrez Vega nos recordaba hace poco en una conversación, un hecho que presentaba a un clásico claramente como vigente, cuando la ignorancia de un delegado político que cuidaba un espectáculo dio una orden de aprensión contra Fernando de Rojas.

Esto no habría sucedido en un lugar donde los clásicos prevalecieran como valor. Si Fernando de Rojas se merecía en pleno siglo XX una orden de aprensión, quiere decir necesariamente que está vigente.

Finalmente, hay todo un capítulo que yo reservaría ya para otro momento y que es la recuperación de una serie de proposiciones que se han hecho aquí, y que son las que a mí más me preocupan en torno a la continuación y derivación como fruto de estas reflexiones, de lo que podría hacerse de un modo común con nuestras tradiciones comunes y que, a mi modo de ver, se articulan plenamente o nacen o encuentran un marco ideal en torno a las últimas propuestas que hacía Juan Antonio Hormigón en su ponencia, cuando hablaba de un índice, por cierto bastante exhaustivo, de puntos que deberían ser considerados en torno al problema de una política cultural que apoye la puesta en escena de los clásicos, aunque me estorbe el término, y mencionaba la necesidad de reforzar o de integrar el repertorio de los clásicos en un reforzamiento de la conciencia de la identidad nacional, en una muestra de su humanismo como alternativa, en la profundización de la lectura analógica de los textos, en proponerlos como algo abierto y en buscar procedimientos teatrales. Yo creo que ahí existe una tarea impresionante y exhaustiva que merecería mucha mayor discusión. Al mismo tiempo están las propuestas de Javier Navarro, cuando hablaba de la necesidad de una presencia de diálogo instrumentado y abierto entre la tradición española y la hispanoamericana. Estaban también una serie de propuestas de estudio de Carlos Miguel y la reciente de Hugo Gutiérrez Vega.

JUAN ANTONIO HORMIGÓN.— *John Allen, tiene la palabra.*

JOHN J. ALLEN.— *Esto es un comentario no una pregunta general. Lo que he oído hoy y mucho de lo que oí en días anteriores se basa en lo que ustedes hacen y ven. Yo, como ajeno a todo esto y extranjero además, tengo una perspectiva mucho más alejada y el posible valor que tuviera un comentario mío debería tener esto en cuenta. Yo veo en la puesta en escena de los clásicos la gama de opciones que se han señalado aquí; desde la fidelidad al original hasta el peligro en la representación auténtica y fiel de la idea general hasta donde sea posible, desde la falta de seriedad en la erudición a la arqueología. Ahora bien, lo que hay en el aire, lo que se siente en estas discusiones, lo que se ha sentido en estos días, y lo señalo nada más, es la falta de confianza en el público para poder hacer su papel de ver lo relevante. Lo señalo nada más como algo que se nota, que el público no es capaz de apropiarse del clásico. Por el otro extremo de la gama, tenemos la versión moderna de la puesta al día, donde no ya el espectador sino el director o el adaptador, es el que da su perspectiva de lo que somos nosotros ahora. El problema aquí, según lo veo yo, es la fragmentación del mundo moderno, de la vida moderna, en desacuerdo con los posibles sistemas de valores. La producción de anoche, pongo por caso, yo diría que el desacuerdo, si hay un desacuerdo, en el éxito relativo de la producción, no se basa en si entendieron o no a Lope, sino en si entienden o no lo que es esencial a nuestro estado contemporáneo o si se quedaron en lo accesorio. Destaco eso solamente. Creo que el problema de la puesta en escena hoy no es tanto no entender al clásico, sino no entender nuestro mundo. (La obra en cuestión era "El acero de Madrid", de Lope).*

JUAN ANTONIO HORMIGÓN.— *Gracias. Más cuestiones. No es posible que esté la sala tan aplacada después de todo lo que aquí se ha lanzado. Ramón Cercós, por favor.*

RAMÓN CERCÓS.— *Llamo la atención a la mesa para que si me excedo, antes de que llamen a la Guardia Civil para que me saquen, que me corten la palabra.*

JUAN ANTONIO HORMIGÓN.— *Esto lo dejamos en la transcripción, ¿no?*

RAMÓN CERCÓS.— *En realidad el tema de hoy es doble porque plantea todavía la cuestión de la fidelidad o no fidelidad, es decir en qué consiste ser fiel a los clásicos. No quiero entrar en ese tema porque además tampoco soy especialista, pero claro, tengo que entrar en el tema del manifiesto panfleto, no en el sentido peyorativo sino en el sentido bueno y constructivo, de la Asociación de Directores de Escena. No se puede analizar hasta el fondo puesto que nos llevaría más de una sesión, y probablemente, serían temas que a algunos de nuestros invitados extranjeros ni les afectarían mucho ni les importarían. Lo único que quiero solamente es decir mi opinión sobre el tono, digamos, que ha significado la ponencia de la Asociación de Directores. Yo me estaba acordando un poco de aquella frase de la obra de Buero Vallejo, de "Un soñador para un pueblo", que "España necesita de poetas que sepan de números". Lo que yo echo en falta en estas ponencias, en estas proposiciones, es números. Es decir, todo esto yo casi lo podría firmar.*

Se ha hecho, por supuesto, un análisis bastante desapasionado a lo mejor de lo que es la realidad española, pero en difinitiva, esto hay que traducirlo en cifras, porque las opciones políticas para una política teatral, como para una política hidráulica, hay que especificarlas en cifras. Por supuesto que ustedes tampoco están en condiciones de decir difras porque tampoco conocen los presupuestos; los presupuestos yo insisto en que son públicos, y que la pereza del español ante el número es horrorosa, porque casi nadie se toma la molestia de consultar el boletín o llamar a donde se lo puedan decir, para saber cuáles son los presupuestos. Es más, a lo mejor no hay que dar cifras, pero sí se puede hacer perfectamente el porcentaje, porque para los porcentajes es igual que la cifra total del presupuesto sea muy alta o muy baja.

Yo echo de menos en esta ponencia qué porcentaje del presupuesto público estatal o de la Administración central, porque claro también están los municipios, habría que dedicar al teatro clásico: el 5 %, el 20 %, el 50 %, el 90 %?, eso es muy importante, quizás sea lo más importante. Como esta es una primera aproximación, a lo mejor en futuros encuentros se llegue a que estamos de acuerdo en que tiene que ser entre un 20 y un 30 %, o entre un 70 % y un 80 %, porque lo que se dedique al teatro clásico del presupuesto se le quita a otras expresiones del teatro que a lo mejor son tan urgentes o menos urgentes. El tanto por ciento, por favor, si no pueden ser cifras, pero no palabras en las que estamos todos de acuerdo. Por otra parte, pido que reflexionemos todos conjuntamente que, en definitiva, no se consigue de la noche a la mañana, digamos, la democratización de todo un sistema. Es muy fácil por real decreto decir que ha quedado instaurada la democracia, de ahí a que eso se viva hay una distancia.

Recuerdo, y escribí incluso un artículo al efecto, cuando el presidente Johnson en los Estados Unidos firmó la ley de derechos civiles, dije en el artículo que con eso no se terminaba la discriminación sino que se daba el paso necesario jurídico para que la discriminación a 50 años vista, a lo mejor, fuera un hecho menos sangrante del que era entonces en Estados Unidos. Pues con la democracia aquí nos pasa igual. Yo noto en esta ponencia el famoso desencanto y desengaño en que estamos sumidos la sociedad española desde hace un par de años a esta parte. ¿Desencanto y desengaño, por qué? Yo no lo tengo, yo soy tremendamente optimista, creo que estamos en la línea, normalmente, lo que pasa es a lo mejor estamos desviándonos, también hacemos turismo de paso, a lo mejor por eso vamos aprendiendo más. Entonces yo lo que diría es que, en principio, estoy de acuerdo con muchas de las diagnosis pero echo en falta, aunque aquí ya por fin se han dicho tres o cuatro cosas que se podían hacer, echo en falta un poco la terapia para esto. Después también que tengamos un poco conciencia de que todos somos solidarios con ese pasado del que no supimos deshacernos, y del que en definitiva cada uno participamos. Es decir, todos hemos sido más o menos culpables de esa situación, y cuando vayamos a examinar cuáles han sido las causas, sobre todo cuáles son los remedios, no olvidemos que el pueblo español sigue siendo pueblo español, aunque hayamos recuperado por real decreto la libertad.

Por lo tanto, por favor, concreticemos en tantos por cientos, en prioridades, en qué es lo que se debe hacer, y no vayamos arrimando un poco el ascua a nuestra sardina; la de los directores, el ascua a su sardina; la de los actores, a otra sardina; la de los administradores, que seremos nosotros, a lo mejor, los funcionarios, a otra sardina; y la de los políticos, a otra sardina; sino que estemos interesados en un fenómeno común que es la salvación del teatro, que es la conservación del teatro, que es la difusión del teatro. Yo siempre hablo en estas Jornadas de los espectadores. Me gustaría que alguien, por favor, también fuera portavoz de los espectadores. ¿Qué quieren los espectadores? ¿Vamos a imponerles la cultura a patadas, incluso aunque no la quieran? ¿Hay que imponersela o no imponérsela? ¿Hay que ir, digamos, con un poquito de mano izquierda, írsela dando en dosis, en pequeñas diócesis, como se dice castizamente? Toda esta serie de cosas son las que me gustaría que se abordaran, además de lo que se ha abordado que me parece que está bien dicho aunque lo veo un poquito ingenuo, infantil, y a veces insuficiente. Por no aburrir a los demás, creo que no voy a entrar en cada uno de los temas porque algunos tienen respuesta y otros no la tienen.

Ayer, cuando se abordaba el tema del Real Coliseo Carlos III de El Escorial, dije que la explicación es sencilla, incluso aquí hay gente como César Oliva, que fueron participantes activos de lo que significó aquello. Un director general llamémosle A, se encuentra con una reconstrucción hecha por unos señores particulares de un coliseo que estaba convertido en una especie de establo de vacas, y que habían empleado su dinero no solamente en el teatro sino en un complejo que estaba alrededor. Les interesaba que aquello tuviera vida para que también el complejo que estaba alrededor tuviera vida; es decir, que tampoco fue tan desinteresada la cesión, que tampoco fue cesión sino alquiler de aquel instrumento. Se crea primero el instrumento y después la función ya vendrá. En definitiva, el Estado se encuentra con aquello porque al director A le interesa, y precisamente con la idea de ser un pequeño centro de experimentación, un centro donde vivieran actores y directores y escenógrafos y profesores, encerrados allí dos meses y discutieran y tal. Pero luego viene otro director, llamémosle B, al que aquello no le gusta, le parece que es un lujo, entonces manda prácticamente cerrar las puertas.

Se dirige entonces otra política con aquel centro y se piensa que a lo mejor, es para las asociaciones de la élite veraneante madrileña de San Lorenzo de El Escorial, al mismo tiempo se piensa que hay una cosa por ahí que está, que es el CENINAT. Pero viene el director C, y el director C piensa que ni CENINAT, ni no se qué, ni no se cuántos, sino que debe ser la segunda sala del Centro Dramático Nacional. Podría seguir contando, afortunadamente en la letra E se acaba, pero desgraciadamente a lo mejor dentro de cinco años tenemos que añadir a la letra E y llegar hasta la Z. Eso es así, y lo que yo sí consideraría es que cuando venga el director F sub uno, o H, o J, L, pues todas estas propuestas estuvieran muy escrititas, muy claras, que no se fuera el tiempo simplemente en comidas de trabajo en las que yo no creo en absoluto, en desayunos de iluminación en los que yo no creo que el Espíritu Santo se levante tan de mañana para iluminarlos a todos, sino en reuniones con lápiz, papel y encima de la mesa. Yo es lo que diría como comentario global a esta propuesta. Si queréis que hable o que conteste a algún punto concreto, lo intentaré. Gracias, y perdón por esto que no es sólo una defensa de la Administración sino intentar poner las cosas en su punto.

JUAN ANTONIO HORMIGÓN.— *Bueno, yo quiero decir dos o tres cosas al respecto. No sé por qué te va a llevar la Guardia Civil por esto. En principio, como casi todo lo que ha pasado en estas Jornadas, a mí me parece que tus palabras serían suscritas por la mayor parte de la gente de teatro, al menos lo son por mí, yo diría que al 98 %. Porque ese 2 % hay que dejárselo siempre por cuestión de estilo o por como has citado una cosa, esas cosas que siempre nos separan a unos de otros. Tampoco es raro que tú y yo estemos de acuerdo porque hemos hablado mucho, o sea que es normal que estemos de acuerdo, e incluso yo paso por encima de los calificativos que sé que están hechos con absoluta cordialidad, respecto al texto de la ponencia, porque, indudablemente, pueden tener algo de eso. Lo que a mí me preocupa y creo que es lo bueno de lo que ha pasado en estas Jornadas, es que se han hecho propuestas bastante claras que responden a objetivos concretos.*

Digamos que la continuación de las Jornadas debería ser justamente, el conseguir que diversas propuestas se pudiesen coaligar; es decir, yo no veo tan distantes los puntos de vista de Ynduráin de los de Paco Nieva, por citar dos de las posiciones divergentes de ayer, o lo que haya podido decir yo. Creo que en ese sentido podríamos llegar a confluencias y que precisamente debemos esforzarnos por confluir y encontrar caminos que nos sirvan a todos, de verdad, para lo que tú has dicho: defender e impulsar nuestro teatro. Y en ese sentido, lo he dicho al comienzo del coloquio y lo sigo pensando, creo que la ponencia, con las posibles salvedades que se puedan hacer, responde a esa petición de diálogo.

Además hay una serie de propuestas, tres o cuatro, que podían dar una dinámica determinada a la participación del Estado, entendiéndolo en esa gama distinta de poderes o de centros de actuación, respecto al teatro y en concreto al trabajo con los clásicos. Propuestas que, por supuesto, son un "desiderátum", pero también es nuestra obligación como gente de teatro hacerlo así. Si nosotros pudiésemos conseguir para el teatro 1.500 millones de presupuesto estatal en vez de mil, ¿por qué no vamos a hacer peticiones para ver si se consiguen, en lugar de que nos lo bajen de una manera expresa o tácita a 800, por la depreciación de la moneda o por la inflación? Es natural que tenga algo de "desiderátum" y tienes razón, opino que tienes razón cuando hablas de los presupuestos. Evidentemente, el ciudadano español en general, no conoce cuáles son los presupuestos del Estado. Yo una vez, y por una cuestión aparte que ya nunca volveré a repetir, espero, me tuve que estudiar los presupuestos del Ministerio de Cultura y me quedé anonadado. Fue una experiencia verdaderamente mortificante, porque es un galimatías que no entiendo. Me tenían que explicar cada palabra de cada apartado, de cada cosa, y de vez en cuando había un experto del ministerio que decía : "No, esto es fondo de reptiles", y claro, había un fondo de reptiles muy superior al de todas las actividades del ministerio.

Tampoco creo que eso fuera verdad, pero ese es un poco el mecanismo, y es natural que nosotros —y, efectivamente, hablo en nombre de los directores de escena y otros sectores teatrales—, no conozcamos el mecanismo de los números. Justamente, es ahí donde creo que se puede llegar a esa confluencia; es decir, a través de ese diálogo, las propuestas se alternan con las contrapropuestas: esa es la discusión y ese es el debate que permite comprender y saber hasta dónde se puede llegar. Pero pienso que se trata de un proceso dinámico en el que las dos posturas que quieren ser, que tienen voluntad de ser confluyentes, establezcan esos dos polos que permiten ir avanzando y mejorando no solamente las cantidades sino el empleo del dinero, el control sobre el dinero, la ejecutoria artística y la difusión del hecho teatral, es decir, beneficiar el teatro. Pienso que esa debe ser nuestra auténtica voluntad. Por supuesto yo comparto tu opinión: nosotros somos una secreción por real decreto de la situación anterior, en eso estoy de acuerdo. Todos hemos estado en esa historia y me parece que reivindicar e insistir en esa voluntad es importante para que también se le diera sentido a estas Jornadas. Hemos hablado mucho y muchas veces de que lo que aquí se discute no sale de estas cuatro paredes, todo lo más que llega es a un libro. Lo que tenemos que hacer es inventar, crear mecanismos de diálogo que no solamente acaben en la Administración. A veces nosotros nos quejamos de que no existe una vía abierta con los críticos.

Creo —esto es otro aspecto estético— que si se intensificaran las reuniones de conocimientos y relación, también ganaríamos en eficacia en ese campo. Se des-

personalizarían más las cuestiones, podríamos profundizar más en los fenómenos y en los hechos, nos conoceríamos mejor, claro que no quisiera entrar en eso. Pienso que se opondría alguna persona aislada pero no en general, creo que la gente tiene voluntad de desarrollar estos trabajos. Ese es el objetivo: que todas estas cosas sirvieran, en áreas específicas, para impulsar ese diálogo y ese conocimiento mutuo y romper la situación de aislamiento que antes padecíamos.

GUILLERMO HERAS.— *Yo ahora voy a intervenir como Guillermo Heras, quiero decir, que en esta condición esquizofrénica ya no sé si está claro quién soy y me voy a ir de estas Jornadas con un aire de mitinero, de panfletero. Me pasa una cosa que yo asumo como hombre de teatro: creo en mi condición esquizofrénica, pero a mí me gustaría que la propia Administración entendiera también su condición esquizofrénica, casi de Dr. Jekyll y Mr. Hyde. A mí me pasa una cosa muy curiosa y es que cuando estoy en una serie de sitios y reuniones, todos nos entendemos o nos podemos entender perfectamente, pero en el momento en que tengo que ir a un despacho, quizás porque yo no tendría que ir a un despacho, pienso yo, entonces es cuado no sé si es que me convierto en Dr. Jekyll o es que está allí Mr. Hyde, en fin, es una cosa tremenda. Asumo plenamente todo lo que ha dicho Juan Antonio, pero yo no sé si tú has hablado como Ramón Cercós persona, con la cual yo estoy totalmente de acuerdo con lo que ha dicho, o como subdirector general de Teatro, con el que también comparto muchas de tus preocupaciones, que hemos hablado durante tiempo, y en ese sentido yo creo que hay un pelín de visión reductora de la ponencia.*

Nos pides una cosa tremenda: números y eso depende de una política de gestión que el Ministerio de

Cultura no tiene en este momento para el teatro español. No digo que no la quiera tener, digo que no la tiene o por lo menos no se ha expuesto. Tiene una serie de retazos, de esbozos, de propuestas, de buenas intenciones, pero todo eso, ¿es comparable a cualquier política de gestión que se esté dando ahora en Alemania, que se esté dando ahora en México? No; esa es la opinión que nosotros tenemos. El asunto está en que, evidentemente, cuando quieras nos ponemos a hacer números, pero una vez que esté establecido ese diálogo, el diálogo que queremos, contratamos a un señor que los haga. Como además la profesión de directores de escena no existe en este país como tal sino que todos somos uno médico, otro panadero, el otro medio periodista, el otro no se qué y encima director de escena, pues entonces a lo mejor alguno es economista también, y nos sentamos. Lo que queremos es sentarnos a dialogar pero que nos dejen sentarnos, porque para servir de coartada, a mí me parece que ya he tenido muchas polémicas con la Dirección General, y las seguiré teniendo porque creo que hay que seguir teniéndolas. Sin embargo, a lo que no me niego nunca es a sentarme en una mesa, porque creo que esa es la función que me parece debemos tener. La Administración por un lado y nosotros por otro siempre, evidentemente, pinchando. Gracias.

JUAN ANTONIO HORMIGÓN.— *Señor Preuss, por favor.*

PREUSS.— *Como es natural, yo no quiero ni puedo inmiscuirme en las cuestiones internas españolas. En el marco de este coloquio, sin embargo, permítanme que exponga mi neutralidad y que hable como un político cultural internacional. Estoy en la UNESCO y mi ámbito de responsabilidad es precisamente el teatro. También soy representante de Alemania para cuestiones teatrales en el Consejo de Europa, por ello les ruego que tomen mis palabras como absolutamente neutrales aunque vaya a hablar un poco del asunto alemán.*

El colega Dougherty ha hablado antes de la vitalidad del teatro alemán y, desde luego, esta vitalidad hay que verla dentro de límites administrativos. Hay que tener en cuenta que esta vitalidad del teatro cuesta bastante dinero, pero no hay que dejar de lado el siguiente hecho: en primer lugar, en ningún sector cultural de toda Alemania a nivel federal, se gasta la Administración más del 1 % en asuntos culturales, el 1 % del presupuesto. Yo considero que un 1 % de porcentaje es un valor verdaderamente modesto. Sobre todo si se tiene en cuenta que en este presupuesto cultural, del que digo que el 1 % es para el teatro, en este presupuesto estatal también se incluyen los gastos del cuidado de los jardines públicos, la conservación de monumentos, etc. El presupuesto destinado al teatro dentro de ese 1% destinado a la cultura, es del 70 %, lo cual significa que, referido al presupuesto general de la nación, el teatro absorbe del 0,6 al 0,75 % del presupuesto global, lo cual es todavía mucho más modesto. Otro dato más y es que de los teatros estatales y estatalizados, de este presupuesto tan reducido, viven más de 35.000 personas.

Hay otro argumento que minimiza todavía más esta cuantía de subvenciones y es que los políticos hacen siempre gran alarde de la cantidad de dinero que se dedica a la cultura, especialmente al teatro, y esto se hace a nivel internacional. Pero olvidan que recientes investigaciones hacen referencia al efecto de las subvenciones. Esto es, las subvenciones no sólo significan un importante poderío económico y crean puestos de trabajo, sino que no hay que olvidar que el Estado recupera una gran parte de estas subvenciones por los impuestos que paga la gente asalariada mediante estas subvenciones, especialmente en el teatro, y mediante los im-

puestos que abonan las empresas que viven con estas subvenciones. Hay tres investigaciones, tres estudios que se han hecho en los festivales austriacos de Salzburgo, aunque allí hay, naturalmente, unas circunstancias muy especiales. En estas tres investigaciones se demuestra, insisto, que aquellos que han subvencionado los festivales han salido ganando, han ganado más que la cuantía de la subvención.

En la última reunión de expertos teatrales del Consejo de Europa, hice una solicitud y es que se crease una comisión investigadora en el propio Consejo, para que estudie no solamente los festivales austriacos de Salzburgo, sino también otros acontecimientos teatrales o culturales, y comprobara hasta qué punto el Estado recupera el dinero que invierte en las subvenciones e incluso gana con ello. Esta propuesta mía fue aceptada unánimemente en la reunión de Londres, y ahora vamos a esperar a ver qué es lo que se hace.

JUAN ANTONIO HORMIGÓN.— *Muchas gracias. Basilio Gassent.*

BASILIO GASSENT.— *Yo pedí la palabra después de hablar Ramón Cercós. En realidad mucho de lo que pensaba decir lo ha dicho ya Juan Antonio Hormigón, lo ha dicho Guillermo Heras, y lo había dicho también el propio Ramón Cercós, que afirmó que todos somos culpables. En realidad todos somos culpables y todos seguiremos siendo culpables, porque como seres humanos que somos nuestra obra nunca será perfecta. Si no fuéramos culpables, si la obra fuera perfecta, estos diálogos que deben de permanecer, y que desde siempre se establecieron, estos diálogos, el hablar, el dialogar, el comentar en forma de encuentro de un festival, o al margen de un festival, como encuentros entre profesionales o entre gentes interesadas por un tema, en este caso el teatro, no se darían. El diálogo es algo muy humano también y el diálogo es lo que debemos procurar, como ha dicho Hormigón, como habéis dicho todos.*

El tema que nos ha traído aquí, a estos encuentros, es el acercamiento de los clásicos a nuestro tiempo. En realidad este tema estableció ya diálogos y fue preocupación incluso de los propios contemporáneos de los clásicos barrocos en su tiempo, en el siglo XVII. Juan de Matos Fragoso, refundidor de "El villano en su rincón" de Lope, Gerónimo de Cárcer, Juan Bautista Diamante, Antonio Solís, Francisco Bances, son en realidad hombres que fueron ya en el propio tiempo de los autores barrocos, de los grandes autores barrocos, fueron hombres que se preocuparon por seguir, si no todos los caminos, por lo menos muchos de los caminos que se pueden ofrecer en el acercamiento de los clásicos. El adaptar, el experimentar, el tomar una obra clásica como tema, como motivo, como mito, para desde ahí inventar y crear otras obras, lo hicieron ellos y se siguió haciendo y se seguirá haciendo. En realidad, encontrar, dialogar, buscar caminos, es lo que debe importarnos a todos y creo que es lo que se está haciendo aquí, y lo que en próximos encuentros de este Festival de Teatro Clásico, que en la conciencia de todos está que siga creciendo y que siga vivo, se seguirá haciendo afortunadamente para el bien del teatro.

En cuanto al tanto por ciento que se debe asignar al teatro, al teatro clásico, yo creo que ese tanto por ciento como ha dicho precisamente usted señor Preuss, hablando de la República Federal Alemana, es un tanto por ciento que se debe asignar al teatro en general, porque si no lo mismo podría pedir el teatro romántico, el teatro neoclásico, el teatro naturalista, el teatro experimental, el teatro en sus diversas parcelas. El teatro clásico es, en realidad, un fenómeno más dentro de ese gran fenómeno social, cultural, político, que es el teatro.

JUAN ANTONIO HORMIGÓN.— *Gracias, Basilio. Lo que sí es cierto de lo que ha dicho Ramón Cercós, que he olvidado aludir y que sí me gustaría subrayar, es que, en cualquier caso, ante ciertas dificultades con que nos podríamos encontrar para definir determinadas áreas teatrales por su forma de producción, o ciertas áreas de repertorio, creo que podríamos ponernos de acuerdo en una cosa: se trata de ampliar la oferta cultural, de ampliar la oferta estético-teatral; es decir, nosotros hoy cuando hablamos de repertorio, nos referimos a un repertorio muy restringido. Si no tanto en lo que se refiere a producciones escénicas, sí en lo que se considera el repertorio internacional que incluiría los nuevos autores españoles. Nos contaba, por ejemplo, nuestro amigo de Yugoslavia, Soldatovich, una cosa muy interesante; nos decía: "Cada año podríamos hacer en Yugoslavia un Festival Lorca", por ejemplo, o se podría hacer, como de hecho se hace, un Festival Schiller o un Festival Shakespeare, en la República Federal Alemana. Nosotros tenemos dificultades para hacer un festival de nuestro teatro clásico. Estoy simplemente constatando un hecho que indica que nuestro repertorio es reducido y que hay que impulsar ese repertorio, primero para bien del teatro y segundo para bien de los espectadores, porque yo estoy convencido que hay suficientes espectadores que no tienen la adecuada oferta teatral para lo que quisieran ver.*

En ese sentido es en el que planteo que esa acción sobre el público —estoy, claro, de acuerdo con la ponencia de la Asociación en ese sentido—, no solamente supone abrir posibilidades, que es el primer punto, sino impulsar también la presencia del público. De ahí que las campañas respecto a los jóvenes, hechas consecuentemente, que las posibilidades de aproximar a grupos de espectadores por diversos mecanismos, me parezcan el otro polo de esa tensionalidad que debíamos crear hacia la presencia del público, al que sin duda también hay que darle su participación y recoger sus opiniones evidentemente. Ahora bien, ¿el hecho de que haya, supongamos, un 10 % del potencial de espectadores españoles que le interese el trabajo con los clásicos, debe de restarnos el que hagamos un 30 % de clásicos? Yo pienso que no. Aumentar la oferta en ese sentido puede representar una ampliación del número de espectadores en un plazo relativamente corto. Y digo "relativamente corto" dentro de los plazos que manejamos, eso no va a pasar en unos meses, pero eso es lo que va creando estela. Por otra parte, es principio democrático elemental que las minorías sean respetadas y atendidas. En lo que estamos absolutamente de acuerdos creo, todos, es en la necesidad de una cierta continuidad en el trabajo para que éste fructifique en algo. Luis de Tavira creo que quería decir algo.

LUIS DE TAVIRA.— *Se había anunciado una consideración a ciertas propuestas que se han hecho, sobre todo respecto a Hispanoamérica o Latinoamérica, en torno a nuestros clásicos comunes. Hugo Gutiérrez Vega, hizo una en esta misma mesa y en la ponencia, en las ponencias del martes, también surgieron varias que particularmente nos interesan. Yo no he querido traerlo a cuento porque siento que no ha llegado el momento, que falta quizás agotar otros temas antes de éste porque es muy específico. En todo caso lo adelanto...*

JUAN ANTONIO HORMIGÓN.— *Las propuestas son, si no me equivoco, la de Javier Navarro para que se dedicaran las Jornadas próximas al teatro hispano-americano.*

LUIS DE TAVIRA.— *No, no es exactamente eso. Se trata de que al considerar el teatro clásico español se reconsiderara en su globalidad, que es también hispanoamericano y no exclusivamente peninsular.*

JUAN ANTONIO HORMIGÓN.— *Muy bien.*

LUIS DE TAVIRA.— *Y la otra de Hugo Gutiérrez Vega, que quedó lanzada simplemente.*

JUAN ANTONIO HORMIGÓN.— *¿Te refieres concretamente al intercambio de organizaciones teatrales o a facilitar el intercambio personal? ¿De personas y de propuestas teatrales? Exacto. Creo que esas dos las podemos dejar como las estamos recogiendo, las vamos a publicar como tal. Quiero decir que quedan ya fijadas y lo que tendríamos que intentar es darles salida de algún modo y para eso está, entre otros, Ramón Cercós, para recoger toda esa serie de iniciativas como propuestas que elevar a la Administración porque aparte de ser nuestro amigo, es el subdirector de teatro y entonces informará seriamente de todo ésto ¿Hay alguna cuestión más?*

HUGO GUTIÉRREZ VEGA.— *La proposición que se hizo el martes sobre la posibilidad de dedicar el próximo Festival de Almagro al teatro virreinal, con la de que participaran en una manera orgánica, algunos países hispanoamericanos, creo que podría enunciarse, para no entrar en detalles, de una manera general. Recomendando la formación de una comisión, que por supuesto encabezaría el Ministerio de Cultura de España con la presencia de los representantes culturales de las embajadas hispanoamericanas de Madrid, y que tiene que hacerse con tiempo. Sé, por ejemplo, que en este momento se está preparando una muy interesante puesta de "El caballero de Olmedo", en Nicaragua. Sé, por ejemplo, que algo están preparando los cubanos también, que en México hay una serie de proyectos. Se trata de ponernos de acuerdo para que el próximo Festival de Almagro pueda llamarse así: "El Festival de los Clásicos Comunes", ya sean textos del teatro virreinal, que ven-*

gan los mexicanos con "Los empeños de una casa", o que vengan con "El amor es más laberinto", o que vengan los mexicanos con "El caballero de Olmedo" y vengan los nicaragüenses con el "Güegüense". Sería cosa, yo solamente propongo al Ministerio de Cultura, muy respetuosamente, de la formación de esa comisión en la que participen los representantes culturales hispanoamericanos aquí.

JUAN ANTONIO HORMIGÓN.— *Propuesta que queda también elevada en reunión bilateral, podéis luego completar, ¿no?*

JAVIER NAVARRO.— *Yo no sé si estoy muy proponedor este año o qué, pero me gustaría hacer otra propuesta. Creo que este año nos hemos acercado al tema de la puesta en escena, pero por supuesto no lo hemos tratado con le extensión y profundidad que merece. Quizás sería interesante pensar en otras próximas jornadas en que el tema de la puesta en escena de los clásicos se estudiara mejor de lo que se ha hecho. Añadiendo a esto el detalle importante de que la crítica personalizada, es decir algún crítico, interviniera como ponente, como discutidor al más alto nivel. Eso es todo.*

JUAN ANTONIO HORMIGÓN.— *Me parece muy bien. Bueno, parece que hemos terminado. Quisiera decir unas últimas palabras que son de agradecimiento a todos, por el clima de trabajo que ha habido y por el entusiasmo que se ha puesto en todos los debates. A todos, sinceramente, tanto a los ponentes, que pienso que han hecho unas aportaciones de excepcional importancia, como a los invitados, los compañeros que han estado y debatido con nosotros. Quisiera particularizar dos o tres casos. Al Ministerio de Cultura no tengo que darle las gracias porque es el organizador de estas Jornadas, y además si se lee atentamente la ponencia de la Asociación de Directores, hay un canto al Ministerio de Cultura por la organización de ese evento y a la Dirección General de Música y Teatro en perticular. Sí, quisiera agradecer al Instituto Alemán la ayuda que nos ha prestado tanto en la exposición de carteles, como facilitándonos la llegada aquí del señor Preuss. A la Universidad de Florida, que ha hecho lo mismo respecto a John Allen. Y a los amigos mexicanos por su presencia aquí. Al mismo tiempo quisiera agradecer, para terminar, a los técnicos, con Antonio Gallego al frente, que han sufrido nuestras largas exposiciones y que con un entusiasmo maravilloso, no solamente nos han acompañado sino que han sonreído siempre. Muchas gracias a todos y damos por finalizadas las Jornadas. Sólo quiero pasar el micrófono, igual que al comienzo, a Ramón Cercós, subdirector general de Teatro para que las clausure oficialmente.*

CLAUSURA

Como el Dr. Jekyll no habría subido aquí, pero como Mr. Hyde, tengo que subir a la fuerza. Unicamente se me ocurría, que en no se exactamente ahora en qué sala de conciertos europea, que goza de la mejor fama, entre los directores de orquesta, de entre las de de mejores condiciones acústicas, el director intendente de la sala, por fin dio la explicación y ésta no era de índole técnica, sino simplemente, estribaba en el hecho de que antes de entrar al escenario, había un espejo de cuerpo entero en el cual el director de turno se ajustaba el último detalle de la pajarita; ese detalle que a ninguno se le había ocurrido poner en ninguna sala de conciertos, lo agradecían inconscientemente los directores, diciendo que tenía la mejor acústica del mundo. En realidad lo que tenía era el mejor "espejo del mundo".

Ese canto se ha dicho, incluso hasta en la maravillosa e incitante —ahora ya no la llamaría panfleto—, sino ponencia de trabajo, de la naciente Asociación de Directores, yo me imagino, que es también como el espejo, es decir, esto es un espejo, aquí nos miramos todos y entonces podemos decir que esto es la mejor plataforma para unas conversaciones teatrales, del mundo o al menos de España, o de España y parte del extranjero. Yo creo que no es así, lo único que sí hay que constatar es que es la quinta vez que estamos diciendo cosas parecidas con diversos matices, con ánimo de construir, con ánimo de seguir adelantando en punto y seguido con respecto a las descripciones anteriores. Desgraciadamente no se puede invitar a las mismas personas, porque entonces supongo que cuando se llega al número diez, habría que alquilar todo el pueblo de Almagro, para que pudiéramos alojarnos y pedir a nuestros amigos mexicanos, si se recuperan con el petróleo, o nuestros amigos norteamericanos de Estados Unidos, o incluso a nuestros amigos alemanes, que nos ayudaran para invitar a 2.000 personas. Pero desde luego, cordialmente, sí que lo desearíamos, para mí guardan un recuerdo —y la palabra es muy tópica— imborrable, porque por fin se ha conseguido discutir —incluso quizás, la intervención más apasionada haya sido la mía de esta mañana—, con las tres virtudes que debe tener todo intelectual, y todo intelectual es el señor que ama la inteligencia y que no grita nunca: "muera la inteligencia".

Fundamentalmente, esas tres virtudes son, por una parte la acribía, es decir, el sentido crítico, el sentido autocrítico, de que todo lo que se dice no es toda la verdad, de que nadie tiene toda la verdad, sino parte de la verdad, y que poniendo en común cada uno un elemento de ese maravilloso rompecabezas, podemos construir algo valedero. Otra virtud que es la megalopsigía, es decir, la grandeza de ánimo de pensar que la cultura, más que separar une, de que hablar de nacionalismos culturales —comprendo que a veces se tiene que emplear la cultura para afirmar la identidad de una persona, de un prupo social, de un pueblo—, es algo provisorio, que son pasos que tienen que darse en la historia, pero que entre todos lo que aspiramos es a que exista una cultura universal, de la cual participemos todos y que no nos sea ajeno nada de lo humano, como decía el clásico romano. Y por último, la tercera virtud, que yo diría que es la más propia del intelectual, que es la ironía, la ironeia o ironía, es decir, tomarse todo con una especie de escepticismo sereno en el mejor sentido de la palabra. Creo que frente a los dogmatismos que son la negación de la razón, el esceptismo es una buena medicina, que hay que utilizar hoy en día, tan lleno de fanatismos y dogmatismos por todas partes y que ello nos hace que vayamos teniendo —una esperanza soterrada—, en que por encima de esas fuerzas negras y oscuras, de violencia, de contracultura, no en el sentido socio-cultural del término técnico ahora, sino de ir contra la cultura que hay en el mundo, hay siempre una esperanza en el hombre, en ese hombre que a través del teatro, a lo largo de la historia, ha mostrado todas sus pasiones, todas sus zonas de luz y sus zonas de sombras y que todas esas zonas de luz y de sombras, las asumiremos, pero con la esperanza de cada vez la luz ilumine a más gente.

Esto en el teatro se hace, esto en el teatro se continuará haciendo y esto en el teatro será siempre el fruto de la gente que ha trabajado, de la gente que se ha ilusionado, de la gente que ha muerto incluso, no físicamente, pero sí ha muerto de cirrosis hepática por el teatro. Muchas gracias a todos; a toda esta variopinta representación que hemos tenido; a la alegría, pues, del señor Suárez Radillo; a la incluso prudente asistencia de los críticos, como Enrique Llovet, que no ha intervenido mucho, cuando el siempre suele intervenir; y, por supuesto, Basilio Gassent, que es uno de los patrocinadores grandes de este festival, porque la cadena SER siempre está a nuestra disposición, no así otras instancias por lo visto más "importantes", entre comillas, pero menos decisivas a la hora de informar; a Lorenzo López Sancho, siempre inquieto y certero; muchas gracias a todos los ponentes: a Paco Nieva, que ha tenido la humildad de aguantar aquí algunas inventivas; a Domingo Ynduráin que perennemente viene dispuesto a defender a los clásicos hasta el final; a nuestros tres amigos americanos, con ponencias muy importantes, muy estudiadas; al señor Preuss, que ha venido a pesar de las dificultades del idioma. No quisiera que se me quedase nadie en el tintero, pero no puedo enunciar uno por uno. Todos los de más allá de nuestras fronteras han dado muestras de cariño y han sabido responder con simpatía a nuestra invitación.

Felicitémonos de que por el esfuerzo y la dedicación de todos los asistentes se pueda conseguir que el teatro viva, crezca y florezca. Muchas gracias.

RAMÓN CERCÓS
Subdirector General de Teatro

APÉNDICE

FIESTA Y TEATRO EN EL BARROCO ESPAÑOL: PROPUESTA DE TRABAJO. UN EJEMPLO DE ESTUDIO DE LA RELACIÓN FIESTA-TEATRO: TEXTO CANTADO EN EL AUTO SACRAMENTAL DE CALDERÓN (FUNCIÓN Y PÚBLICO)

JOSÉ MARÍA DÍEZ BORQUE

JOSÉ MARÍA DÍEZ BORQUE

Profesor numerario de literatura española en la Facultad de Filología de la Universidad Complutense. Ha dictado cursos y conferencias en universidades e instituciones culturales de Francia (Toulouse, Bordeaux); Italia (Roma, Milán, Verona, Pavia, Parma, Bologna, Firenze); Austria (Viena); Rumania (Bucarest); Dinamarca (Copenhague); Canadá (Toronto); Estados Unidos (Boulder, Berkeley, Boston); China (Pekín). Ha sido consultor de la Unesco en Pekín (China). También ha dado cursos y conferencias en facultades e instituciones culturales españolas (Instituto Goya, Casa de Cisneros, Universidad Menéndez Pelayo, Colegio de Doctores, Cursos de verano de la Universidad de Santiago en Vigo, etc.). Ha participado en una decena de congresos nacionales e internacionales.

Autor de una veintena de libros (monografías, ediciones, colectivos, etc.), cabe señalar entre los dedicados al teatro sus ediciones de Lope y Calderón (Istmo, Castalia, E. Nacional); **Semiología del teatro** (en col. Planeta); **Sociología de la comedia** (Cátedra); **Sociedad y Teatro en la España de Lope de Vega** (Bosch). Ha dirigido una colectiva **Historia de la Literatura Española** (Taurus, 4 volúmenes) y **Literaturas hispánicas no castellanas** (Taurus). En la actualidad está en prensa una **Historia del Teatro** (Taurus), colectiva.

Ha colaborado, con más de cincuenta estudios, en **Arbor, Cuadernos Hispánoamericanos, Segismundo, Estafeta, Cuadernos para investigación de Literatura Hispánica, Synthesis, Boletín del Instituto de C. de Viena,** etc.; estudios sobre Lope, Calderón, Machado, san Juan de la Cruz, Juan del Enzina, etc. Ejerce la crítica literaria en **El País** y **Nueva Estafeta** y en la actualidad dirige la nueva serie de clásicos de Temas de España, prepara una edición de autos sacramentales de Calderón y tiene en prensa en **Hispanic Review** un estudio sobre poesía marginal en el siglo XVII, tema en el que trabaja ahora.

FIESTA Y TEATRO EN EL BARROCO ESPAÑOL: PROPUESTA DE TRABAJO*

Bastaría con la existencia del auto sacramental del siglo XVII hispano para comprender la necesidad del estudio articulado de fiesta y teatro en el barroco español y la absoluta insuficiencia del análisis del texto como hecho exclusivo de literatura escrita. Pero hay razones de mayor entidad, más allá de las características de un género específico y fronterizo, que afectan a la esencia, y por tanto a la forma externa, de los elementos integrantes del teatro y de la fiesta, produciendo una variada escala que va de la confusión a la perfecta delimitación de manifestaciones teatrales y manifestaciones festivas, con una rica posibilidad de géneros intermedios.

El problema comienza en el principio. Si de acuerdo con las teorías de Frazer, Malinowski, Levi-Strauss, pensamos en un origen ritual, ceremonial del teatro, apoyado en la asociación rito-mito y con una finalidad de acceder a la divinidad y obtener favores de ella (1), ampliado en lo profano a funciones de catarsis, inversión, reconocimiento, diversión, control... (2), comprederemos que la génesis marcará un proceso de separación, en etapas sucesivas, en que algo va especificándose como teatro haciendo, como dice S. Carandini, que la fiesta se haga más ritual y social y "delegando al teatro el proporcionar representaciones alegóricas de la sociedad", definiéndose como "categorías autónomas" (3). Pero esto, centrándonos en el XVII hispano, es cierto sólo en parte y requiere matizaciones. Por una parte, es verdad que el teatro adquiere unas características de profesionalidad, de organización económica, regulación administrativa y de especificidad apoyada en la separación espacio del actor-espacio del espectador (4) y, por otra, con carácter autónomo existen diversidad de fiestas-espectáculo o fiestas-participadas, religiosas y/o civiles. Pero también es cierto que el teatro no puede desprenderse de la impureza de nacimiento, produciéndose retrocesos hacia ese origen o manteniéndose etapas intermedias que dan lugar a géneros insuficientemente definidos como teatro o como fiesta. El problema surge de que haya actividades del hombre que coinciden en tener como base la *representación,* es decir, sobreactuar, representar intencionalmente un papel por encima de la propia representación que es la vida en sí misma (precisamente el concepto de vida = teatro se potencia en el barroco cuando, a la par, se produce la especificidad del hecho teatral). Podría servirnos, inicialmente, la distinción de Leenhardt (5) entre *figuración* y *representación* para establecer las diferencias entre el *actuar festivo* y el *actuar teatral* y obtener, consecuentemente, las características de cada uno de los elementos que integran el teatro y la fiesta, para delimitar los campos propios y también las relaciones y puntos de confluencia.

Metodológicamente la inicial dificultad está en que teóricamente puede ser más o menos fácil distinguir entre actividades perfectamente tipificadas del *actuar festivo* (en su doble vertiente de espectáculo y/o participación: una procesión a la que se asiste o se contempla), y el *actuar teatral* (una comedia de Lope en un corral, para cuya contemplación se paga un dinero).

Pero hay, como decía, una variada escala de géneros intermedios, en ambos campos, para los que no sirve la tajante separación entre *figuración* y *representación*: pensemos en jácaras y mojigangas, bailes escénicos y en las fiestas folklóricas participadas o en las organizadas de solemne y espectacular aparato civil y religioso. Esto corrobora la necesidad de tomar en consideración las no simpre atendidas relaciones fiesta-teatro para, en primer lugar, clarificar la polisemia del término *fiesta* que incluye tanto al acto público organizado (procesión civil de recibimiento, fiesta urbana de celebración real, procesión religiosa, fiesta de canonización...) como el ritual civil o profano (etiqueta palaciega, función religiosa) y también las celebraciones folklóricas (fiestas de mayo) con un carácter espontáneo o cíclico, civil o religioso, o de extraño maridaje entre ambos, afianzadoras o inversoras del sistema de valores establecido: desde el carnaval a las fiestas de moros y cristianos, pasando por las mil formas de festejar el comienzo de las estaciones. Y todavía el concepto de *espectáculo* que se da y/o se recibe, en que reposan estas *liaisons dangereuses* obligaría a tener en cuenta géneros que se basan en la representación: desde los argumentales (mimo, marionetas, ballet...) a los que sustituyen el argumento por la potenciación de una habilidad (circo, varietés, canciones...).

Estoy intentando recalcar que lo que en el barroco español llamamos teatro mantiene una estrecha vinculación con otras actividades basadas en el espectáculo, con mayor o menor grado de participación, y que solemos englobar bajo el polisémico término de fiesta. Teóricamente pueden utilizarse diversos criterios como decía para distinguir entre *teatro* y *parateatro* (o teatralidad segunda como quiere el profesor Sito Alba con su concepto de *mimema* o unidad dramática mínima); separación-participación; redundancia y ritualización o no del texto y las actuaciones; universalidad integradora y totalizadora del tiempo festivo (6); ciudad y calle como marco (7); catarsis social; simbolismo; formas de reconocimiento (8), etc. Todo esto haría posible aceptar como válida una definición operativa de fiesta como la que propone Miguel Roiz y que podríamos oponer al concepto general de teatro:

> "Una serie de acciones y significados de un grupo, expresados por medio de costumbres, tradiciones, ritos y ceremonias, como parte no cotidiana de la interacción, especialmente a nivel interpersonal y cara a cara, caracterizadas por un alto nivel de participación e interrelaciones sociales, y en las que se transmiten significados de diverso tipo (históricos, políticos, sociales, valores cotidianos, religiosos, etc.) que le dan un carácter único o variado, y en los que la práctica alegre, festiva, de goce, diversión e incluso orgía, se entremezclan con la práctica religiosa e incluso mágica, cumpliendo determinadas finalidades culturales básicas para el grupo (cohesión, solidaridad, etc.), y con carácter extraordinario, realizado dentro de un período temporal, cada año por ejemplo" (9).

Pero ocurre que aparte de la existencia de géneros intermedios entre teatro y fiesta con puntos de contacto en lo esencial, a que ya aludía; aparte de la unión que supone el concepto de representación; aparte de la imbricación y superposición de funciones, hay una serie de prácticas de actuación concreta que aproximan teatro y fiesta: el brujo cubre su cara con una máscara, el sacerdote se reviste, las mozas de San Pedro Manrique se visten de mendidas, quizá recordando a las sacerdotisas celtíberas, para celebrar la fiesta patronal; el marco de la fiesta se decora cambiando así, como dice Prat Canos, su carácter "de objetos primariamente técnicos y cotidianos", y atendiendo al esquema que propone S. Carandini de elementos integrantes de una característica forma de fiesta pública (artífices, proyecto, elementos literarios, materiales, técnica y escenario) (10), comprobamos la enorme proximidad y aun confusión con genuinas prácticas teatrales. No podemos olvidar, además, que muchas veces es el teatro un elemento más del envolvente espacio y tiempo festivo, en el que adquiere significado como fiesta literaria de la palabra junto a otras formas específicas de fiestas de la palabra.

Estudiosos de la fiesta (11) y del teatro (12) han hecho avanzar independientemente su conocimiento pero lo que vengo reclamando es la necesidad de su estudio relacionado, en un esfuerzo interdisciplinar y que deberá ser objeto de futuras reuniones de trabajo, para responder a problemas planteados aquí como síntoma y a otros muchos ni siquiera mencionados.

Como "caso práctico" voy a presentar un análisis del auto sacramental como ritual festivo litúrgico, centrándome en las funciones del texto cantado para esbozar unas hipótesis sobre las características de recepción y público y apoyar desde un ejemplo particular —pero especialmente significativo por su carácter de ritualización festiva y específica forma de producirse— las propuestas de trabajo sobre las relaciones teatro-fiesta.

EL AUTO SACRAMENTAL CALDERONIANO: TEXTO CANTADO Y PÚBLICO. UN EJEMPLO DE ESTUDIO DE LA RELACIÓN FIESTA-TEATRO

El propio Calderón de la Barca al defenderse de las acusaciones de repetición en sus autos, y por tanto no evolución, justificándose por el carácter anual de la fiesta, y al aludir, por lo mismo, a los valores visuales, nos pone en el camino de considerar el auto sacramental como ritual festivo, aspecto fundamental para entender este género, encuentro de teatro y ceremonia que apoya, subrayándolo lo dicho hasta aquí. Además su conocida definición de "sermones en verso" nos pone ante otro de los aspectos esenciales de la fiesta programada con intenciones de prestigio, propaganda y lección.

Consecuentemente, calificados estudiosos del auto sacramental (Pfandl, Parker, Valbuena Prat, Wardropper, Flecniakoska, Bataillon, Dietz, Arias...) se refieren, concediéndole mayor o menor importancia, a las características de auto como forma de culto, de ritualización litúrgica, de ceremonial celebrativo, bien sea al tratar de sus orígenes, vinculándolo a procesiones y prácticas festivas de celebración del Corpus, o al analizar la propia estructura del género (13). Esto origina unas especiales características de recepción, que me interesan y trataré después, y demuestra que la exclusiva o prioritaria consideración del auto bajo la óptica de género teatral no sólo lleva a desenfoques sino que, en forma final, lleva a su incomprensión. Subrayo el carácter de encuentro de liturgia y teatro, ceremonia y acción escénica, contingencia y sobrenaturalidad mediante recursos tan queridos para toda práctica festiva ceremonial como alegoría y símbolo sumados a un desbordamiento visual con finalidad propagandística. Ciertamente no es lo mismo auto sacramental y fiesta litúrgica pero hay suficientes motivos de estructura, de puesta en escena (anual, en la calle, incluido en un tiempo festivo más amplio que lo envuelve, etc.) para pensar en una alteración esencial en la comunicación entre espacio del actor y espacio del espectador, no sólo por lo que hace a la difusión propagandística y aleccionadora (doctrinal y moralmente) —no entro en el debatido problema de reforma y contrarreforma (14)—, sino porque, como veremos, exige una determinada forma de participación del espectador-feligrés que, como en la fiesta, con las distancias que señalaré después, se ve envuelto por y en el ritual festivo, alterándose la forma canónica de comunicación teatral para aproximarse a la comunicación religiosa que tampoco renuncia a factores de diversión como forma de *captatio benevolentiae*. Cuando Bataillon lo calificó como "fiesta primaveral de la iglesia" (15) daba en la diana no sólo, pienso, por señalar su carácter festivo sino por llevar nuestra mente con ese "primaveral" al complejo mundo de asociación del tiempo festivo profano y el tiempo festivo religioso que está en el corazón de la fiesta, con prácticas incluso contrapuestas.

No se trata de una fiesta en la que el espectador sea parte activa directamente, como en otras que he mencionado, sino que lo es en cuanto feligrés al que se alecciona y que, en cierto modo, participa indirectamente en el ritual litúrgico, lo que nos pone ante la doble vertiente de la relación religiosa: doctrina y moral que hay que entender y practicar y ritual de alabanza para obtener favores. El estudio articulado de ambos aspectos puede ponernos en la pista de la interpretación del auto como fiesta, en relación a su público.

Al punto surgen una serie de interrogaciones: ¿es la complejidad del auto calderoniano procedimiento apto para aleccionar y hacer "rentable" la propaganda o, con palabras de Wardropper:

> "¿Cómo es posible que un público, en su mayor parte analfabeto y sin cultura literaria ni teológica, asistiera de buena gana y con provecho espiritual a obras dramáticas de las más difíciles e intelectuales que se hayan escrito" (16).

esa complejidad filosófica que estudió con penetración Frutos (17). En pocas palabras: ¿Entendía el público común los autos sacramentales en el fondo de su complejidad conceptual?

Me resulta difícil admitir una importante cultura teológica del pueblo, aun contando con la necesidad de esforzarse para entender los autos, como apunta Wardropper, quien también se refiere, sin embargo, a la existencia de distintos niveles de público sin que lo intelectual fuera siempre el factor esencial frente al carácter litúrgico, de "prolongación del culto fuera de la iglesia" con participación y unión de los fieles ante Dios (18). También Parker apoya la capacidad de comprensión de alegoría y concepto, lo mismo que D. T. Dietz. Todos estos autores, junto con Pfandl, Flecniakoska, Arias y otros (19), como decía, aluden, de un modo u otro, al carácter ritual, festivo, litúrgico pero dando por supuesta la comprensión conceptual y no concediendo valor decisivo y definitorio al carácter de fiesta.

No resuelven el problema las razones comerciales de rivalidad, el "idéntico destino que la comedia" de que nos habla Bataillon (20), aunque, en cierto modo, la búsqueda del halago a oídos enterados de quienes concedían los premios y hacían los encargos pudieron llevar a los poetas a profundidades conceptuales y belleza formales, de algún modo ajenas al grueso de los destinatarios del auto; ese "pacto amistoso con la iglesia triunfante" a que alude Arróniz (21), exagerando sus consecuencias como responsable de la inicial formación de compañías y comercialización teatral.

Los estudios de la liturgia católica, y la propia historia de la devoción y del rito católicos, muestra que esa idea de la cultura teológica del pueblo llano está lejos de la realidad (22) y hay que pensar, además, en esas formas populares de la religiosidad en el siglo de oro que analiza Caro Baroja (23), en las difíciles fronteras entre superstición y creencias y prácticas de la religión católica y en la complejidad de ritos y prácticas festivas. El cardenal Enrique y Tarancón, en su bello discurso de ingreso en la Real Academia Española, nos ofrece valiosos testimonios e interpretaciones de los esfuerzos de la Iglesia católica —antes y después de Trento— para incorporar al pueblo a la liturgia, a la comprensión del dogma, para hacerle "entrar más íntimamente en la vida del santuario" (24). Los procedimientos no son de complicación sino de allanamiento, de integración mediante diversos recursos: sermón, oraciones, himnos, hasta culminar en tiempos recientes en la utilización de la lengua vulgar en la misa. Son profundas las raíces de esta actitud en la historia del rito de las diversas comunidades cristianas y ya se planteó en Trento, llegándose al acuerdo de que la misa debía celebrarse en latín pero:

> "frecuentemente, durante la celebración de las misas, por sí o por otro, expongan algo de lo que en la misa se lee, y entre otras cosas declaren algún misterio de este santísimo sacrificio, señaladamente los domingos y días festivos" (25).

El feligrés medio no debía de entender el latín de la misa y el significado de este y otros ritos y prácticas ceremoniales (el profesor Lapesa afirma que ignoramos como "seguía" el pueblo la misa y se pregunta por los formularios romanzados para entenderla (26) y la Iglesia, en parte, procuraba ayudarle. Tampoco creo que en un nivel general se entendiera, por completo, la teología cristiana ni la "filosofía y teología de los autos sacramentales" (no me refiero, obviamente, a un público instruido de prelados, letrados; recordemos la alusión hecha antes a distintos niveles de significación.

Esa doble vertiente, unificada en su finalidad última, de exposición doctrinal y moral y prácticas rituales que se da en la comunicación religiosa aparece en el auto sacramental, organizada en el paradigma de fiesta sacramental. El auto se inscribe así en esa misma voluntad de incorporación a que acabo de aludir para la ceremonia religiosa y como ésta dispondrá de ayudas para facilitar la comprensión que la alegoría y simbolismo que le unen con el lenguaje religioso puro dificultan (27): comentarios, explicaciones, elementos visuales; contará con factores de atracción al margen de la propia estructura: loa, entremeses, bailes; y se dotará de unas funciones de oración y práctica litúrgica —encomendadas, como veremos, al texto cantado— que sitúan al espectádor del auto en un plano semejante al del feligrés, determinando que la total comprensión de la anécdota conceptual y el significado doctrinal profundo sea sólo un aspecto de esta comunicación, en la que, como digo, entran otros aspectos de la relación festiva, como el rendir culto a la divinidad. Explicaría esto el por qué pienso que el problema de recepción del auto se entiende mejor hablando de pueblo feligrés que de pueblo teólogo y recurriendo al *espacio festivo* como explicación válida.

Voy a limitarme al análisis, en el sentido de lo que antecede, de la función del texto cantado en los autos sacramentales y teatro de Calderón, problema que, con distintos alcances, ha sido abordado por varios investigadores (28). Pero adentrarse en el estudio de la función de la música, de la canción, en los autos sacramentales calderonianos obliga a plantearse las características esenciales, en lo que aquí es pertinente, de la música barroca, de la música teatral y de la música religiosa, y exige, por una parte, inscribirlo en esa actuación religiosa postridentina, a que me refería y, por otra, en cuanto vinculado a una tradición teatral, preguntarse por las funciones del "comentarista", del texto segundo sobre el texto primero que, para el teatro medieval europeo ha sido estudiado, excelentemente, por Fichte (29). Limitándome estrictamente a lo que aquí necesito, no voy a entrar en problemas concretos de técnica, origen del auto, sino que me ceñiré a lo que aquí es pertinente.

Emilio Casares insiste en la función propagandística de la música barroca, en lo religioso y en lo civil:

"Tanto el catolicismo purificado en Trento, como el protestantismo surgido del levantamiento religioso y consumado con éxito, a la fuerte monarquía absoluta que se establece en Europa, van a mirar la música como un medio de dramatizar sus respectivas glorias e ideologías" (30).

El mismo "valor triunfal" que atribuyen a la fiesta Nieto y Checa (31). La Iglesia explotó los valores pedagógicos, emocionales, de participación, dramatización y propaganda de la música y el canto:

"Servía para transportar al creyente en los solemnes ritos barrocos, una especie de mundo triunfante, donde se exaltaba el poder esencial de la Iglesia y ante la que por ello había que tener fe, y por otra parte, colmaba la esfera de lo emocional, con sus cualidades dramáticas y expresionistas (...)" (32).

y con esto cumplen géneros característicos como el *oratorio, la cantata, la pasión,* que nos llevan a los terrenos de lo teatral, en ese cruce complejo de música religiosa y música escénica que tanto preocupaba a Feijoo, muy consciente de la "teatralización" del templo y de los efectos de la música (33). Un teórico de la música, Eximeno (siglo XVIII), a la par que reconoce la importancia de la asociación religión-música, señala las diferencias entre el canto litúrgico destinado a "fomentar la devoción" y otras formas musicales —muchas veces vinculadas a géneros teatrales— cuya misión es entretener al pueblo y "acrecentar la magnificencia y pompa de las grandes solemnidades" (34). Ya estamos en terrenos que son los de nuestro tema: la diferencia entre la música propiamente litúrgica y la música religiosa popular, nacida ésta de la voluntad de la Iglesia de aleccionar y deslumbrar a sus feligreses. Muestra López Calo la existencia de dos tipos de melodías, de actitudes diríamos mejor:

> "para las obras en latín se seguía el "estilo antiguo", el renacentista de la polifonía (...) mientras que las en romance —pronto delimitadas a las celebraciones del Corpus, Navidad y otras pocas fiestas— eran en el estilo nuevo" (35).

y precisamente en este estilo nuevo son fundamentales: el "stilo rappresentativo" (con los géneros que vimos), la dramatización que permite una influencia directa emocional y la *monodia* que al potenciar una voz —frente a la polifonía— "permitía al músico proyectar con claridad el texto al oyente" (36); lo que cuadra perfectamente con las funciones doctrinales, a que me refería antes, y lo mismo la utilización de coros opuestos, que trataré después. Volvemos a esa disociación —de la que ya he hablado— entre liturgia, teología y religiosidad popular, también testimoniada por el auto sacramental y volvemos al papel integrador de unas determinadas formas musicales, tanto en el templo como en el carro del Corpus, en ese plural encuentro de religión y teatro con trasvases en las dos direcciones porque responden a una misma intencionalidad y se asientan sobre las movedizas tierras de ceremonia, ritual, teatro y parateatro que tienen —indudablemente— un punto de encuentro. Podríamos simbolizar todo esto con las funciones del himno, según el juicio de un experto en liturgia como es el cardenal Tarancón:

> "El himno fue siempre el medio de expresión más adecuado para la piedad popular en la liturgia cristiana. Está llamado en nuestros días a superar el divorcio que se ha venido produciendo en Occidente entre la liturgia y la devoción popular. La "devoción moderna", al mismo tiempo que se apartaba de la devoción oficial de la Iglesia, utilizó el himno coral, para expresar las "devociones" del pueblo (...)" (37).

La utilización de la música en el auto sacramental calderoniano adquiere significado dentro del marco de la funcionalidad de la música religiosa en el barroco. Pero el auto sacramental se inscribe, en cuanto teatro, en una tradición dramatúrgica y no es un producto nuevo —en contra de lo que dicen algunos estudiosos— sino el resultado de un proceso evolutivo, analizado por Wardropper, Flecniakoska, Fothergill-Payne, etc. (38). La utilización del canto y música en relación con el público, que es lo que aquí me interesa, hay que explicarla también dentro de esa tradición teatral a que aludo. No voy a entrar, por razones obvias, en esta compleja problemática. Sabido es que, con mayor o menor frecuencia, música y canto se utilizan en el teatro religioso y profano de la Edad Media y del Renacimiento (39), pero lo único que me interesa ahora es plantear su función desde una perspectiva teatral de "comentarista", de ayuda para la comprensión y lección doctrinal y moral. La propia estructura dramática se genera en esta funcionalidad en relación con el público al que va dirigida.

Viene repitiéndose que un logro importante, y por tanto rasgo caracterizador, del auto sacramental calderoniano es haber reducido o hecho desaparecer el personaje intermedio que como comentarista garantiza la comprensión del mensaje y su funcionalidad, aunque haya otras formas de comentario. Esto es verdadero en parte, ya que la canción en cierto sentido (también otros pasajes del auto, en los que no entro) adquiere alguna de las funciones de lo que Fichte llama el "expository character" (40), especialmente en su misión moralizadora y doctrinal y en la de "crear disposición de ánimo, envolviendo a los espectadores en la acción" que estudia el propio Fichte en el drama medieval europeo, mostrando el paso decisivo de una función de "técnica dramática" (anunciar la acción, introducir caracteres, conseguir unidad, indicar el paso del tiempo, narrar, etc.) a una función de guía didáctica y espiritual que supone, además, pasar del coro al "expositor invididual" (41).

En el teatro religioso del XVI encontramos estas funciones dramáticas, encarnadas por el pastor, en Sánchez de Badajoz (42), por el ángel o la fe en López de Yanguas (43), por citar sólo dos testimonios de los muchos que podrían mencionarse si tratase específicamente del tema. Lo que me interesa es señalar la permanencia de un recurso, bajo diversas formas, que atañe directamente a la relación emisor-receptor, a la funcionalidad del texto y que no es sino una manifestación concreta teatral del procedimiento de interrumpir el progreso de la acción —no siempre— para explicarla, de introducirse directamente el autor para exponer sus ideas. Es una forma de la muy utilizada estructura de sermón, con una exposición doctrinal directa en la que se embuten unos acontecimientos, una acción que prueba desde los hechos, desde la pretendida realidad mimética, una doctrina, que no sólo se deduce sino que se expone directamente. Aunque con frecuencia la canción se integre en los hechos que constituyen la acción del auto, más o menos, está muy lejos de ser mera acción cantada —recordemo la zarzuela— para inscribirse en esa tradición de duplicidad del texto, aunque forman una unidad orgánica con una funcionalidad precisa. No digo que los textos cantados de los autos de Calderón coincidan estrictamente con la función del comentarista del teatro anterior, ni que tengan exclusivamente una función doctrinal y moral, pues veremos sus valores fundamentales de oración, alabanza, de incitación religiosa, etc.

Lo que quiero decir es que se inscriben con frecuencia en esa tradición teatral de texto segundo sobre el texto primero de la acción lo que, además, nos lleva a una forma de comunicación que no es sólo la de contemplar un espectáculo sino la de participación del modo que fuere y relacionado con la fiesta, con las necesarias consecuencias de adoctrinamiento, propaganda, normas de conducta, etc. En esta confluencia de religión y teatro, de fiesta y escena, se sitúa el auto sacramental y por ello he intentado articular tradición religiosa y tradición teatral para comprender sobre qué bases conceptuales se asienta la utilización de la música en los autos sacramentales de Calderón. Ello nos muestra, insisto, la perfecta articulación en un producto doctrinal que está dentro de una historia de celebración del Corpus que se remonta a prácticas ceremoniales y textuales de la Edad Media europea (44). La potenciación de la música en la época barroca y sus posibilidades hizo que el poder la utilizara en un beneficio, renovándose y potenciádose unos hábitos previos. Dice bien Martín Moreno sobre lo primero:

> "la música se convierte en uno de los principales resortes psicológicos que tanto la Iglesia como la Monarquía supieron utilizar perfectamente, lo mismo en los templos que en los teatros, en beneficio de sus propios intereses".

y aporta valiosos testimonios de la importancia que le conceden dramaturgos y teóricos y de la relativa escasez bibliográfica actual (45).

Momento es ya de entrar en el análisis concreto de la función de los textos cantados en los autos sacramentales de Calderón, para lo que he elegido treinta piezas (46), que constituyen, pienso, suficiente material, pues diré que no he encontrado alteraciones importantes sino que se mantiene una coherente distribución de funciones en cada auto.

Aunque con brevedad quiero referirme, previamente, a los estudios de Sage y Pollin que se plantean específicamente el tema en Calderón, y al de Umpierre que se centra en la obra de Lope de vega (47).

Sage, en su citado estudio, analiza, con agudeza, las ideas de Calderón sobre la música, la filosofía de la música en el problema de la articulación de lo ético y estético y su tradición, destacando el tema de la armonía (verdadera y falsa) en cuanto a la coordinación de lo divino y lo humano, y la importancia, en este sentido, de la música en el auto sacramental calderoniano. Se ocupa también de la ópera, su vinculación con Italia y su relación con el público, pero a mis propósitos aquí interesa destacar algunas ideas esenciales del estudio de Sage: la música *verdadera* "como eco de la celestial armonía" y "manifestación de la razón divina" (p. 217) en una concepción platónico-agustiniana; el auto como "an artistic-moral artifact of theme, poetry and music" (p. 219); la música como "parte esencial de su técnica dramática" con "funciones alegóricas" (pp. 219 y 226); expresión de la voz de Dios, del impulso divino (p. 220); de la Revelación (p. 226); la música puramente sensorial se asocia con el pecado y es "negación de la celestial armonía" (p. 222). Se refiere también a la música en piezas no sacramentales e insiste en la función de los "conceptos correlativos", del eco y en *postscript* simplemente apunta la importancia de la tradición litúrgica en cuanto a su utilización en los autos sacramentales.

Pollin estudia expresamente la función de la música en los autos sacramentales calderonianos. Le señala una función de "misterio y razón" (p. 362), un papel esencial como determinante de la "forma y dicción" de los autos (p. 362). También se ocupa de la ya citada problemática de la música como armonía del cosmos y analiza la "proporción y consonancia" en relación con otras artes del barroco; especialmente útil es la referencia a la pintura, que le lleva a detenerse en la consideración del *ver* y el *oir* en la ética y estética calderonianas, que veremos, con esa característica tendencia hacia la transcendentalidad, hacia el valor didáctico y doctrinal de la música en coros y solos; voz de Dios, pero también testimonio de tristezas. Junto a otros aspectos estudiados (falta de documentación, relación con Italia), interesa a mis propósitos aquí destacar las menciones que hace a la combinación de influencias de la música sagrada y secular (p. 367), al influjo de Trento en la búsqueda de claridad frente a la polifonía —que ya vimos— (pp. 367-368), al influjo de las "sacre rappresentazioni" y también, en otro grado, del *oratorio* (p. 369). Además de algunas precisiones sobre la realización concreta del canto, resulta especialmente sugestivo el pasaje que cita de Zabaleta (p. 370) en cuanto que muestra la misma postura que vemos en Feijoo, Eximeno y otros acerca de la función doctrinal y moral de la música que se sirve, como procedimiento, del halago a los sentidos pero no para quedarse en esta función lúdica primaria.

Umpierre hace un minucioso análisis de los textos cantados en el teatro de Lope, en relación con el autor, los caracteres, la estructura dramática, argumento, acción, como creación de "atmósfera y disposición de ánimo" (aquí incluye lo sobrenatural) y demarcación espacio-temporal. No se ocupa expresamente de los autos sacramentales, pero, al fijarse en la relación canto-mundo sobrenatural, apunta la función de trasladar al espectador fuera de la "realidad ordinaria" (p. 102) y señala algunas funciones básicas del canto como augurios, intervención y ayuda de Dios (pp. 85 y ss.) y cita, simplemente, la relación con el antiguo drama litúrgico y con la música litúrgica. En cuanto creadores de disposición de ánimo y atmósfera se refiere a cantos de alabanza, celebración y procesión (pp. 59 y ss.).

Existen pues unos planteamientos que señalan la importancia de la música y su "filosofía" en el teatro calderoniano, pero creo que es necesario también un análisis pormenorizado de las funciones religiosas de esos textos cantados, vinculándolas con el público, dentro de una tradición y actividad religiosa y dramatúrgica. Contando con los conceptos básicos que he apuntado, paso al análisis de la práctica totalidad de los pasajes cantados de los autos sacramentales que he estudiado (48).

El auto sacramental cuenta además, como es sabido, con la espectacularidad de efectos visuales que también cumplen una función de propaganda y atracción, pero solamente voy a ocuparme del *oir*, en su forma privilegiada de canto, de armonía musical. Aun contando con las restricciones éticas de la música, según estudia algún crítico (49), es lo cierto que Calderón considera más importante el sentido del oído (50) en la misma línea de San Pablo: "la fe entra por el oído" (51) y de San Agustín:

> "vivísimamente se me entraban aquellas voces (himnos y cánticos de la iglesia) por los oídos y por medio de ellas penetraban a la mente tus verdades" (52).

Son numerosos los textos calderonianos que apoyan lo que digo. Sólo citaré alguno muy significativo que nos muestra la base conceptual de la potenciación del canto dentro de una intencionalidad religiosa:

Todos — "A tal alto Sacramento
venere el mundo rendido,
pues es último argumento;
que la Fe por el oído
cautiva el entendimiento"

(*Amar,* 1795, 2)

Mús. (...) — "Y dejando aparte que
el oído, que es mi centro,
es solo el capaz sentido
del mayor de los Misterios"

(*Jardín,* 1503, 1)

Fe	"los favores de la Fe sólo son para el oído" (*Palacio,* 142, 2)
Oído	"Y pues sentido de Fe es solamente el oído, crea el oído a la Fe y no a los demás sentidos" (*Vida,* loa, 1385, 2)
Pecado	"Tu cautivo della estás (de la Fe) por el oído" (*Pleito,* 83, 2)

Calderón es consciente de que mejor se conseguirán esas funciones atribuidas al oído mediante la música, calificada por él como "imán de los afectos", "alimento del alma" (*Jardín,* 1502, 1 y 2) y aún habría que referirse a la larga meditación sobre sus funciones en la loa a *Jardín de Falerina* (1502-1505) pero esto entra en la filosofía de la música, bien analizada, como vimos, por Sage y Pollin.

Tan elevado concepto del sentido del oído y de la función de la música impulsan la utilización del canto para funciones esenciales del auto. Creo que pueden establecerse grandes bloques, con matizaciones dentro de cada uno de ellos. Estos bloques responden cada uno de ellos a una función esencial, en la línea de lo que veíamos al principio. Junto a una serie de funciones principales, repetidas auto a auto, hay otras de aparición ocasional, carentes de significado en el conjunto pero que, no obstante, citaré después.

En la relación del hombre con su Dios la oración es una manifestación esencial. Sirve para alabar, rendir culto y también para suplicar, solicitar ayuda y favor. En las celebraciones litúrgicas y prácticas devocionales la oración adopta frecuentemente la forma cantada y adquiere un "carácter social", de "medio de comunicación y edificación", de formación religiosa (53). Estamos ante un acto de participación y no de separación y distanciamiento para contemplar un espectáculo. La oración cantada aparece con frecuencia en los autos sacramentales calderonianos y suele tener las características y funciones que he apuntado para la liturgia y prácticas devocionales. R. Hess señala para el teatro del XVI:

> "la canción destinada a la glorificación religiosa suele poseer (...) la forma de contenido teológico o bien de canción popular" (54).

y cita un significativo texto de Gil Vicente:

> "Pois nao sabemos rezar,
> facamos-lhe hua chacota,
> porque toda a alma devota
> o que tem, isso ha de dar" (55)

y no podemos olvidar tantos y tantos villancicos del teatro de ese siglo. Umpierre (56) señala la presencia de cantos de alabanza, celebración y litúrgicos para crear atmósfera religiosa, implicar al espectador en la acción —funciones que ya señalaba Fichte en el teatro medieval europeo (57)—, manifestar la participación y alegría de la comunidad, alabar a los santos y a la divinidad, incluso con versiones a lo divino de composiciones profanas que —en cierto modo— también se da en el templo, en una voluntad de incorporación popular al máximo. La actitud de Calderón no es, en consecuencia, nueva, sólo que en sus autos encontramos una utilización y explotación sistemática de estos recursos, perfectamente integrados en el universo conceptual y funcional de sus piezas sacramentales.

El canto de los "músicos" se emplea para pedir a Dios misericordia, piedad, clemencia:

Mús. "Ten de nosotros, Señor,
misericordia y clemencia"
(*Devoción,* 246,1)

repetido después parcialmente (249, 1; 251, 1 y 2) según una técnica constante a la que me referiré después. Citaré algún otro testimonio:

Mús. "Misericordia, Señor,
clemencia, Señor, clemencia"
(*Redención,* 1326, 2 y 1327, 1)

que, literalmente, aparece también en *Serpiente* (1550, 1), en forma abreviada en *Misterios* (305, 1 y 2) y con la alteración de variar el lugar del segundo vocativo en *Cordero* (1747, 1; 1748, 1 y 1479, 1 idéntico). Y frente a la simple invocación, también la exposición más pormenorizada:

Mús. "¡Misericordia, Señor;
Señor, duélante las ansias
de los que en tristes calabozos claman
en fe de la palabra
del prometido Bien de su esperanza!
(...)
Aplica el piadoso oído,
olvidado en nuestras faltas,
que padecemos, si tú
sus iniquidades guardas"
(*Indulto,* 1734, 1 y 2)

En la oración católica suele asociarse súplica y alabanza, según una actuación también tipificada en las relaciones humanas: para obtener el favor se alaba, se rinde culto a quien ha de otorgarlo y se autodesprecia el solicitante para resalzar al destinatario de la súplica. Esta asociación se repite sistemáticamente en pasajes cantados de los autos —junto a textos de exclusiva alabanza o exclusiva súplica, que veremos— y responde a esa finalidad del mismo acto litúrgico, lo que supone una determinada forma de comunicación, de inclusión del feligrés-espectador:

Oído "Yo quiero
dar al festejo principio
convidándoos, lo primero
a este Pan, luego a un festivo
aplauso suyo en un auto"

(*Vida,* loa, 1386, 1)

Veamos unos cuantos pasajes significativos en apoyo de lo que digo:

Mús. y todos "Maná en el Buen Retiro
y amante pastor bueno
reparte tus favores
a todas las ovejas de tu pueblo"

(*Palacio,* loa, 130, 1)

Mús. (...) ¡Piedad!
(...)

Todos y Mús. Vean cielos, sol y luna,
hombres, aves, peces, fieras
montes, mares, riscos, grutas
que entre piedad y culpa,
la culpa es nuestra y la piedad es tuya"

(*Hombre,* 292, 2; 293, 1 y 2, rept. parcialmente)

Mús. "Pues sois Dios, que adoro, y sigo
siendo vos mi fortaleza
¿cómo caigo yo en tristeza
y me aflige mi enemigo?"

(*Misterios,* 303, 2)

Mús. "Hombre sois, Dios sois, tened
Misericordia de mí"

(*Ibedem,* 304, 1)

Orac. "Si son merecidas iras,
Señor, de sus culpas graves,
las voces de la oración
te enternezcan y te ablanden"
(*Socorro,* 327, 1)

Iglesia (cant.)
"Amor, divino amante,
ya no puede mi aliento
sufrir de tus amores
este con que no cabes en mi pecho
si es delito buscarte
vivir con el deseo
déjame en mi delito
y acá en el alma imprime el escarmiento;
pero si has de entenderlos,
sea en el alma mía
donde hallarás mejor región de fuego;
para solo adorarte
el vivir apetezco,
más vive tu conmigo
que yo contigo sólo me contento"
(*Psiquis,* loa, 343, 1)

Mús. "Reciba Dios de tus manos
nuestro sacrificio y sea
para laude y gloria suya
y para utilidad nuestra"
(*Arca,* 1374, 2)

Adán (canta) (...)
"¿Cuándo, Señor, será el día
que esta tierra que se labra
símbolo de tu palabra
lo sea de mi alegría
Grande fue la culpa mía,
pues que de ti me destierra;

pero pues en ti se encierra
misericordia mayor

Mús. Dadnos, Señor, a tu Hijo
envíanos la salud
(...)
Abra sus senos la Tierra
y produzca al Salvador"

(*Día,* 1646, 1)

Naturaleza "Pues en virgen tierra adoro
el Tesoro que en sí encierra
compadecida a mi lloro,
abra sus senos la tierra
y produzca su Tesoro"

(*Tesoro,* 1676 1 y 2)

Mús y
Sentidos "¡En hora dichosa venga,
coronado de trofeos,
el Príncipe de la Luz,
el feliz socorro nuestro!"

(*Amar,* 1794, 1)

o en insistente repetición martilleante:

Mús y todos ¡Ven, Señor, ven"

(*Amar,* 1779, 1 y 2)

y muy significativa es la repetición que hace la música de las palabras de Adán (lo mismo ocurre con las de otros personajes) dando a la anécdota individual un valor universal para el espectador-feligrés, por medio de la música:

Mús. (repiten cantando las palabras de Adán)
"Pequé, Señor, y aunque infinito ha sido.
Por tu infinito objeto mi pecado.
Que temo en tu justicia ser perdido.
Espero en tu bondad ser perdonado.
Todo el Género Humano contraído.
En mi deuda, tras mi traje, obligado.

Duélata que no puede mi delito.
Lo infinito pagar sin lo Infinito"

(Indulto, 1724, 1 y 2)

y exactamente igual ocurre después con las palabras de David que también alaba a Dios y pide perdón de sus pecados, misericordia y piedad, y los músicos van repitiéndolo, universalizando la lección y participación. Voleré sobre este aspecto.

Muy frecuentemente aparece en los autos sacramentales la pura alabanza, sin solicitar favores de la Divinidad; la oración como culto e incluso se utilizan, como veremos, textos litúrgicos. En otras ocasiones, a la alabanza se suma la incitación imperativa a participar en ella. Veamos, en primer lugar, unos pocos testimonios de la alabanza por la alabanza:

Mús. "En hora dichosa vuelva,
coronado de trofeos,
a la corte de su Padre
glorioso el Príncipe nuestro;
vuelva en hora dichosa
vuelva diciendo
que el que viene triunfando
triunfa muriendo"

(Hombre, 273, 1 y 276, 2, repet., 278, 1, con variaciones)

Todos y mús. "¡Cuan admirable en la tierra
tu nombre es, Señor, Dios nuestro!
y pues tu magnificencia
se eleva sobre los cielos"

(Hombre, 277, 1; 280, 1; 281, 1; repet. Texto de David)

Mús "Lucero Divino, que vas publicando
con vuelo tan dulce, con voz tan süave
¿de qué quieres que el hombre te alabe
de rayo o de ave?

(Misterios, 306, 1)

Mús. "Tu solo de polo a polo
Santo, a todos te prefieres,
el Señor Tu sólo eres
y Tu el Altísimo sólo"

(Ibidem)

todos y mús. "Por siglos de siglos viva
Redentor, que con tan nueva
Piedad a su Reino lleva
la Cautividad Cautiva.
¡Viva, viva!

(Redención, 1339, 2 y 1340, 2, repet.)

Mús. "Que en el Cielo y en la Tierra
te bendigan, Señor, tus obras mesmas"

(Jardín, 1508, 1 y 2; 1511, 1, repet.)

Hay otros testimonios de alabanza no sólo dirigidos a la Divinidad, que remito a nota (58).

Calderón incorpora literalmente canciones e himnos litúrgicos, oraciones, en latín y castellano, que refuerzan lo que vengo diciendo. Destaca especialmente el himno de glorificación "¡Gloria a Dios en las alturas / y paz al hombre en la tierra" que —por ejemplo— encontramos: *Veneno* (192, 2; 193, 2, repetido); *Misterios* (305, 2; 306, 1; repetido); *Redención* —suelo— (1332, 2; 1333, 2); *Vida* 1403, 1 y 2; 1407, 2); *Nave* (1453, 2 y 1454, 1); *Jardín* (1519, 1; 1520, 2; 1521, 2); *Día* (1651, 1; 1659, 1); *Tesoro* (1686, 2 y 1687, 1); *Indulto* —suelo— (1728, 2), también en latín (*Ibidem,* 1727, 2). Aunque con menor frecuencia también aparece el Sanctus, en castellano generalmente: *Misterios* (311, 1 y 2); *Redención* (1329, 2); *Arca* (1374, 2). El "Magnifica al Señor": *Santo II* (1316, 1 y 2). El *Tantum ergo: Teatro* (222, 2); *Te Deum: Santo II* (1317, 1; 1318, 1 y 2; 1319, 1); *Te rogamus, audi nos: Iglesia* (55, 1); *Tota pulchra amica mea: Hidalga* (121, 2; 123, 1 y 2); *Santo II*

(1312, 1 y 2); 1313, 1), todas estas en latín. Algunas con variantes.

Especial interés tiene la asociación alabanza-imperativo, quiero decir la orden expresa a personajes de la acción (extensible al espectador-feligrés por medio de la música) o imperativos en plural que implican directamente al destinatario pidiéndole que alabe, que rinda culto a la divinidad y también —lo veremos después— de carácter moral. Estamos ante una forma directa de transmisión de un mensaje con una finalidad religiosa específica que coincide con prácticas habituales de la relación sacerdote-feligrés:

Mús. "Espera en Dios, y con rara
fe confiesa su virtud,
que es de la vida salud
y alegría de tu cara"

(*Misterios*, *304, 1*)

Cant. *"Al Pan y Vino inmortal
todos adoremos, pues
este de la Iglesia es
El Socorro General"*

(*Socorro*, 335, 1)

Mús. "A las bodas de Amor y su Iglesia
los contribuyentes que están a mi imperio
vengan todos a dar sus ofrendas
que si ella es el alma, Amor sale en cuerpo"

(*Psiquis*, loa, 342, 1 y con variantes: 343, 2)

Referido a los elementos:

Mús. "Cuanto en Fuego, Aire, Agua y Tierra.
Vuela, surca, nada y erra.
Y en sí las obras encierra.
De Poder, Ciencia y Amor.
Bendecid al Señor
(...)

Aire (canta) Nubes de blando rocío
Primavera, Invierno, Estío,
Niebla, Luz, Sombra y Albor

Mús. Bendecid al Señor.

Tierra (canta)
Montes, valles y collados,
y cuanto en selvas y prados
hay desde el cedro a la flor

Mús. Bendecid al Señor"
(...)
(*Vida,* 1389, 2; repetido en la parte primera: 1392, 1 y 2, con variantes)

Mús. "¡Venid, corred, volad, Elementos,
a dar obediencia al Príncipe vuestro!
(...)
¡Y en fin, jurándole Rey
al alcázar, monte y jardín
venid, corred, volda, lucid!
(...)

Los cuatro Por ti a su obediencia
todos le ofrecemos
(...)

Mús. Sirviéndole a un tiempo
luces, auras, espejos y flores
el Agua, la Tierra, el Aire y el Fuego"
(*Vida,* 1395, 1 y 2)

Todos y Mús. "Venid, mortales, venid
al Triunfo mayor,
Al Aplauso más nuevo
que Gloriosa la Fe ha conseguido,
corriendo los días,
volando los tiempos.
Y celebren sus misterios
la tierra con flores,

con luces el cielo,
la luna con giros,
el sol con luceros"
(Cordero, 1770, 2; 1771, 1 y 2; repetido antes de forma alterna: 1769, 1)

Mús. "Celébrese el día
de aquél, que es a un tiempo
en cielo y en tierra
sol y sacramento"
(Tesoro, loa, 1662, 1 y 2; repetido ("celebremos"): 1663, loa, 1; 1666, loa, 1)

Todos (no cant.)
"Sus glorias y luces
aplaudan a un tiempo.

Mús. Ángeles y hombres
en Tierra y en Cielo".
(Tesoro, loa, 1666, 2)

Los dos y mús.
"Las gracias le demos
al que es Redentor
y Príncipe nuestro"
(Redención, 1338, 2)

María (canta)
"Celebremos honra y gloria
del Señor, cuyo divino
poder, fortaleza es nuestra,
salud, amparo y auxilio
(...)

Mús. Y dénle las gracias
cánticos e himnos"
(Serpiente, 1531, 1, repetida con variantes la parte final)

Todos y Mús. "Demos alabanza todos
a tan grande Sacramento
pues por él las iras templa
de sus rigores el Cielo"

(Pleito, 92, 2) (59)

Mediante la oposición de tres coros —con mensajes de distinto signo (60)— se afianza la lección católica:

Coro 1º "Cantad, mortales, cantad,
dando justa adoración
a cuantos dioses diversos adoro
que a todos no basta el cuidado de un Dios;
a Palas, a Venus, a Juno y al Sol.
(...)

Coro 2º Llorad, mortales, llorad
con rendido corazón
al Dios que esperáis, que venga a sacaros
de la esclavitud, de pena y dolor.
Llorad, llorad,
y el llanto y la voz
al Cielo pida
rocío y candor
(...)

Coro 3º Venid, mortales, venid
a rendir el corazón
al Dios verdadero, que asiste en el Mundo,
sacramentado, después que murió,
venid, venid, que él sólo es el Dios"

(Psiquis, 347, 1 y 2; 348, 1 y 2 repetido)

También se utiliza la oposición de coros —práctica que así mismo era frecuente en el templo (61)— con otras funciones, como veremos.

La incitación a la alabanza y sumisión se complementa con la que pide, ordena, la participación en el sacramento:

Mús. "A la siega, a la siega zagales,
zagales venid, venid a la siega,
que el trigo en la parva
es la Mesa del Cielo,
y Mesa tan franca, que a todos sustenta
Venid, venid, venid, a la siega"
(Arca, 1373, 2; 1374, 1 y 2, repet.)

Naturaleza (canta)
"¡Mortales Hijos de Adán,
venid, venid que se labra
la tierra que nos de el Fruto
Bendito de sus Entrañas"
(Día, 1642, 2; 1644, 1; 1645, 2, repet.)

Dos coros "Venid zagales, corred y volad
(...)
Corred, gustaréis
(...)
Que el Pan de este Trigo
Pan de Ángeles es.
Venid, zagales, volad y corred"
(Día, 1652, 2; fragmentariamente antes:
1652, 1; repetido en 1659, 2,
con variantes).

En alguna rara ocasión canta la culpa, la lascivia, etc., para predicar un mensaje contrario al sentido católico *(Jardín,* 1512, 2; 1513, 1; 1514, 2; 1515, 1 y 2; 1516, 1); *Nave,* 1459, 2; 1460, 1 y 2; *Serpiente,* 1546, 2) en cuanto que se alaban los sentidos, se incita al culto de los dioses paganos. Se trata del mismo recurso que hemos visto con la oposición de coros, que refuerza el mensaje por contraste, a veces violento, y diré, además que en los autos que he analizado este recurso se da de forma muy aislada y esporádica, reservándose el canto, básica y esencialmente, para las funciones que venimos viendo.

La religión católica exige de sus miembros oración y alabanza, participación en el sacramento y en las ceremonias, y de ahí las funciones que venimos viendo en los pasajes cantados de los autos. Pero exige también un determinado comportamiento y se apoya sobre una doctrina, es decir una moral y una teología que originan una ordenación de la conducta y una catequesis. Esto se da en la práctica religiosa habitual y en los textos cantados de los autos, de acuerdo con ese cruce de tradición religiosa y teatral que origina esa especial relación del *texto* con el espectador-feligrés, en que vengo insistiendo, y que veíamos antes.

Consideremos, primero, unos pocos testimonios de imperativos, de órdenes de actuación así como de lección y adoctrinamiento moral que aparecen en los textos cantados de los autos. Son frecuentes las exclamaciones ¡Alerta!, ¡Vela!: *Jardín* (1522, 2; 1523, 2); *Amar* (1784, 1 y 2); 1785, 2); *Iglesia* (48, 2; 49, 1); *Santo* (1280, 2) y también consejos e imperativos más explícitos:

Oído — "¡Virtudes, al arma, al arma!
que lo que se oye, aunque es
llamada de paz, ser puede
ardid de guerra también"

(*Amar,* 1777, 2)

Mús. — "Y pues en ventura igual
la Gracia te lleva, a que sepas del Bien
no apagues su luz y sepas del Mal"

(*Vida,* 1394, 2)

Ley (canta) — "Ama al otro como a ti
y obra bien, que Dios es Dios"

(*Teatro,* 211, 2; 212, 1; 213, 1 y 2; 214, 2, repetido)

Mús. — "Venid todos, venid
a ajustar con el Tiempo la cuenta
del Tiempo que ha que a su sueldo servís"

(...)

(*Día,* 1658, 1)

Inspir. (canta)

"Venid, mortales, venid,
venid en mi seguimiento;
veréis que el que deja
los dioses ajenos
y los propios bienes,
es el que halla el precio
con que ha de comprarse
el Tesoro del Cielo"
(*Tesoro,* 1681, 1 y 2; 1682, 1; repetido)

Mús. ¡Oh, feliz el que emplea
bien sus talentos"
(*Mercado,* 234, 1; 234, 2;
235, 1, con variantes)

Mús. "(...)
vive y triunfa, pero advierte
que Fe sin obras no es Fe"
(*Psiquis,* 357, 2)

Mús. "En hora dichosa vengan
al Alcázar de la Fe
todos los Hijos del Mundo
no a dudar sino a creer"
(Psiquis, 358, 2)

Naturaleza (canta)

"No celebréis mis gustos,
dejad las alegrías,
y celebrad, mortales,
mis penas y fatigas"
(Duque, 105, 2)

Mús. "Sobre Aspid y Basilisco
seguro pisará el hombre
si de Basilisco y Aspid
los peligros reconoce"
(...)
(*Vida,* 1396,2)

Mús. "Alerta al triunfo de Caridad, alerta"
(*Santo,* 1280, 1 y 2)

Y también mediante la oposición de coros:

Coro I "Hombre, en tu feliz estrella
de que eres mortal te olvida,
que la vida sólo es vida
en cuanto se goza de ella
(...)
Coro II Hombre, al arma, y de este modo
no te descuides; advierte
que la Muerte solo es Muerte
en cuanto se pierde todo"
(*Pleito,* 88, 2)

Coro I "La que nace para ser
escándalo de sí misma
sienta, sufra, llore y gima
y conformada con que
donde hay culpa no hay desdicha
sienta, sufra, llore y gima.
Coro II La que nace para verse
de su culpa arrepentida
fíe, espere, veza, viva
y consolada con que
si ella llora, Dios olvida:
fíe, espere, venza y viva"
(*Andrómeda,* 1709, 2 y 1710, 1)

y sigue un diálogo doctrinal que termina con la conclusión:

"Pecado, muerte y error
malicia, ignorancia y culpa,
perdona, lava y disculpa
la Fe, el llanto y el amor"
(*Andrómeda,* 1710, 2)

Las normas prácticas de conducta adquieren su justificación y sentido en una cosmovisión, en un modelo ideológico, en un sistema de relaciones, es decir en una filosofía de la vida cuya razón última es el sistema doctrinal de esa religión. De aquí que a los textos cantados se encomiende también la función de difundir los conceptos esenciales de esa "filosofía de la vida", que dan sentido a las normas concretas de actuación (también se utilizan para la explicación doctrinal, teológica, como veremos después). Presentaré unos cuantos testimonios significativos.

Mús. "Sin mirar que es sombra vana
compuesta de otros favores,
dormida está entre las flores
la Naturaleza humana.
Pasárase la alegría
de su primera hermosura,
y tendrá la noche oscura,
que el sol vive sólo un día"

(Duque, 101, 2)

y repite estas ideas bajo el conocido "¿Dónde vas el hombre humano, dónde vas triste de ti" *(Ibidem,* 107, 2) (62). La misma idea obsesiva de caducidad:

Voz (canta) "Toda la hermosura humana
es (o en) una pequeña flor.
Marchítese, pues la noche
ya de su aurora llegó
(...)
Que en alma eres eterna
y en el cuerpo mortal flor"

(Teatro, 216, 1)

Pobre (cantando)

"Hombre, de mujer nacido
para vivir breve tiempo,
lleno de tantas miserias
de tantos trabajos lleno
que apenas como flor nace
cuando va cual sombra huyendo
sin que permanecer pueda
nunca en un estado mesmo,

¿qué concepto haces de ti,
de inmunda masa compuesto;
tanto, que dejarte limpio
sólo pudo el que te ha hecho?"
(Hombre, 279, 2; repetido en parte: 280, 1; 281, 2; no se especifica en estos dos casos si es cantado)

Vida (canta)

"Esta llama que arde fría
la vida de los dos es;
apenas os juntáis, pues,
cuando nace de los dos,
haciendo en un punto Dios
un compuesto de los tres,
que como Cuerpo, Alma y Vida;
Cuerpo, bruto material;
Alma, espíritu inmortal,
y Vida, llama encendida
que de los dos precedida
vive tan sujeta al viento
que de uno en otro momento
dura lo que ha de durar,
pues de inspirar a espirar
no hay más que un solo acento"
(Pleito, 79, 2)

Pero hay otros muchos conceptos que integran, articuladamente, las filosofías de la vida a que vengo refiriéndome:

Mús. "En la casa del apetito
cada deleite cuesta un sentido"
(Hombre, 287, 1 y 2; 288, 1 con variantes).

Todos y mús. "Valles, montes, selvas, cumbres
que el hombre en pecado, no sólo
bruto es, que no discurre,
pero ídolo inmóvil, que ni hable, ni [escuche
ni vea, ni toque, ni huela, ni guste"
(Nave, 1462, 1)

También por breves comentarios exclamativos a la acción, o a las afirmaciones de alguno de los personajes, se graba, mediante el canto, la lección moral y doctrinal: *Mercado* (239, 2); *Vida* (loa, 1385, 1 y 2; 1401, 1); *Jardín* (1517, 1 y 2; 1518, 1 y 2); *Cena* (171, 1).

La participación religiosa exige también de los fieles, como decía, compartir unas creencias, unas doctrinas y los "administradores" de esa religión se ocupan de difundir y explicar las ideas básicas que han de ser comprendidas por los creyentes y servir de unión entre ellos. Es una labor de púlpito y catequesis, y también los textos cantados del auto sacramental calderoniano cumplen esta función de exposición doctrinal directa y de explicación de la acción para garantizar y facilitar la comprensión del mensaje:

Mús. "Un árbol fue el homicida
del alma; otro, si se advierte,
remedio; que el de la Muerte
es ya árbol de la Vida.
Y pues éste aquél aplaca,
el veneno de su abismo
un árbol ha sido mismo
el Veneno y la Triaca"

(*Veneno,* 196, 2)

Ángel "¿Cómo puede en dos partes
estar un cuerpo?
Mús. Sólo Dios en la Hostia
del Sacramento"

(*Devoción,* 268, 1; 269, 1 y 2, repetido)

Todos y Mús. "De estos ejemplares dos
medid la distancia, pues
lo que va de uno a otro es
lo que va del Hombre a Dios"

(*Hombre,* 297, 2; antes en 296, 2)

Todos y Mús. "Venturoso el siglo
que fue el complemento
de ser en nosotros,
corridos los velos:
el Arca, la Iglesia;
la Tabla, el Precepto;
la Vara, la Cruz,
y el Maná, el Sacramento"
(Arca, 1380, 2)

Todos y Mús. "La nave del Mercader,
que de su trigo cargada,
embarcado en puerto de Ostia,
en Cáliz se desembarca,
a Primero y Segundo Adán restaura,
en los dos reparando deuda y fianza"
(Nave, 1470, 2)

Mús. y todos "Que en figura y figurado
nos dio la suma Clemencia,
la salud al cuerpo,
y al alma la eterna"
(Serpiente, 1551, 2)

Comparando la Hostia y el Sol y tras varias disquisiciones cantadas (*Teatro*, 1664, 1 y 2; 1665, 1) se llega a la explicación:

Él y Mús. "Siendo incomprensible
a los ojos nuestros,
pues a uno y a otro
por Fe los creemos
(...)

Todos y Mús. Celébrese el día
de aquel que es a un tiempo
en Cielo y en Tierra
Sol y Sacramento
(...)

Mús. Aqueste es el Pan Vivo,
que bajó de lo Excelso
a ser Vida del Hombre
y de la Alma alimento.
Y este es el Sol Divino
de Justicia, que hecho
Hombre por libertarnos,
nos acuerda que ha muerto;
sus Glorias y luces
aplaudan a un tiempo"
(*Tesoro,* loa, 1665, 2; 1666, 1 y 2)

y mediante la utilización de dos coros que exponen separadamente lo que, al final, cantan juntos con la conocida técnica de diseminación-recolección (63):

Coros y todas "Pecado, muerte y error,
malicia, ignorancia y culpa,
perdona, lava y disculpa
la Fe, el llanto y el amor"
(*Andrómeda,* 1710, 2)

o por el canto colectivo:

Él y Mús. "El Príncipe, que Deseado
dio el Cielo por apellido,
con la Esposa que ha elegido,
donde la Culpa no ha entrado,
él de laurel coronado
y ella de triunfante oliva
reine, goce, triunfe y viva".
(*Indulto,* 1733, 1 y repetido. Mezcla de lo terrenal y sobrenatural)

Mús. y todos "Manjar tan bello
pan de ángeles es que a que el hombre
[le coma
desciende del cielo"
(*Serpiente,* 1541, 2; repetido en 1541, 1 y 1542, 1, cambiando *manjar* por *candor)*

A veces, se trata de larguísima explicación, como en *Psiquis* (355, 1 a 356, 2) o *Jardín* (1505, 1 y 2). Podría acumular otros testimonios pero sería caer en prolijidad, súmense sólo a los citados *Pleito* (93, 2); *Cena* (169, 1); *Arca* (1373, 2 y 1374, 1 y 2); *Laberinto* (1580, 2); *Día* (1636, 1 y 2; 1637, 1; 1652, *Tesoro* (1675, 1); *Indulto* (loa, 1721, 1; 1730, 1 y 2; 1735, 1 y 2; 1737, 1 y 2; 1738, 1); *Cordero* (1763, 1); *Psiquis*, 345, 2).

Conocida es la efectividad didáctica de la técnica de pregunta-respuesta. Encontramos en los autos la intervención de la música para plantear una pregunta doctrinal a la que responden varios personajes —a veces en especie de certamen— con la que se afianza la lección en el espectador-feligrés. Veamos algún ejemplo de estas interrogaciones, pero omito —por razones de espacio— las respuestas, a veces plurales y extensas:

Mús. "¿Quién sabrá decirme, quién,
por qué una sacra canción
a esta Niña, nuestro bien,
la llama vara de Aarón
y no vara de Moisén?"
(Hidalga, 129, 1 y 2)

Mús. "Dios por el Hombre encarnó
y padeció por el Hombre,
y al Hombre en manjar se dio;
¿qué maravilla alcanzó
de las tres mayor renombre?
(Vida, loa, 1383, 1 y 2; 1386, 2, repetido)

Pitonisa (cantando)
"Si es Dios, ¿cómo es hombre?
Si es Dios, ¿cómo muere?
(...)
¿Tres en Uno universo
y Tres Uno hacerse?"
(Cordero, 165, 1 y 2)

y otros testimonios en: *Arca* (1356, 1); *Andrómeda*

(1691, 1 y 2, loa, 1710, 2); *Indulto* (1717, 2, loa; 1735, 1); *Laberinto,* (1556, 1).

Guardan estrecha relación con los comentarios exclamativos a la anécdota los textos cantados que suponen una mayor integración en la acción, implicación en el diálogo de los personajes y su actividad. No puedo entrar en detalles acerca de las distintas formas de integración de los textos cantados en la estructura del auto —objeto de otro estudio que realizo—; sólo quiero señalar que aparecen también textos cantados con menor grado de independencia del argumento, de los acontecimientos del auto, es decir, justificados por el progreso de la acción más que por la voluntad doctrinal con un valor generalizador. Ciertamente es compleja, y peligrosa, esta separación que estoy haciendo porque no todos los textos citados hasta aquí tienen el mismo grado de desvinculación de los acontecimientos dramatizados y, naturalmente, guardan una relación conceptual y, a veces, "factual" con lo hechos y suelen ir introducidos por versos que hacen alusión al hecho de cantar como justificación de su inclusión en la estructura dramática (64) y sería pertinente aquí un análisis comparativo de los personajes que cantan (65). Pero es lo cierto que encontramos en los autos sacramentales calderonianos textos cantados directamente integrados en la "acción " y es significativo que —de forma general— también respondan a las funciones características que venimos viendo en relación con el espectador-feligrés, aunque no con el mismo grado de inmediatez comunicativa y de funcionalidad directa en el sentido y significado religioso que hemos visto (66). En apoyo de lo que digo, quiero resaltar —y esto me parece importante— que son rarísimas las ocasiones en que los textos cantados —sea con el grado de integración que fuere en la acción— tienen una función distinta a las señaladas hasta aquí. Solamente he concontrado en los textos estudiados alguna aislada ocasión en que tienen una función principal decorativa y de ornato, sin intencionalidad religiosa *Mercado* (240, 1 y 2); *Arca* (1376, 1 y 2), obviamente, puede haber más.

En la loa se utilizan los textos cantados, de vez en cuando, para pedir atención y silencio y encarecer la novedad del auto: *Vida* (1387, 2); *Andrómeda* (1690, 1 y 2; 1691, 1; 1694, 1 y 2; 1695, 1); *Cordero* (1742, 1 y 2; 1743, 1; 1744, 1; 1746, 2); *Laberinto* (1558, 2), y en algún final del auto para pedir benevolencia hacia la pieza representada. En unas pocas ocasiones se alaba —desproporcionadamente— al rey Carlos II, según una tradición tetral que para la comedia analicé en otro lugar (67): *Santo* (1295, 2, loa); *Indulto* (loa, 1721, 2; 1733, 1 y 2; 1735, 1 y 2), pero hay un juego de relaciones entre lo terrenal y lo sobrenatural.

Creo que todo esto permite insistir —sin más comentarios— en la consciente y perfecta coherencia en la utilización del texto cantado, de la música en los autos sacramentales calderonianos.

Necesito hacer algunas precisiones finales. Al desgajar los textos de su contexto, del conjunto de la pieza, y reagruparlos aquí como ejemplificación de una variedad de funciones puede producirse un alejamiento de la realidad o falseamiento de su importancia. Puedo decir, sin embargo, que la práctica habitual y generalizada en los autos sacramentales de Calderón es combinar en cada uno de ellos las distintas funciones que hemos venido viendo, de modo que cada pieza sacramental es el resultado coherente de esa actitud que he estudiado sin que se altere por la atención al personaje que canta (68). Es importante insistir en que la combinación de funciones sitúa al auto sacramental en la esfera de la actividad religiosa —que cumple contando con una tradición teatral— con la que coincide no sólo en el aspecto de exposición doctrinal (sacramento y dogma) sino de prácticas de la oración y alabanza, elementos del rito ceremonial, difusión de una filosofía de la vida y unas normas éticas de conducta (también lo cumplen los diálogos, pero trato sólo del texto cantado). Todo ello supone, evidentemente, una distinta forma de comunicación espacio escénico-espacio del espectador que nos sitúa ante el espectador feligrés (69), clave para resolver las interrogaciones que me formulaba al principio.

NOTAS

* En parte recojo aquí el texto de mi participación en el Simposio *Calderón and the Baroque Tradition* (Toronto, abril de 1981) y a ello se añade lo escrito expresamente para estas Jornadas (septiembre de 1982).

Con posterioridad a la redacción de estas páginas han aparecido, o me ha llegado la referencia, algunos estudios que inciden en problemas comunes y que me habrá gustado poder tomar en consideración. Mencionaré, en particular: Tietz, M., "Los autos sacramentales de Calderón y el "vulgo ignorante", *Hacia Calderón VI (Sexto Coloquio Anglogermano, Wurzburg, 1981)*, eds. Th. Berchem y H. Flasche (tomo la referencia del *B of C*, 34, 2 (Winter, 1982) en que no aparece lugar de edición, editorial ni año); Diets, T. D., "Liturgical and Allegorical Drama: The Uniqueness of Calderon's Auto sacramental", *CLS*, 14 (1981), pp. 71-88, así como varias ponencias en los Congresos de Madrid, Yale, L'Aquila, el de Toronto, etc.; el libro de Egido, A., *La fábrica de un auto sacramental: "Los encantos de la culpa"*, Salamanca, Ediciones Universidad de Salamanca, 1982, en el que, en primer vistazo, veo que trata problemas de la fiesta sacramental, la música, el semón, etc., que me habría gustado poder tener en cuenta; Krogstad, J., "Calderón and Music", Coloquio en la Universidad de Illinois, 1-2 de abril de 1981; Hillach, A., "Verkundigung im antiken Gewand Mythos und Musik als bildungs geschichtliche Veraussetzungen zu Calderons auto sacramental *El divino Orfeo "Bildung und Ausbildung in der Romania (...)", ed. Kloepfer, R., et Al. III, Munich, W. Fink Verlag, 1979, pp. 167-189.*

Añádase a la mencionada bibliografía que no he podido tener a mano, otros estudios que pueden guardar, en más o en menos, relación o vinculación con el tema aquí tratado, pero que no he utilizado para este trabajo. Citaré primero libros y artículos de Tudela, González Ruiz, Ruiz Lagos, Aubrun, Querel, Chapman, Flasche, Subirá, Varey, Shergold, cuya referencia bibliográfica completa, en un planteamiento valorativo, puede verse en mi "Análisis crítico del status de los estudios calderonianos (1951-1981)", en Colloqium Calderonianum Internationales, L'Aquila, Universitá, 1983, pp. 141-190, que recoge mi relación plenaria al congreso calderoniano el 17 de septiembre de 1981; y finalmente: O'Connor (*HR,* 43 (1975), pp. 275-289); Recoules (*BRAE,* LV (1975), pp. 109-145); Sage (en *Hacia Calderón,* Berlín, 1970, pp. 37-52); Pollin (*Music and Letters,* 49 (1968), pp. 317-328); Boyce (*Iberoromania,* 6 (1977) 122-146; Varey (en *Le Lieu Théatral a la Renaissance,* París, CNRS, 1964, pp. 215-225 y *Renaissance Drama,* 1 (1968), pp. 253-282); Calle (*Segismundo,* XI (1975), pp. 127-154). También podrían tomarse en consideración estudios sobre la fiesta como los de Cros, Chartier, Lisón Tolosana, etc.

Quede constancia de esto, pues en futuro libro y edición que preparo volveré sobre todo ello.

(1) Puede verse sobre aspectos esenciales para el estudio de la religión, rito y mito, magia, lenguaje de la religión, etc., el artículo de Lluís Duch, "Antropología de la religión", *Anthropologica,* 6, capítulos IV, V, VI y la útil bibliografía que allí cita.

(2) Véase sobre todo esto Roiz, M., "Fiesta, comunicación y significado", y Prat Canos, J., "Aspectos simbólicos de las fiestas", en *Tiempo de fiesta. Ensayos antropológicos sobre las fiestas en España,* (edición de Honorio M. Velasco), Madrid, Col. Alatar, 1982, pp. 95-150 y 151-168, respectivamente.

(3) Fagiolo dell'Arco, M., y Carandini, S., *L'Effimero Barocco. Strutture della festa nella Roma del '600,* Roma, Bulzoni Editore, 1978, II, p. 288.

(4) En una anterior participación mía en las Jornadas de Almagro insistía en la idea de separación y texto como esenciales para distinguir entre teatro y parateatro y me apoyaba, también, en postulados teóricos de Sartre, Mounin, Gouhier, Jean, etc. Matizo ahora alguna de mis afirmaciones de entonces, al poner en relación fiesta y teatro en el barroco hispano.

(5) Me refiero a la contribución de Leenhardt al colectivo *Corrientes de la investigación en las ciencias sociales,* Madrid, Tecnos-Unesco, 1982, III, pp. 319-320.

(6) "La norma rituale, la parola, l'imagine, tutti i diversi "materiali" dello spettacolo si compongono in singole unitá significanti, disposte in una sucessione spaziale e temporale tale da esaurire tutte le possibili implicazioni simboliche ed allegoriche della festa" (Fagiolo dell'Arco, M., y Carandini, S., *op. cit.,* p. 379 y véanse también pp. 328, 380, etc.).

(7) Varios estudiosos se han ocupado de lo que significan la

ciudad en conjunto, la plaza, la calle, como marco de la fiesta y de las funciones de este salir fuera de un espacio cerrado y específico para el espectáculo. Pueden verse, entre otros, los estudios ya citados de Fagiolo y Carandini; Prat Canos y además: Checa, F., y Morán, J. M., *El Barroco,* Madrid, Istmo, 1982, pp. 264 y ss.; Lleó Cañal, V., *Arte y espectáculo: la fiesta del Corpus Christi en Sevilla en los siglos XVI y XVII,* Sevilla, Diputación Provincial, 1975, pp. 43 y ss. Véase, además, la pertinente bibliografía que se cita en los estudios mencionados.

(8) Víctor Turner se ocupa de estos y otros muchos aspectos en su *Dramas, Fields and Metaphors. Symbolic Action in Human Society,* Ithaca and London, Cornell University Press, 1975, y también alguno de los estudiosos citados.

(9) Roiz, M., *op. cit.,* pp. 102-103.

(10) Fagiolo dell'Arco, M., y Carandini, S., *op. cit.,* pp. 375-393.

(11) En los estudios citados hasta aquí puede encontrarse una rica y completa bibliografía sobre el análisis de la fiesta desde distintos puntos de vista y variada metodología y a ellos remito.

(12) Me refiero a estudiosos de teoría y esencia del teatro como G. Jean: A Helbo, J. P. Sartre, G. Mounin, T. Kowzan, E. Souriau, etcétera.

(13) Sobre la función del texto cantado, en el mismo sentido que aquí, mi conferencia en el congreso sobre Calderón, celebrado en la Universidad de Toronto (1981) y conferencias y seminarios en el Instituto de España de Copenhague; Mieres (Oviedo), etc.

Ya Pfandl en su *Historia de la Literatura Nacional Española en la Edad de Oro* (Barcelona, G. Gili, 1952, p. 471), ponía de relieve el carácter de "forma de culto" y, por ello, la ritualización, devoción, edificación. El profesor A. A. Parker en su *The allegorical drama of Calderón. An introduction to the Autos Sacramentales,* Oxford and London, Dolphin, 1943, reeditado en 1962 y 1968, cap. II) hace referencia, como veremos, a las conexiones entre auto y fiesta, sentido litúrgico, celebración y sermón, etc., (véase también n.º 27), Valbuena Prat se refiere a ello, más o menos directamente, en varios de sus diversos estudios y ediciones dedicados al auto. B. W. Wardropper en su *Introducción al teatro religioso del siglo de oro,* Salamanca, Anaya, 1967, pp. 39, 51, 145 y ss., 334, etc.) trata también de las relaciones con la liturgia, vinculación al templo, procesión, función educativa, etc. En cuanto a los estudios de J. L. Flecniakoska, M. Bataillon y D. T. Dietz, véanse respectivamente las notas 39, 14 y 20, 19. R. Arias en su visión de conjunto sobre el auto *(The Spanish Sacramental Plays,* Boston, Tawyne Publishers, 1976, cap. 1) no podía dejar de mencionar los aspectos litúrgicos, celebrativos, morales y devocionales. No es del caso engrosar esta lista testimonial, pero sí decir que varía mucho la importancia y función que conceden a estos aspectos, dominando la "interpretación" teatral, frente al estudio relacionado con la fiesta que aquí propugno.

(14) Conocida es la razonada postura de M. Bataillon, frente a otros estudiosos, de vincular el auto sacramental a la prerreforma y reforma católicas y a problemas concretos de organización teatral "Ensayo de explicación del auto sacramental" en *Calderón y la crítica: historia y antología,* ed. Durán, M., y González, R., Madrid, Gredos, 1976, pp. 455-480. Tratar detenidamente este problema obligaría a valorar la postura de quienes, en más o en menos, vinculan el auto al ataque contra protestantismo como Menéndez Pelayo, Pedroso, Cotarelo, Aicardo, Valbuena Prat y de quienes matizan y restringen como Pfandl, Crawford, Flecniakoska, Wardropper, Parker, etc., pero esto me llevaría totalmente fuera de mis intereses aquí.

(15) Bataillon, M., *op. cit.,* p. 260.

(16) Wardropper, B. W., *op. cit.,* p. 85.

(17) Frutos, E., *La filosofía de Calderón de sus autos sacramentales,* Zaragoza, IFC, 1952, reeditado en 1981.

(18) Wardropper, B. W. *op. cit.,* pp. 39, 92, 94-95, 98-99.

(19) Véase nota 13. Dietz, D. T. *The Auto Sacramental and the Parable in Spanish Golden Age Literature,* Chapel Hill, North Carolina S. in the R. L and L, 1973) relaciona la capacidad de comprensión de parábolas y autos en su didactismo y alegoría y cita testimonios de Entwistle y Post para mostrar la formación religiosa de los españoles y su afición a la alegoría, pero bástenos con lo que después se dice en el texto pues mi intención aquí no es entrar en un análisis de las características en sí y función del pensamiento alegórico que nos llevaría a otros terrenos y a otra bibliografía.

(20) Bataillon, M., *op. cit.,* p. 470 y ss.

(21) Arróniz, O., *Teatros y escenarios del siglo de oro,* Madrid, Gredos, 1977, pp. 13-17.

(22) Agradezco a Federico de Carlos Otto el que me haya facilitado una bibliografía esencial sobre aspectos litúrgicos pertinentes aquí: Martimort, A. G., *La Iglesia en oración,* Barcelona, Herder, 1964; AA.VV., *Dans vos assemblées,* París, Desclée, 1971; Gelineau, J., *Liturgia para mañana,* Santander, Sal Terrae, 1977, así como varios artículos en los números de *Concilium*: 2 (1965), 12 (1966), 32 (1968), 42 (1969) y 52 (1970). Véase nota 1.

(23) Caro Baroja, J., *Las formas complejas de la vida religiosa (religión, sociedad y carácter en la España de los siglos XVI y XVII,* Madrid, Akal, 1978.

(24) Enrique y Tarancón, V., *Liturgia y lengua viva del pueblo,* Madrid, RAE, 1970, p. 79 y otras.

(25) Lo tomo de Tarancón, *op. cit.,* p. 60. También alude a esto Pollin, A. M., "Calderón de la Barca and Music: Theory and Examples in the *Autos* (1675-1681)", *HR,* 41 (1973), pp. 367-368.

(26) Lapesa, R., "Contestación del Excmo. Sr. D. R. Lapesa Melgar" al discurso de ingreso en la RAE de V. Enrique y Tarancón (*Liturgia y lengua... cit.),* pp. 116-117.

(27) Bataillon, M., *op. cit.,* p. 260; Parker, A. A., *op. cit.,* pp. 58 y ss., analiza la relación entre auto y fiesta religiosa y la función de celebración popular que se une a la celabración oficial por parte de la Iglesia y, en esto sentido, alude al valor litúrgico y devocional, también con una determinada función de la música, sin olvidarse de la consciente utilización doctrinal ético-teológica (pp. 63 y ss.). Véase sobre todo esto las notas 13 y 19, en que se da referencia de la postura de varios estudiosos.

(28) Sage, J., "The function of music in the theatre of Calderón" en *The Comedias of Calderón. A facsimile edition prepared by D. Cruickshank & Varey, J. E. (...),* Londres, Gregg I.P.L. y Tamesis, B. L., 1973, vol. XIX, pp. 209-230; Pollin, A. M., *op. cit.;* Umpierre, G., *Songs in the plays of Lope de Vega,* Londres, Tamesis, B. L., 1975. En el programa del *Congreso Internacional sobre Calderón* de Madrid, junio, 1981, se anunciaban varias ponencias de Querol, M.; Stein, L. K.; Cardona, A., y Gibert, M., y Zubala, M., sobre diversos aspectos de la música en el teatro calderoniano. También hay que citar Querol, M., *Teatro musical de Calderón. Estudio, transcripción y realización,* Madrid, CSIC, 1981. Véase n.º 48.

(29) Fichte, J. O., *Expository voices in Mevieval Drama. Essays on the Mode and Function of Dramatic Exposition,* Nürenberg, Verlag Hans Carl, 1975. Parker, A. A., en su citado estudio (pp. 97 y ss.), alude a las funciones explicativas, las ayudas para la compresión en los autos calderonianos.

(30) Casares Rodicio, E., "La música barroca: análisis formal e ideológico" en AA.VV., *La música en el barroco,* Oviedo, Universidad, 1977, p. 41.

(31) Nieto Alcaide, V., y Checa Cremades, V., *El Renacimiento. Formación y crisis del modelo clásico,* Madrid, Istmo, 1980, pp. 110 y ss. Véanse también las notas 1, 2, 6, 8 y 9.

(32) Casares Rodicio, E., "La música religiosa en el barroco europeo" en *op. cit.* p. 58.

(33) Véase "Música de los templos" en *Obras escogidas del P. Fray Benito Jerónimo Feijoo,* Madrid, BAE, 1863, pp. 37-44. Podría llevarnos esto a problemas de la teatralización de la vida, de la teatralización del sermón, que ha estudiado muy bien el profesor Emilio Orozco, pero nos apartaría de nuestro propósito aquí.

(34) Eximeno, A., *Del origen y reglas de la música,* ed. F. Otero, Madrid, Editora Nacional, 1978, p. 272.

(35) López Calo, J., "La música religiosa en el barroco español. Orígenes y características generales" en *La música en el barroco, cit.,* p. 155.

(36) Véase sobre esto Casares Rodicio, E., "La música barroca" (cit.), pp. 20 y ss. También lo trata Pollin, A. M., *op. cit.,* pp. 367-368.

(37) Enrique y Tarancón, V., *op. cit.,* p. 287.

(38) Wardropper, B. W., *op. cit.;* Flecniakoska, J. L., *La formation de l'auto religieux en Espagne avant Calderón (1550-1635),* París, 1961; Forthergill-Payne, L., *La alegoría en los autos y farsas anteriores a Calderón,* Londres, Támesis, 1977 y naturalmente los diversos estudios de A. Valbuena Prat.

(39) Puede verse con provecho: Stern, Ch. M., "Iñigo de Mendoza and Medieval Drama Ritual", *HR,* XXXIII (julio, 1965), pp. 197-245; Umpierre, G., *op. cit.*; Hess, R., *El drama religioso romántico como comedia religiosa y profana,* Madrid, Gredos, 1976; González Pedroso, E., *Autos sacramentales desde su origen hasta fines del siglo XVII,* Madrid, BAE, 1865.

Flesniakoska (*op. cit.,* pp. 285 y ss., 362 y ss.), a la vez que da valiosos testimonios de cantos y elementos litúrgicos en el teatro religioso anterior a Calderón, con la función de crear ambiente y alegría festiva, reconoce para los textos cantados funciones de exposición, caracterización y conclusión.

(40) Fichte, J. O., *op. cit.,* p. 119.

(41) *Ibidem.*

(42) Estudia muy bien todo esto Gustafson, D., "The role of the sepherd in the Pre-Lope an Drama of Diego Sánchez de Badajoz", *Bulletin of the Comediantes,* XXII, I (1973), pp. 5-13.

(43) Wardropper, B. W., *op. cit.,* pp. 176 y ss.

(44) No hace al caso entrar aquí en tan compleja problemática (véanse notas 13, 19 y 27), en la que hay posturas más o menos dispares. Los principales investigadores aluden, de una u otra forma, a ello: Parker (pp. 65-66) y también Wardropper, Flecniakoska, Bataillon, Valbuena Prat, etc., pero varía el grado de importancia que conceden a lo teatral en sí o a lo religioso, a las relaciones con la procesión y la liturgia y con el teatro religioso precedente. Sobre ello mantendré mi personal postura en la edición que preparo en torno a un pormenorizado análisis de la estructura festiva.

(45) Véase la bibliografía que cita Martín Moreno, A., "La música teatral del siglo XVII español" en *La música en el barroco,* cit., pp. 125-6 y 127-9.

(46) Cito por la edición de Valbuena Prat, A., P. Calderón de la Barca, *Obras completas,* tomo III; *Autos sacramentales,* Madrid, Aguilar, 1959. Cito en abreviatura, según la relación que doy después, mencionando página y columna. Me disgusta remitir a una sola edición y no citar por la numeración de versos, pero el número de piezas analizadas, al no numerar en la edición que manejo, me lo ha impuesto.

Dado el sentido de mi estudio no es pertinente incorporar una bibliografía especializada sobre problemas cronológicos y otros aspectos de crítica textual. Solamente me ha parecido pertinente seleccionar autos de dos épocas: una de comienzo y desarrollo y otra de finales. El primer bloque abarcaría de antes de 1630 a 1640, según la cronología de Valbuena Prat (*op. cit.*) y hasta 1658, según otros estudios, de los cuales dan cuenta Reichenberger, K. y R., en su *Bibliographisches Handbuch der Calderon-Forschung*, Kassel, Verlag Thiele & Schawarz, 1979. El segundo bloque cronológico correspondería a la etapa final, por eso lo he elegido, y abarcaría de 1671 a 1681, con el problema de *El laberinto del mundo* y su fecha de 1654 y no 1677 (véase para ello Reichenberge, K. y R., *op. cit.*, p. 578 que recogen las precisiones de Cruickshank, D. W.). Lo que me interesa aquí y ahora es que hay una marcada coherencia y sistematismo en la utilización de la música, con las funciones que le atribuyo en el estudio, en el conjunto de los treinta autos analizados que, por otra parte, son un muestrario de los distintos grupos temáticos en que divide Valbuena Prat en su edición citada.

La relación de autos sacramentales estudiados —y la abreviatura utilizada en el texto— es la siguiente:

Primer bloque:

Cena: La cena del rey Baltasar.
Devoción: La devoción de la misa.
Divino: El divino Jasón.
Duque: El gran duque de Gandía (problemas de autoría).
Hidalga: La hidalga del valle.
Hombre: Lo que va del hombre a Dios.
Iglesia: La iglesia sitiada (problemas de autoría; vid. Reichenberger, K. y R., *op. cit.*, p. 574).
Mercado: El gran mercado del mundo.
Misterios: Los misterios de la misa.
Palacio: El nuevo palacio del Retiro.
Pleito: El pleito matrimonial.
Psiquis: Psiquis y Cupido.
Socorro: El socorro general.
Teatro: El gran teatro del mundo.
Veneno: El veneno y la triaca.

Segundo bloque:

Amar: Amar y ser amado y divina Filotea.
Andrómeda: Andrómeda y Perseo.
Arca: El arca de Dios cautiva.
Codero: El cordero de Isafas.
Día: El día mayor de los días.
Indulto: El indulto general.
Jardín: El jardín de Falerina.

Laberinto: El laberinto del mundo.
Nave: La nave del mercader.
Redención: La redención de cautivos.
Santo: El santo rey Don Fernando (primera parte).
Santo II: El santo rey Don Fernando (segunda parte).
Serpiente: La serpiente de metal.
Tesoro: El tesoro escondido.
Vida: La vida es sueño.

(47) Me refiero a los estudios de Sage, Pollin, Umpierre, citados. No entro en la mención de análisis más concretos y particularizados.

(48) De aspectos musicales del teatro calderoniano se han ocupado diversos estudiosos: Ruiz Lagos, Aubrun, Calle, Chapman, Connor, Krogstad, Querol, Recoules, Subirá, con aportaciones que no es del caso incorporar aquí. Véase n.º 28.

(49) A ello aluden varios de los estudiosos citados hasta aquí: Feijoo, Eximeno, Sage, Pollin —estos últimos refiriéndose a Calderón—, etc.

(50) Pollin, A. M., *op. cit.*, p. 364 n. cita el testimonio de A. A. Parker, ed., *No hay más fortuna que Dios,* Manchester, 1949 favorable a esta supremacía, frente a otra postura de Trend, J. B., "Calderón and the Spanish Religious Theatre of the Seventeenth Century" en *Seventeenth Century Studies Presented to Sir Herbert Grierson,* Nueva York, 1967, pp. 161-83. Hay que tener presente las valiosas interpretaciones de Maravall, J. A., *La cultura del barroco,* Barcelona, Ariel, 1975.

(51) Lo cita Enrique y Tarancón, V., *op. cit.*, p. 8.

(52) Lo cita Feijoo, *op. cit.*, p. 37. Sobre el ver-oir, vid. Parker, A. A., *op. cit.*, pp. 64-65.

(53) Enrique y Tarancón, V., *op. cit.*, pp. 74 y 70.

(54) Hess, R., *op. cit.*, p. 87.

(55) Cita este texto del *Auto pastoril portugués* de Gil Vicente: R. Hess, *op. cit.*, p. 64.

(56) Umpierre, G., *op. cit.*, pp. 59 y ss.

(57) Fichte, J. O., *op. cit.*, pp. 1-2.

(58) "Alerta al primer Triunfo suyo, alerta" (*Santo,* 1284, 1 y 2; 1285, 1); "De Israel el pueblo (...)" (*Serpiente,* 1537, 2 y con variantes; 1538, 1); Ave Fecunda..." (*Día* , —con variantes— 1647, 2; 1648, 1); "A la Reina del Pueblo escogido (...)" (*Tesoro,* 1674, 2 y 1975, 2, repetido); "Esta Niña celestial" (*Hidalga,* 126, 2); "Flor de pureza intacta" (*Palacio,* (loa), 134, 2).

(59) "Que todo Israel / le cante la gala (...)" (*Serpiente,* —con variantes— 1537, 2 y 1538, 1); "Ven, Fernando, ven" (*Santo,* 1288, 2); "Aladas jerarquías..." (*Santo II,* 1301, 1 1302, 1); "¡Gócese el pueblo de Dios!" (*Serpiente,* 1528, 1 y 2; 1530, 2, repetido); "Aves, fuentes, auras, flores / todos a la Infanta decid amores" (*Veneno,* 180, 2).

(60) También alude a la función de los coros Pollin en su estudio citado.

(61) Véase sobre esto López-Calo, J., *op. cit.*, pp. 163 y ss.

(62) Voluntariamente evito hablar del problema de los *contrafacta* que cuenta ya con una importante bibliografía en la que no hace al caso entrar aquí.

(63) Véase Alonso, D., y Bousoño, C., *Seis calas en la expresión literaria española*, Madrid, Gredos, 1970.

(64) Es habitual que el tipo de textos cantados que he analizado vaya introducido por indicaciones que hacen referencia al hecho de cantar; sirvan de ejemplo: Fe "Señora ¿quieres que cante?" (*Iglesia*, 48, 1); Cuerpo "Suena esta música ya" (*Pleito*, 85, 2); Vanidad "Yo con músicos cantando pararé el aire a mi voz" (*Cena*, 169, 1); Entedimiento "Cantad tonos diferentes" (*Veneno*, 180, 1); Fe "Cantad dulces ruiseñores" (*Psiquis*, 357, 2); Jud. "Y así te aclame mi canto" (*Misterios*, 311, 1); Inspiración "Quién dice con voces tiernas" (*Tesoro*, 1686, 2), etc.

(65) Son varios los personajes que cantan, pero la intervención de música universaliza el mensaje como decía, aunque también hay textos más integrados en la acción, como digo, D. Ynduráin, ed. de *El Gran teatro del mundo*, Madrid, Retorno, 1973, pp. 57-60, estudia el problema centrándolo en la oposición personajes divinos - personajes humanos y en el estilo del canto.

(66) Para que el lector tenga unos cuantos ejemplos significativos citaré unas pocas referencias, ya que desbordaría por completo los límites de este trabajo el citar los textos completos y además se recogerán en un estudio que preparo sobre este aspecto en particular: *Teatro*, 215, 1; *Devoción*, 250, 2; *Santo*, 1264, 1; 1265, 2; 1266, 1 y 2; *Nave*, 1451, 2; 1452, 2; 1453, 1 y 2; *Jardín*, 1510, 1 y 2; 1512, 1; *Día*, 1638, 2; 1640, 1 y 2; 1641, 1; 1645, 1; *Tesoro*, 1672, 2; 1673, 1 y 2; 1674, 1; 1677, 1; 1680, 2; 1981, 1; *Cordero*, 1743, 2; 1744, 1 y 2; 1745, 1 y 2 (loa); *Redención*, 1330, 2; 1331, 2).

(67) Díez Borque, J. M., *Sociología de la comedia española del siglo XVII*, Madrid, Cátedra, 1976.

(68) Véase nota 65.

(69) El profesor Varey, en el Congreso de Toronto mencionado, recordó la representación de los autos en corrales, que él mismo ha estudiado. Es aspecto que habrá que tener en cuenta pero que, a mi ver, no altera la especificidad de la *teatralidad* del auto sacramental en su concepción primera y en sus funciones, y hay que considerar las circunstancias y características de la representación en corrales. Sobre estos aspectos volveré en la edición de autos sacramentales que preparo.